De Orde

Bezoek onze internetsite www.awbruna.nl
voor informatie over al onze boeken en softwareproducten.

Paul Goeken

De Orde

A.W. Bruna Uitgevers B.V., Utrecht

© 2005 Paul Goeken
© 2005 A.W. Bruna Uitgevers B.V., Utrecht
Omslagontwerp
Plan B

ISBN 90 229 8995 X
NUR 332

Voor Henri
Een vriend die in de loop der jaren
meer dan een broer voor mij is geworden

Proloog

12 oktober 1307

Grootmeester der Tempeliers Jacques de Molay staarde bedachtzaam in het duister. Hij stond doodstil, enkel het regelmatig knipperen van zijn oogleden verried zijn sterfelijkheid. De uitloper van een windvlaag gleed langs zijn magere gezicht en deed zijn lange, grijze baard opwaaien.

Zijn blik rustte op een gedeelte van Parijs. Vanuit de hoogste toren van de Tempel had hij uitzicht op het zuiden van de stad. Bij daglicht vermakelijk vanwege de bedrijvigheid die er heerste, 's nachts niet meer dan een inktvlek met flonkerende oranjerode stippen. Ondanks de regen hoorde hij het monotone geklots van de Seine. De rivier was een belangrijke handelsweg voor de hoofdstad en liet zich deswege nooit overstemmen.

In de verlaten stegen en straten gloeide sporadisch de toorts van een wacht of verlate edelman op. Als een gloed zich tot een beperkt gebied uitstrekte, kon je ervan uitgaan dat het hier een wacht betrof. Ging de oplichtende hitte van de toorts daarentegen vreemde patronen vormen, dan behoorde deze vrijwel zeker toe aan iemand van stand. Vanwege het feodale stelsel waren sommige dingen bijzonder voorspelbaar. Drankgebruik was daar één van.

Langzaam bracht hij de zilveren beker naar zijn mond en nam een slok wijn. Aansluitend mompelde hij instemmend. De Saint Nicolas De Bourgeuil was inderdaad zo hemels als in hogere kringen werd beweerd. Daarna schudde Jacques de Molay vol ongeloof zijn hoofd.

'Hogere kringen,' fluisterde hij. In zijn stem klonk zowel diepe afkeur als opperste verbazing door. Vanmorgen was hij op verzoek van koning Filips de vierde de Schone een van de slippendragers geweest tijdens de begrafenis van diens schoonzus Catherine. Na afloop van de dienst was hij door alle aanwezigen met het grootste respect behandeld. Exact zoals een Grootmeester der Tempeliers verdiende.

'Ha!'

Dit ene woord dekte de gehele, onuitgesproken lading, doortrokken als het was met volstrekte minachting. De oorsprong hiervan lag hoofdzakelijk in het gesprek dat hij die avond had gevoerd met twee vertrouwelingen van Gilles Aiscelin, de aartsbisschop van Narbonne. Deze priesters waren in de late namiddag in het hoofdkwartier van de Tempeliers aangekomen. De lange reis had hen lichamelijk getekend. Hun kleding leek op een samenraapsel van scheuren en de gezichten van beide mannen werden gekenmerkt door danig uitpuilende ogen en ingevallen wangen. Hun geest was daarentegen helder. Bij binnenkomst vroegen ze direct om een onderhoud met Grootmeester Jacques de Molay.

Nadat hij het avondmaal in het bijzijn van zijn ridderbroeders in de kapittelzaal had genuttigd, had De Molay beide priesters in zijn privévertrek ontboden. Het verhaal dat zij hem vertelden, was verbazingwekkend, schokkend en absurd. Een relaas over een bijeenkomst die een maand geleden in de abdij van St Marie de Pontoise had plaatsgevonden. Hier deelde koning Filips de vierde de Schone zijn handlangers mede dat hij van plan was om binnenkort alle Tempeliers te laten arresteren. De eveneens aanwezige Gilles Aiscelin, de aartsbisschop van Narbonne, weigerde hier echter mee in te stemmen. Hij mocht weliswaar door Filips de Schone tot lid van onderzoek tegen de Orde der Tempeliers zijn benoemd, aan een arrestatie en de daaropvolgende martelingen wenste hij niet mee te werken. Verbolgen verliet hij de bijeenkomst.

Grootmeester Jacques de Molay pakte een nog voor de helft gevulde karaf en schonk zijn beker vol. Gulzig nam hij een paar slokken, wat hem direct op een fikse hoestbui kwam te staan. Met veel misbaar onderging hij het ongemak, in stilte zijn 63 jaar oude lijf vervloekend. Dit was hem pakweg tien jaar geleden nooit overkomen, wist hij. Toen kon hij in velerlei opzichten nog met de besten mee.

Nadat de aartsbisschop van Narbonne de vergadering had verlaten, had koning Filips de Schone maatregelen genomen. Hij zette de opstandige aartsbisschop uit zijn ambt en in zijn plaats werd Guillaume de Nogaret benoemd. Dit laatste wist De Molay al voordat de priesters de Tempel betraden. Het koninklijk decreet vond immer zeer spoedig zijn weg naar zijn nederige onderdanen.

Grootmeester Jacques de Molay spoog minachtend op de stenen vloer en wreef met zijn laars de klodder speeksel uit. Alsof hij op een insect trapte om het daarna voor de zekerheid te vermorzelen, zodat zelfs de eventuele eitjes het niet zouden overleven.

Guillaume de Nogaret was een verdorven persoon. Een duivel in mensengedaante. Een hater van de rooms-katholieke kerk en de levensgevaarlijke rechterhand van koning Filips de Schone. In hoedanigheid van diens politieofficier had hij op koninklijk bevel paus Bonifatius de achtste gevangengenomen. De paus had het gewaagd de Franse koning, na een voornamelijk schriftelijke ruzie te excommuniceren.

Tijdens de arrestatie mishandelde De Nogaret de 84-jarige paus op een gruwelijke manier. Spoedig daarna overleed deze aan de gevolgen hiervan. Dit schandalige feit vond plaats in het jaar 1303. Hoewel Jacques de Molay op dat moment al tien jaar Grootmeester der Tempeliers was, stond hij volkomen machteloos. Tempeliers beschermden christenen tegen niet-christenen. Wat christenen onderling deden, viel buiten zijn juristrictie. Helemaal als het in opdracht van de Franse koning gebeurde.

'Schoft,' siste De Molay. Hij perste zijn kiezen zo hard op elkaar dat het glazuur ervan bijna barstte. In gedachten zag hij het pokdalige gelaat van deze moordenaar in staatsdienst voor zich. De wolfachtige grijns op diens gezicht was op een natuurlijke manier gebeeldhouwd. Een kenmerk dat veel mensen angst inboezemde. Het gelaat van Filips de Schone bande hij op dat moment bewust uit zijn gedachten. Hij wist wie de werkelijke schoft was, maar wenste dit niet te onderkennen. Het bleef tenslotte de koning. Zijn koning.

Spoedig na de moord op Bonifatius beging De Nogarat wederom een misdrijf waarmee hij wegkwam. Het betrof paus Benedictus de elfde, opvolger van Bonifatius. Ditmaal was er gif in het spel, wist De Molay uit betrouwbare bron. Benedictus had weliswaar de ban ingetrokken, maar waagde het daarna de koning flink te bekritiseren. Dit kostte hem zijn leven.

Uiteindelijk wist Filips de vierde de Schone de kardinalen ertoe over te halen de koningsgezinde bisschop van Bordeaux tot paus te kiezen. Dit vond plaats in Perugia in 1305. Bertrand de Got werd paus Clemens de vijfde.

'Hierna begonnen duistere plannen uw geest te besmetten, hoogheid,' fluisterde De Molay met cynische ondertoon. 'Begeerte is een hakkend zwaard dat elke dag meer vlees eist.'

Het gestamp van paardenhoeven en ingehouden kreten deden hem iets naar voren buigen. Drie karren waren geladen voor de lange reis. De menners hielden de teugels strak, zij wachtten op het teken van de acht Tempeliers die de kleine karavaan tegen rovers en ander gespuis zouden beschermen. Vijftig paarden waren uit hun stallen gehaald om snelle aflossingen te garanderen. Een nieuwe dag stond op het punt te beginnen. Het startsein voor een uittocht die door de spionnen van Filips de Schone niet onopgemerkt zou blijven...

Met drie krachtige passen was hij bij de rechthoekige tafel die in het midden van de toren stond opgesteld. Hij griste het opgerolde perkament ervan af en hield het recht voor zijn gezicht. Het door hem verbroken zegel was echt, daar kon geen twijfel over bestaan. Ook de inhoud liet niets te wensen over. Kort en krachtig, aangezien de aartsbisschop van Narbonne tijdens het schrijven van dit document moest vluchten voor Filips' troepen die hem kwamen arresteren wegens hoogverraad. 'Vlucht', was de boodschap. 'Uw arrestatie is aanstaande. Mobiliseer uw Tempeliers en trek naar een gebied waar de koning weinig tot geen zeggenschap heeft.' De Molay betastte met zijn vingertoppen het in allerijl geschreven bericht. Het perkament bleef gortdroog, de woorden hetzelfde. Er verscheen geen engel die hem vertelde of zijn beslissing al dan niet de juiste was.

Het metalen geluid van grendels die weggeschoven worden, klonk in de Parijse nacht onevenredig hard. Aansluitend het venijnige getrappel van paardenhoeven en het hemeltergende gepiep van roestige wielen die op gang kwamen. Het was nu definitief. De vlucht was in gang gezet.

De zilveren beker kwam met een klap tegen de witstenen muur. Rode vegen suggereerden direct dat hier geen mentale maar een fysieke strijd had gewoed.

'Vluchten!' Dit ene woord deed hem meer pijn dan al zijn verwondingen op talloze slagvelden ooit hadden gedaan. Hij sloot zijn ogen en bedekte zijn oren om de vernedering van de vluchtgeluiden vanaf de binnenplaats buiten te sluiten. Een kansloze missie, aangezien de vijand zich reeds in zijn hoofd had genesteld.

In plaats van rustgevend zwart, werd het rood aan de binnenkant van zijn gesloten oogleden. Hij was zestien jaar terug in de tijd. Terug in de hel van Akko. Hoewel zijn lichaam al uren schreeuwde om overgave, zaaide het vlijmscherpe staal van zijn klievende zwaard dood en verderf onder de moslimhonden. De verminkte lichamen waren samengeklonterd tot één bloederige stapel vlees waarin hij tot aan zijn knieën stond. Toen de zon onderging was de strijd over. Van de oorspronkelijke vijfhonderd Tempeliers, stonden er nog negen aan zijn zijde. Later zou blijken dat ze ruim tweeduizend moslims over de kling hadden gejaagd. Ondanks de overmacht waarmee ze waren geconfronteerd, was er niet één Tempelier geweest bij wie de gedachte aan vluchten was opgekomen.

Grootmeester Jacques de Molay opende zijn ogen. De strepen op de muur waren weer uitlopers van wijn, in plaats van vergoten levenssappen uit een ver verleden. Hij realiseerde zich dat met het vertrek van de karavaan zijn beslissing definitief was. In plaats van onbeheersbare schaamte, daalde er een zekere rust over hem neer.

Het was een rationeel besluit geweest om nu het plan uit te voeren dat hij verleden jaar in alle stilte had voorbereid. Toen had hij al bemerkt dat koning Filips in bepaalde zaken niet meer toerekeningsvatbaar was. Zaken die te allen tijde te maken hadden met wereldse macht. Een fenomeen dat je naar je toe trok met geld, juwelen en bezittingen. Precies datgene wat De Orde der Tempeliers in overvloed bezat.

Voor de eerste maal deze avond verdreef een dunne glimlach de zorgelijke trekken van zijn gezicht. Dit had te maken met de gloeiende toortsen die de acht Tempeliers pontificaal in hun rechterhand hielden. Een niet te missen optocht die noordwaarts trekt, dacht De Molay schamper. Karren vol kostbaarheden, op weg naar Calais om aansluitend per schip de oversteek te maken. Met Schotland als eindbestemming. De Molay knikte goedkeurend. Koning Filips de Schone wist precies met wie de Grootmeester der Tempeliers wel en niet op goede voet stond.

Hoewel zijn Tempeliers de hoeven met lappen hadden omwonden, hoorde hij het onmiskenbare ritme van een paardendraf. Nadat de opvallende stoet de Tempel had verlaten, hadden de wachten de poort bewust niet vergrendeld. Hierdoor ging deze bijna geluidloos open. Negen ruiters lieten zich opslokken door de nacht. Eenmaal buiten Parijs zouden Armand de Peragors, Thomas Berard en Arnold de Toroges ieder hun eigen route nemen. Aan de zijde van iedere Tempelier reden twee getrouwen. Geen Tempeliers, maar zwaardvechters die in de loop der jaren hun vaardigheden en loyaliteit ruimschoots hadden getoond.

Drie Tempeliers, drie verschillende windrichtingen.

Zij waren degenen die de toekomst van de Tempeliersorde zeker moesten stellen, wist De Molay. Mocht het zover komen dat Filips de Schone zijn drieste plannen doorzette, dan raakte de Orde in het ergste geval haar kastelen, landerijen, privileges en schuldbekentenissen kwijt. Een aderlating, dat zeker. Maar geenszins het einde, aangezien hun grootste bezittingen op plekken lagen die enkel hij en een paar vertrouwelingen kenden.

Grootmeester Jacques de Molay nam plaats op een stenen bank in een van de twee nissen die de toren rijk was. Hij schudde misnoegd met zijn hoofd. Hoe had het zover kunnen komen?

Mochten zijn ergste vermoedens uiteindelijk niet bewaarheid worden, dan was er feitelijk weinig aan de hand, wist hij zo goed als zeker. Zijn vertrouwelingen zouden na verloop van tijd weer terugkeren, waarna ze

11

hun leven in de Orde weer op konden pakken. Nee, als alles op een vergissing berustte, dan had hij enkel een voorzorgsmaatregel genomen waarop hij later niet of nauwelijks zou kunnen worden aangesproken.

Een sissend geluid ontsnapte aan zijn lippen. Het was de uitlaatklep van innerlijke onrust. Besloot Filips de Schone evenwel zijn snode plan uit te voeren, dan stonden hij en zijn vijftienhonderd ridders machteloos. In het manifest van de Orde der Tempeliers stond duidelijk beschreven dat het een Tempelier verboden was zijn zwaard op te heffen naar een medechristen. Als er een arrestatie volgde, dienden zij zich te onderwerpen aan de rechterlijke macht.

De daaropvolgende uren bracht Grootmeester Jacques de Molay door in de toren van de Tempel. De vochtige kilte die tot op zijn botten doordrong, negeerde hij. Zijn gedachten waren bij zijn drie mede-Tempeliers die inmiddels in volle galop door Frankrijk reden. Mannen met een missie die het voortbestaan van de Orde der Tempeliers moesten garanderen. In stilte bad hij voor hun welzijn.

1

De ingang van de grot was onooglijk. Een mengelmoes van woekerend onkruid en zwerfkeien bedekte grotendeels de opening. Een lichte bries speelde met verdwaalde zonnebloemen die op het punt stonden de geel-zwarte koppen er definitief bij te laten hangen.

De opening mat nauwelijks één bij twee meter. De trieste aanblik hoef-de echter geen indicatie te zijn voor wat hij binnen zou aantreffen, wist Manuel Albelda uit jarenlange ervaring. Het kon echt alle kanten op. Brede, toegankelijke entrees die spoedig uitmondden in een deceptie van opstuivend stof, of miezerige openingen die een opmaat waren voor schitterende grotten waarin glashelder water stokoude stalactieten of sta-lagmieten omfloerste.

'Goed gedaan, Julien,' sprak hij welgemeend.

De goedmoedige reus lachte hem verlegen toe, waardoor zijn slechte gebit heel even zichtbaar werd. Albelda wierp nog een schuine blik op de ingang van de grot, waarna een flauwe glimlach opspeelde. In gedachten zag hij de uit de kluiten gewassen Fransoos zijn dikke pens door de spleet persen. Aansluitend de aandoenlijke glimlach nadat het uiteinde van de lichtbundel van zijn lantaarn het water had beschenen. Daarna had de gigant met het verstandelijk vermogen van een tienjarige als een speer de grot verlaten, wist Albelda zeker. Grotten opsporen was één ding, er diep in penetreren iets geheel anders.

Hij haalde een briefje van twintig euro uit zijn portemonnee en gaf het aan Julien Manne die het bijkans uit zijn hand griste. Hierna draaide de moloch zich om en liep bij de ingang van de grot vandaan. Een groet bleef uit. Groeten, daar hield Julien niet van.

Albelda keek hem na met een oogopslag waarin hoofdzakelijk begrip stond te lezen. Dit had voornamelijk te maken met de levensloop van Julien Manne. Een ongebruikelijke, aangezien de grote man in de cate-gorie van 'bijzondere mensen' viel.

Toen de kleine Julien vier jaar oud was, sloop hij het erf van de ouderlij-ke boerderij af. Na een zwerftocht van enkele uren was hij moe en gedes-oriënteerd. Om zichzelf te beschermen tegen de felle zomerzon, kroop hij een spleet binnen die de ingang van een grot bleek te zijn. Twee etmalen later vonden bijeengetrommelde omwonenden en gezamenlijke hulpdiensten hem exact op de plaats waar hij twee dagen daarvoor had plaatsgenomen. Gelukkig reageerde hij luidkeels op de gebiedende stemmen, anders hadden ze hem nooit gevonden. Hoewel er in eerste instantie voor zijn leven werd gevreesd, herstelde Julien wonderbaarlijk snel. Later kwamen medici erachter dat zijn fenomenale fysieke kracht een compensatie bleek voor zijn verstandelijk vermogen.

Terwijl op het platteland de tijd met de regelmaat van de oogst verstreek, groeide Julien Manne als kool. Omdat er in de nabije omgeving geen opvang voorhanden was voor kinderen zoals hij, zat Julien doordeweeks zijn tijd uit op de dorpsschool. Vanwege zijn verstandelijke handicap kon hij nauwelijks meekomen. Zijn voordeel – of wellicht nadeel, het lag eraan vanuit welk standpunt je het bekeek – was zijn uiterlijk. Zo op het eerste gezicht leek Julien een doodnormaal kind dat toevallig anderhalve kop boven zijn klasgenootjes uitstak. Hij had geen opvallend afwijkende gezichtsuitdrukking, kwijlde niet en kwam, zij het wat lijzig, redelijk uit zijn woorden. Enkel wanneer je wat langer naar hem keek, vielen er twee dingen op: zijn ogen en de blik erin. De scheidslijn tussen iris en pupil was nauwelijks waarneembaar. Zijn kijkers leken op onpeilbare, zwarte gaten waarin geen leven mogelijk leek te zijn.

Omdat de uitgestrekte Dordogne voor de onderwijsinspectie niet bepaald als prioriteitsgebied gold, lukte het Julien om tot zijn veertiende op de lagere school te blijven. Hierna ging hij werken bij zijn ouders op de boerderij, zodat hij voor de instanties min of meer ophield te bestaan. In de daaropvolgende jaren ontwikkelde hij zijn gave om grotten te vinden. In zijn vrije tijd zwierf hij in de omgeving op zoek naar openingen waarachter het duister regeerde. Hij vond ze, registreerde ze en vergat ze weer net zo gemakkelijk. Het ging om de jacht; de buit was van ondergeschikt belang.

Terwijl Manuel Albelda Juliens grote gestalte steeds kleiner zag worden, dacht hij terug aan zijn eerste vakantie in de Dordogne, toen hij dit verhaal had opgevangen. Enkele maanden daarvoor was hij overgestapt van sportduiken naar grotduiken. In Spanje zelf werd het lastig om deze hobby uit te oefenen. Er waren simpelweg te weinig grotten. In de Middellandse Zee bij het plaatsje Estartit bestonden een paar korte tunnels onder water. Daarmee was de koek wel zo'n beetje op.

Na een schitterende duik in de beroemde Hérault-grot was hij geïnfecteerd met het Dordogne-virus. Hier wilde hij in de toekomst veel duiken gaan maken. Wat hem betrof was sportduiken bij deze overweldigende ervaring puur kinderspel.

Hij kwam achter de naam van het gebied waar Julien Manne woonde. Een maand later reed hij met zijn Seat naar de Dordogne. Eenmaal in de streek Périgord Noir, liet hij de steden Sarlat en Les Eyzies achter zich. Hij trok verder het binnenland in en nam op goed geluk een kamer in Les cinq chênes, De vijf eiken, een rustieke herberg waar de struise madame Inès de scepter zwaaide. Hier wist een stamgast hem te vertellen waar 'maffe Julien' woonde.

Dit was meer dan tien jaar geleden. Sindsdien had hij tientallen grotten bezocht. Allemaal na aanwijzingen van Julien. Voor elke grot waarin gedoken kon worden, stopte hij hem een klein geldbedrag toe. Tevens leerde hij Julien met veel pijn en moeite de ingang van een grot op een kaart te markeren. Dit, om te voorkomen dat de goedaardige mastodont hem naar een grot zou sturen waarin hij reeds had gedoken.

Albelda liep over het geaccidenteerde terrein terug naar zijn auto die vijftig meter verderop stond geparkeerd. Onderweg lette hij scherp op kuilen en stenen waarin en waarover je een doodklap kon maken. Enkel- of knieband gescheurd voordat de grotduik daadwerkelijk aanving: hij zou de eerste en de laatste niet zijn die dit overkwam.

Met de vanzelfsprekende routine van een topfitte vijftiger die een aanzienlijk gedeelte van zijn leven onder water had doorgebracht, kleedde Albelda zich naast de auto om. Wat in de grot geen functie had, verdween in de kofferbak. Hij sloot deze af, stopte de sleutels in een plastic koker en borg die in een zijvak van zijn trimvest op.

In vol duikornaat wandelde hij terug naar de ingang. In zijn linkerhand droeg hij een masker, vinnen en een kanohelm. De vingers van zijn rechterhand omklemden twee verschillende haspels waaromheen een witte nylonlijn was gerold.

Drie meter voor de ingang van de grot bleef Manuel Albelda stilstaan. Het was tijd voor zijn vaste ritueel. Hij sloot zijn ogen, haalde diep adem door zijn neus en negeerde het zwarte beeld achter zijn oogleden. Op zijn netvlies verscheen de variëteit van de Dordogne. Hij zag de oude boerderijen, de wuivende maïsvelden en de duizenden kronkelweggetjes die altijd in gehuchten met kolderieke namen eindigden. Hij rook de frisse lucht van de loofbomen na de zoveelste, onverwachte regenbui in het late voorjaar. De penetrante stank van opeengepakte everzwijnen in een plaatselijke fokkerij geselde zijn reukorgaan, maar de smaak van *confit de canard, margret de canard* en de goddelijke Bergerac-wijn, maakte in een subliem moment van opperste verrukking alles weer goed.

Albelda opende zijn ogen en keek omhoog. De lucht was een onwezen-lijk mozaïek van kleuren waarin blauw onbetwist marktleider was. Omdat hij zich terdege realiseerde dat dit zomaar zijn allerlaatste blik op de hemel kon zijn, genoot Manuel Albelda exact een halve minuut met volle teugen van het schilderachtige schouwspel.

Zijwaarts stapte hij de grot binnen. Bijna maakte hij een smak, door de flinke hoeveelheid puin die vlak achter de natuurlijke ingang lag. Een vreemde plek voor een stapel keien, ging het door hem heen. Helemaal als je bedacht dat het zwerfkeien waren, die nimmer onderdeel hadden uitge-maakt van de spleet. Alsof iemand in een ver verleden de spleet ermee had opgevuld, waarna in de loop der jaren de elementen hun werk hadden gedaan en de opening uiteindelijk weer in de natuurlijke staat was terug-gekeerd. Albelda berispte zichzelf. Grotduiken was ongeschikt voor fan-tasten. Die maakten in hun kinderlijke enthousiasme fouten die in deze duistere wereld niet getolereerd werden. De straf die dan volgde was een onherroepelijke. Even snel als het idee over de bewust afgesloten grot in zijn gedachten was opgekomen, verdween het naar een imaginair zolder-kamertje ergens diep in zijn hersenen.

Onder de laarzen van zijn droogpak hoorde hij kalksteen knisperen. De vochtige lucht die zijn neusgaten binnendrong verried echter de aanwe-zigheid van water. Hij haalde zijn lamp uit het foedraal dat samen met de accu aan zijn duikfles was bevestigd en liet de sterke lichtbundel de omgeving aftasten. Terwijl er spookachtige contouren op de geribbelde wanden verschenen, liep hij op zijn gemak door.

Tien meter verder was de grens tussen nat en droog. Precies zoals Julien hem had verteld.

Hij liep verder en algauw kwam het water tot zijn knieën. Voorzover hij dit in kon schatten, bleef de structuur van de grot onveranderd. Het hoogste punt bevond zich op ongeveer drieënhalve meter. De breedte van de gang was een meter of vier. Een gegeven dat over pakweg enkele minuten geheel gedateerd kon zijn. Het enige wat je met enige zekerheid over het grottenstelsel in de Dordogne kon zeggen, was dat je er niets van wist, zo wist hij uit ervaring.

Elke grot was een kunstwerkje op zich met een geheel eigen gangenstel-sel. Hij had hier in de omgeving de afgelopen jaren in tientallen grotten gedoken, en geen enkele grot was met een andere te vergelijken. De eni-ge overeenkomst was dat ze bestonden uit verschillende kleiige lagen kalksteen. Gevormd door bezonken schelpdiertjes en kalkzeewier in het Mesozoïcum, toen de dinosaurussen hier nog het loslopende wild vorm-den.

Hij had zich op een koude winteravond in zijn geboortestreek Galicië verdiept in het ontstaan van deze grotten. De droge kost over het Tertiair, Kwartair en de hoofdrivieren van het gebied (Dordogne en Lot) die zich elke ijstijd dieper in het landschap sleten waardoor kalkplateaus ontstonden, kwam hem spoedig zijn neus uit. Dat het grottenstelsel in principe ondergrondse zijrivieren waren, volstond wat hem betrof. Het ging uiteindelijk om het duiken.

Het water kwam nu tot de loodgordel die hij over zijn heupen droeg. Hij had vanaf de ingang een meter of dertig afgelegd en vond het nu welletjes. Het werd tijd om de hoofdlijn te bevestigen. Albelda zette zijn masker op en deed zijn ademautomaat in. Langzaam zakte hij en ging op zijn knieën zitten. De bekende rilling kwam toen zijn gezicht onder water verdween. Het stukje huid tussen zijn bovenlip en de siliconen rand van zijn duikmasker was het enige lichaamsdeel dat niet bedekt was. De tinteling duurde een volle seconde.

Zonder hierbij uit balans te raken, liet hij de laarzen van zijn duikpak in de logge vinnen glijden. Nadat de stofwolkjes rondom hem waren opgelost, bescheen hij de wand aan zijn rechterzijde. Op wat ribbels na was die redelijk egaal. Ontspannen maakte hij de eerste zwembewegingen met zijn vinnen.

De bodem liep hier behoorlijk af. Nog een paar meter en dan had hij het punt bereikt waarop deze gang volledig met water was gevuld. Het zicht was meer dan voldoende. Het directe zicht, dat wat hij tot in detail zag, bedroeg een meter of vijf. Het doorzicht daarentegen was zomaar het dubbele. Vier vinslagen later vond Albelda waarnaar hij zocht.

Het uitsteeksel leek op een gebogen mannenarm. Letterlijk en figuurlijk rotsvast. Met een paalsteek maakte hij de hoofdlijn eraan vast. Dit was zijn levenslijn en dus sprong hij hier uiterst voorzichtig mee om. Daarom bevestigde hij het uiteinde onder water, in plaats van ergens bij de ingang van grot. De kans was bijzonder klein, maar stel je toch eens voor dat een grappenmaker tijdens de duik de hoofdlijn losmaakte...

Het water bleef helder naargelang hij verder zwom. In zijn rechterhand hield hij de haspel, waarvan hij het touw met zijn linkerhand meter na meter afrolde. De tweede haspel had hij met een musketonhaak aan zijn trimjacket bevestigd. Na tien vinslagen hield hij zijn benen stil. Zijn linkerhand reikte nu naar de bodem. Toen hij deze daadwerkelijk aanraakte en betastte, verscheen er een dunne glimlach op Albelda's gezicht. Zijn vermoeden klopte.

Dit was een grot die ooit droog had gestaan.

Vlak voorbij de ingang had hij druipsteen gezien. Nu voelde hij een kleilaag aan zijn handen. Klei bezinkt pas in water dat langzaam stroomt, wist hij. Tel daar het druipsteen aan het plafond bij op en hij kon zomaar concluderen dat er tijden waren geweest waarin in deze grot nauwelijks of geen druppel had gevloeid. Wanneer dat was geweest, wist hij niet. Kon hij bij geen benadering zeggen. Tweehonderd jaar geleden? Vijfduizend, misschien? Ach, onder de huid van de aarde was tijd geen issue. Een gegeven waar hij heel rustig van werd.

Met de eerste opmerkelijkheid van de dag in zijn achterhoofd, zwom Albelda verder. Hij kon nu reeds concluderen dat deze duik meer dan de moeite waard was. Door zijn rechterbeen even stil te houden, week hij automatisch wat naar rechts uit. Nu hij zich op ongeveer een halve meter van de rotswand bevond, zag Albelda de perfectie tot in het absolute detail.

Als hij aan anderen vertelde dat hij aan grotduiken deed, waren de reacties uitermate voorspelbaar. Van het vol bombastisch onbegrip uitgesproken 'Levensgevaarlijk!' tot het denigrerende 'Ach, wat zie je nou helemaal in zo'n grot' en het quasi-terloopse 'Wel eens iets kostbaars gevonden?'

Zijn antwoorden waren simpel, doch veelzeggend. Mits je de veiligheidsvoorschriften niet overschreed, was grotduiken even gevaarlijk als pak 'm beet kegelen in competitieverband, vertelde hij. In de grot zelf zag je een enorme variëteit aan stenen. Losliggende stenen, grote hoekige en kleine afgeronde stenen. Ook waren er scherpe uitsteeksels aan de rotswand, die in de ene grot ribbelig en op een andere locatie glad als een biljartbal waren. Met een beetje geluk kon je er verschillende kalklijnen onderscheiden.

De meesten van zijn toehoorders hadden op dit punt reeds alle belangstelling voor zijn hobby verloren. Een enkeling bleef zogenaamd geïnteresseerd met het oog op het laatste onderwerp; de vondsten.

Hier kon hij eveneens zeer duidelijk over zijn. In de verschillende grotten waarin hij had gedoken, was hij weer bovengekomen met wasknijpers, de schedel van een konijn, potscherven, een verroest horloge, lege colablikjes en een stuk prikkeldraad. Na deze ontboezeming sprak hij praktisch altijd tegen achterhoofden. Na een paar van deze pijnlijke voorvallen, had hij besloten in het openbaar zo min mogelijk over zijn hobby los te laten.

Albelda nam de haspel voor even in zijn linkerhand, stopte de lamp terug in het foedraal en gleed met de vingertoppen van zijn rechterhand over de rotswand. Ondanks de handschoen voelde hij de koele gladheid die de perfectie naderde. In de loop der tijden hadden ontelbare liters water de rotswand gepolijst tot een kunstwerk dat een bijna onwezenlijke schoonheid uitstraalde. Deze puurheid kon je gewoonweg niet beschrijven, dit moest je met eigen ogen zien.

Terwijl hij verder zwom, viel zijn ervaren oog direct op oneffenheden in de rotswand. Om de ademautomaat krulden zijn mondhoeken tot halve manen. Hij durfde er een maandsalaris op in te zetten dat drie meter verderop een onbekende gang op hem wachtte. Zijn kuiten spanden zich en even later constateerde hij dat de kenmerkende uitsteeksels en inkepingen inderdaad de uiteinden waren van een andere gang.

Albelda liet zijn lamp verkenningswerk doen. Deze gang was een stuk nauwer dan de hoofdgang. Tricky voor een beginner, goed bereikbaar voor een beetje grotduiker. Hij rekende zichzelf tot de laatste categorie.

Zonder een spoortje van twijfel over zijn volgende stap, tastten zijn ogen de rotswand af. Vlak boven de bodem vond Albelda wat hij zocht. Twee redelijk diepe inkepingen waren uitermate geschikt voor zijn plan. Met zijn rechterhand haalde hij een kleine klem uit zijn trimjacket. Het nylontouw van de hoofdlijn legde hij precies tussen de twee inkepingen in. Daarna bevestigde hij uiterst nauwkeurig de verschillende uiteinden van de klem in de twee inkepingen. De haspel van de hoofdlijn deponeerde hij simpelweg op de bodem. Bij eventuele ondergrondse stroming of beweging in het water kon de lijn nu vieren. Losbreken kon deze echter niet.

Het was een onorthodoxe methode die in de wereld van de reguliere grotduikers werd verafschuwd. Sinds de DIR-methode, Doing It Right, zijn intrede had gedaan, waren de veiligheidsvoorschriften enorm aangescherpt. Albelda moest weinig hebben van deze methode die vanuit Noord-Florida was overgewaaid. Natuurlijk zaten er enkele goede dingen tussen. Een waslijst aan regeltjes die het grotduiken veiliger moesten maken, bijvoorbeeld. Prima voor nieuwelingen die akelig op zeker wilden spelen. Hij had echter zijn eigen regels. Eén daarvan was dat hij altijd alleen dook. En tot nu toe was zijn eigen veiligheidssysteem afdoende gebleken. Daar had hij geen stelletje grotduikende Amerikaanse DIR-wijsneuzen voor nodig die zich Woodville Karst Plain Project noemden.

Hij ademde rustig in en uit. De tijd dat hij zich om dat soort zaken druk maakte, was nog niet voorbij, maar het werd minder. Wellicht had dit met zijn leeftijd te maken. Naargelang de tijd verstreek werd een mens toch milder, blijkbaar gold dit ook voor hem. Hij kon zich nog steeds opwinden over de maatschappij. Tenminste, wat er nog van over was nadat 'hij' was gestorven. 20 november 1975, een datum die hij zich tot op zijn sterfbed zou blijven herinneren. Daar kon geen zware dementie het ooit van winnen. Het was de zwartste dag in de geschiedenis van Spanje. De dag dat heel Spanje stierf zonder dit zelf te beseffen.

Soepel doch voorzichtig zwom de Spanjaard de gang binnen. Als eerste moest hij op zoek naar een geschikte plek om zijn tweede veiligheidslijn te bevestigen. Los van de hoofdlijn, om eventuele verstrengeling te voorkomen. Met zijn linkerhand drukte hij op het knopje van zijn inflator, waardoor er wat samengeperste lucht vanuit zijn fles in het trimjacket werd geperst. Hierdoor steeg hij een halve meter en hij hing nu precies in het midden van de gang. De sterke lichtbundel viel op een gedeelte van de wand dat heel natuurlijk oogde. Misschien was het een zesde zintuig, zijn ervaring met grotduiken of gewoon stom geluk wat hem naar die specifieke plek trok.

De rotswand leek egaal. Dit was echter schijn, zag Albelda terwijl hij zijn ogen iets toekneep om zich beter op de plek te kunnen concentreren. Het bewuste stuk muur was ongeveer een halve meter breed en een goede meter lang. De natuur had in de loop der tijd geprobeerd het litteken te verdoezelen. Voor een groot gedeelte was dit gelukt. Bij een vluchtige inspectie zou hij eroverheen hebben gekeken.

Zijn nieuwsgierigheid won het nu met glans van de discipline waar hij zo prat op ging. Het bevestigen van de veiligheidslijn kon wachten. Deze plek was gewoonweg té interessant.

Moeiteloos vond zijn rechterhand het hoogste punt. Met zijn vingers drukte Albelda tegen de bovenste steen. Er was geen beweging in te krijgen. Zowel teleurgesteld als verbeten duwde hij nogmaals. Ditmaal gebruikte hij de hele palm van zijn hand om meer kracht zetten.

De steen schoof naar achteren. Doordat hij vol in de beweging zat, schoot zijn arm tot aan zijn elleboog in de verborgen opening.

'*Aaaarrggg!*' De klap van zijn stroombotje tegen het ruwe gesteente was verre van prettig. Terwijl hij bezig was zijn arm uit de opening te werken, begon het.

Het onheilspellende gerommel duurde drie hartslagen. Een momentopname die Albelda beleefde als een eeuwigdurende nachtmerrie. Tijdens deze aanloop die hem naar het binnenste van de hel zou leiden, hield hij beide ogen wijd opengesperd.

Het gerommel ging naadloos over in een bulderend geraas. Dit geluid was het meest afschrikwekkende wat hij ooit had gehoord. De ultieme nachtmerrie van iedere grotduiker. Op dat moment wist hij ook exact waarom.

Door zowel de vaart als de druk van het rollende gesteente, brak de muur onder hem alsof het een stapel lucifershoutjes tijdens een windvlaag betrof. Een onzichtbare kracht drukte hem bruusk naar achteren. Machteloos graaide Albelda naar een houvast dat niet bestond. De onvermijdelijke klap tegen de rotswand werd enigszins opgevangen door zijn duikfles en de kanohelm die hij altijd droeg. Tegen de keienregen die aanvoelde als mitrailleurkogels uit het stenen tijdperk, had hij echter geen verweer. Met gesloten ogen en een van pijn vertrokken gezicht onderging hij de geseling. Aansluitend werd hij in een tijdsbestek van tien extreem lange seconden begraven onder een deken van onverzoenlijkheid.

Manuel Albelda opende zijn ogen en begreep direct dat hij zich in de hel bevond zonder daadwerkelijk gestorven te zijn. Het vagevuur was een gecomprimeerde, geelbruine smurrie die geen concessies deed. Ondoordringbaar als ochtendmist boven een verlaten weiland op een windstille ochtend.

De paniek greep hem bij de keel en zorgde ervoor dat zijn angst geluidloos bleef. Ondanks het zware doodslaken van puin ging zijn borstkas als een razende op en neer.

Een volle minuut bleef hij in staat van volslagen ontreddering. Vanwege de angst die bezit van hem had genomen, waren zijn pupillen even groot als die van een notoire cocaïnegebruiker na zijn zoveelste snuif. Aangezien het bitje van zijn ademautomaat zijn flinterdunne levenslijn was, klemde hij zijn tanden muurvast om dit siliconen mondstuk. De kracht waarmee hij dit deed, was funest voor het materiaal. Zijn linkerhoektand zorgde voor een scheurtje, waardoor het mondstuk bijna uit zijn mond gleed. Met de rechterkant van zijn gebit kon hij nog corrigeren, maar een slok ijskoud water was onvermijdelijk.

De hierop volgende hoestbui betekende het keerpunt van zijn gemoedstoestand. De wil om te leven, ervoor te vechten, kwam bovendrijven. Aangezien hij inmiddels flink aan het hyperventileren was, beval Albelda zichzelf rustig adem te halen. Het lichte, misselijkmakende gevoel in zijn hoofd verdween. Voorzover mogelijk in deze situatie, kon hij weer redelijk normaal denken.

Hij lag begraven onder een berg stenen. Op zijn gezicht na was zijn hele lichaam bedekt met puin. Op de rechterkant van zijn lichaam voelde hij beduidend minder druk dan links. Dit kon eventueel betekenen dat de rechterkant minder zwaar bedolven was.

Zowel tijd als opties waren een groot goed. Elke ademteug bracht hem dichter bij een verdrinkingsdood, terwijl deze instorting zomaar een voorbode van meer natuurgeweld kon zijn.

Toen Albelda zijn rechterarm bewoog, voelde hij direct dat er speling was. De rechterkant van zijn lichaam mocht dan ingekapseld zijn, met een combinatie van spierkracht en geluk was er een kans dat hij een scheur kon creëren.

Hij zette zich schrap en mobiliseerde al zijn kracht in zijn rechterarm. '*Uuuuuunnnnnggghhhhh*,' hield het midden tussen een ontsnapte adem-teug, gekreun en gerochel. Aansluitend hoorde hij stenen rollen en werd de druk op zijn rechterarm stukken minder. Hij reageerde instinctief en spande nogmaals zijn armspieren.

Zijn rechterhand doorbrak als eerste de puinbarricade. De opwaartse beweging die daarna volgde, maakte zijn rechteronderarm vrij van ballast. Hierna volgden zijn bovenarm en schouder. Euforie maakte zich van hem meester. Misplaatst, aangezien meer dan de helft van zijn lichaam nog steeds onder de vreemdsoortige ruïne bedolven lag.

Met zijn rechterhand verwijderde Albelda de dichtstbijzijnde brokstuk-ken. Hoewel hij geen hand voor ogen zag, realiseerde hij zich dat het een tijdrovende klus betrof. En hoeveel tijd hij er precies voor had, kon enkel het wijzertje van de manometer hem vertellen. Deze lag echter onder zijn rechterbil tussen een woud van stenen.

De gedachte aan de wijzer die de tijd in zijn nadeel liet wegtikken, zorg-de voor kortstondige, hevige angst. De adrenaline-impuls die daarop volgde, gaf hem ongekende kracht. In een waanzinnig tempo verwijder-de zijn rechterhand de stenen last. Zijn zware ademhaling die hierop volgde – wat inhield dat hij veel lucht verbruikte – nam hij voor lief. Het was nu alles of niets.

Na de zoveelste op-en-neerbeweging van zijn rechterarm, nam de druk plotseling af. Terwijl Albelda weer een steen oppakte, duwde hij met zijn linkerhand tegen de bodem. Ondanks de gigantische spanning die er op zijn spieren kwam te staan, drukte hij door.

'*Aaaaarrrrggghhhh*,' kreunde hij in zijn ademautomaat. Het klonk als het gegrom van een gekooid roofdier dat eindelijk de ketenen afwierp.

Zijn bovenlichaam was los van de kille omarming. Met twee handen groef hij koortsachtig beide benen uit. Toen hij vervolgens weg wilde zwemmen, greep een onzichtbare hand hem van achteren vast. Instinc-tief rukte hij zich los, waarna de manometer hard tegen zijn onderbeen sloeg. Hij negeerde de pijn en maakte met zijn rechterhand een graaibe-weging naar achteren. Bij de eerste poging lag de rubberen slang in zijn handpalm. Hij bracht het uiteinde naar zijn masker en zag dat de meter nog functioneerde.

Er zat nog zestig bar in zijn fles.

Zestig bar! Twaalfhonderd liter lucht! Genoeg om naar Madrid te zwemmen en weer terug, dacht hij in een moment van opperste verrukking. De strijd was over, hij had gewonnen. Op het moment dat hij zijn kuitspieren spande om af te zetten, drong de waarheid pas tot hem door.

Het was nog niet gedaan.

Hoewel het hem de grootst mogelijke moeite kostte, wist Albelda zichzelf de discipline op te leggen om niet weg te zwemmen. Er moest namelijk eerst nog een vraag worden beantwoord.

Een heel simpele.

Rechts- of linksaf?

De gang waarin hij zich bevond was geen sifon. Koos hij de verkeerde kant, dan was het over en uit. Deze gang liep dood. De kans dat er een uitweg in de vorm van een zwanenhals bestond die uitmondde in een bron, was nihil. Julien kende nagenoeg elke bron in deze omgeving. Toen de kinderlijke reus hem deze grot op de kaart aanwees, had hij hierover met geen woord gerept.

Het gangenstelsel waarin hij zich bevond werd door de Fransen een *collecteur* genoemd, oftewel een ondergrondse rivier waarin het water uit het stroomgebied zich heeft verzameld. Ook was het mogelijk dat hij in een *vaucluse* zat. Dit was een gat in de grond dat tot aan het grondwaterniveau liep. Oneindig diep dus.

Er trok een rilling over zijn rug. Opeens had hij het koud. Dit kwam hoofdzakelijk doordat ter hoogte van zijn rechterkuit water door zijn droogpak heen sijpelde. De oorzaak hiervan moest iets scherps zijn geweest dat hem tijdens de worsteling had geraakt.

Hoewel de strijd om zijn leven zojuist in zijn voordeel beslist leek, probeerde de duistere tegenstander alsnog een vlijmscherpe, beslissende counter te plaatsen. Er liep ijskoud water in zijn droogpak waardoor hij zwaarder werd en binnen afzienbare tijd onderkoeld zou raken. De zestig bar in zijn fles was inmiddels gereduceerd tot vijftig, wat in werkelijkheid veel minder was dan het in zijn euforie had geleken. Bovendien bleef het zicht abominabel slecht, waardoor hij alles op de tast moest doen.

Zonder verder nog te aarzelen liet Albelda zich zakken en hij strekte zijn lichaam. Beheerst zette hij zijn handen tegen de bodem af en zweefde langzaam naar achteren. Drie seconden later raakten zijn vinnen de rotswand. Een ruw contact dat aanvoelde als pure tederheid. Direct kwam hij overeind en duwde zijn rug tegen de wand. Aansluitend draaide hij een kwartslag naar rechts en zette aan.

Met gestrekte armen zwom hij door de laatste optische versperringen van geelbruine smurrie. Hij dwong zichzelf rustig te ademen. Elke teug was van denkbeeldig goud en moest tot aan de laatste molecuul benut worden. Het beentempo lag bewust laag. Hiermee spaarde hij energie en lucht.

Vijf vinslagen verder opende het naargeestige gordijn zich van het ene op het andere moment. Heel even deed de aanblik van het heldere water pijn aan zijn ogen. Daarna maakte een overwinnaarsgrijns zich meester van zijn mondhoeken. Een fractie van een seconde later corrigeerde hij zichzelf. Op zijn gezicht verscheen nu de timide en dankbare glimlach van een overlevende die de zeis ternauwernood heeft ontweken.

Na zijn bijnadoodervaring in de nauwe tunnel leek de hoofdgang op een kerngezonde slagader waar enkel doorzichtig bloed doorheen stroomde. Na deze verpletterende indruk zwom Albelda naar de haspel die nog op dezelfde plaats lag. Hij pakte hem van de bodem, verwijderde de klem en volgde de hoofdlijn die hem naar de definitieve uitgang van de grot leidde. Daar aangekomen, maakte hij de hoofdlijn los en zwom nog een tiental meter door. Uiteindelijk ging hij staan en deed zijn vinnen uit.

Eenmaal op het droge liet Mánuel Albelda zich in het grind zakken. Voordat hij definitief de grot zou verlaten, wilde hij weten hoe het met zijn materiaal gesteld was. Een vluchtige inspectie, meer niet. Straks volgde in zijn hotel een nauwkeurig onderzoek naar de daadwerkelijke schade. Daar moest hij nu niet aan denken.

Zijn blik viel op de lamp die rechts naast hem in het grind lag. Het aluminium was hevig gemaltraiteerd door de stenenregen en rijp voor de sloop. Dat gold hoogstwaarschijnlijk ook voor de accu. Albelda vloekte hardop vanwege deze schadepost. Terwijl hij zijn bovenlichaam naar rechts draaide om een snelle blik op het accupack te werpen, drong een felle schittering zijn linkerooghoek binnen. Hij duwde zijn rechterknie naar binnen en keek naar zijn rechteronderbeen. Net boven het punt waar de rubberlaars naadloos overging in het trilaminaat, stak een flonkerend voorwerp uit zijn droogpak. Zonder erbij na te denken verwijderde hij het met duim en wijsvinger. Daarna opende hij zijn hand om het onding beter te bekijken.

De daaropvolgende minuten leefde hij in een compleet andere wereld. Zijn geest was verdronken in het kleinood dat op zijn handpalm rustte. Nog nooit had Albelda zoiets schitterends gezien. Het gouden juweel beeldde een zespuntige ster uit. Het hart was een mozaïek van edelstenen. Kleine, ingelegde robijnen, diamanten en saffieren vormden een briljante kleurencombinatie die de lucht in de directe omgeving van een mystieke gloed voorzag. Hemelse schoonheid maakte van zijn blik een slaaf uit eigen beweging.

De Spanjaard sloot zijn ogen en schudde de bedwelmende roes van zich af. Hij kwam weer terug op aarde en realiseerde zich welke consequenties deze vondst kon hebben. Terwijl allerlei gedachten en scenario's door zijn hoofd raasden, liep hij naar de spleet en wurmde zich naar buiten.

De komende uren zou hij besteden aan zijn duikapparatuur. Hoofdzakelijk aan het in orde brengen ervan. Hoewel alleen al het idee om weer terug de grot in te moeten hem ernstig deed huiveren, was het bittere noodzaak. Er bestond namelijk een gerede kans dat zich meer kostbaarheden onder of achter het puin bevonden. Als dit zo was, dan gingen er deuren open die veel te lang gesloten waren.

Dan kwam de Raad in spoedzitting bijeen.

Dan konden ze hun idealen daadwerkelijk verwezenlijken.

Dan kon Spanje zich opmaken voor een tweede revolutie.

Manuel Albelda glimlachte. Er lag een heldenrol voor hem in het verschiet.

2

Het Ritz-hotel was de onbetwiste parel van de buurt. Het ademde de kalmte van statige elegantie uit; een majestueus, tijdelijk rusthuis voor oud geld. De smet op het neoklassieke blazoen die inhield dat de nouveaux riches er eveneens mochten overnachten, was meer een economische concessie dan een bewust liefdesaanbod.

Alfonso Silva, chef van de elite-eenheid Nueve, bekeek de directe omgeving van het Ritz, die was geïnfecteerd met het haastvirus. Het hotel lag aan de superdrukke Gran Via de les corts Catalanes, een van Barcelona's hoofdaderen. Het spitsuur was zojuist begonnen. Recht voor hem bewoog de gemotoriseerde metalen slang zich als een harmonica. Kwam er een beetje ruimte, dan trokken de forensen als idioten op. Een kink in de veelkleurige metallic kabel zorgde daarentegen direct voor talloze bijna-botsingen en ongekende staaltjes bumperkleven.

'Vier,' hoorde hij Carmen Marrero zeggen. Terwijl een rood lichtje flikkerde, hield zij met haar rechterwijsvinger een felgele knop op het paneel voor haar ingedrukt. Deze woorden waren bedoeld voor Ruiz, Sosa en Pacheco. Drie leden van Nueve die in de foyer van het Ritz zogenaamd de krant zaten te lezen. Het vierde lid was Eloy, hij bevond zich in een ambulance die even verderop langs de weg stond geparkeerd. Dit kwartet vormde team A, wat inhield dat zij vanavond als eersten in actie zouden komen. Normaal gesproken dan, dacht Alfonso Silva sceptisch. Want vanzelfsprekendheid was in deze business een abstractie.

Officieus was hij hier vanavond in de hoedanigheid van tweede man. Tijdens een operatie dienden er in het commandocentrum altijd twee stafleden aanwezig te zijn. Een teamleider en diens assistent. De laatste was het extra paar ogen en moest in het onwaarschijnlijke geval van bijvoorbeeld een acute hartaanval of volslagen black-out van de teamleider de operatie terstond overnemen.

Vandaag was het operationele commandocentrum een uit de kluiten gewassen bestelbus. Volgepropt met de modernste elektronica en gespoten in metallic zwart. Daarop in contrasterende gele letters de naam en het telefoonnummer van een decoratiebedrijf in Barcelona. Zowel de naam als het nummer was fake. Mocht iemand het nummer echter willen checken, dan meldde een vriendelijke telefoniste dat Modela Cata wegens vakantie gesloten was. Tegelijkertijd traceerde de Dienst wie er belangstelling voor dit fictieve bedrijf had getoond.

'Vier,' zei Carmen Marrero opnieuw op neutrale toon. Zij sprak het nummer uit zoals de presentatrice van een lottoshow dat diende te doen: volstrekt onpartijdig.

Silva's ogen schoten van de ene naar de andere monitor. In totaal functioneerden er tien stuks. Aangezien Nueve met twee panelen werkte met elk twaalf beeldschermen, moest hij schuin naar links kijken. Voor deze klus voldeed het schakelbord waarachter Carmen zat. De twaalf monitoren recht voor hem waren letterlijk op zwart gegaan.

Mocht er nu iemand over hun schouder meekijken, dan zou deze persoon hen subiet voor stapelmesjokke hebben verklaard, dacht Silva. De beelden waar zij beiden in opperste concentratie naar keken, gingen voor een buitenstaander werkelijk helemaal nergens over. Bij een operatie van Nueve was het gebruikelijk dat de teamleden minicamera's en dito microfoons droegen. Deze attributen waren zo goed als onzichtbaar voor de buitenwacht. Enkel wanneer iemand een lid tot op minder dan één meter naderde én die persoon wist precies wáár hij of zij moest kijken, dan bestond er een kans op ontdekking. Dit gold overigens alleen voor het vleeskleurige oortje waarin de ontvanger zat. De camera en spreeksleutel waren met het blote oog niet of nauwelijks zichtbaar.

De eerste drie monitoren in rij waren geschakeld aan de bewakingscamera's in het Ritz. Twee in de lobby, plus een derde die boven de hoofdingang was bevestigd en enkel registreerde wat er buiten op en naast het trottoir gebeurde. Om privacyredenen had de directie van het vijfsterrenhotel geen camera's in de liften laten plaatsen. Vanwege dit voldongen feit hadden de technici van de Dienst een draadloze verbinding tussen de liftelektronica en het paneel in de bestelbus gecreëerd. Hoewel het enigszins primitief was, werkte het naar behoren. Elke keer als de lift op de vierde verdieping stopte, begon een rood lampje op het schakelbord te knipperen.

De overige monitoren toonden beelden die de camera's van de operationele leden oppikten. Vanwege de beperkte capaciteit van de minicamera's, werden deze altijd in of op een kledingstuk geplaatst. Ter hoogte van het bovenlichaam van een Nueve-lid, waardoor het commandocentrum de operatie redelijk waarheidsgetrouw kon volgen.

Op dit moment beleefde operatie 'mobiel' het laatste stukje voortraject waarin onderhuidse spanning regeerde. Vanuit de beelden was dit echter niet op te maken. Silva's ogen werden getrakteerd op een coherente reeks van ultieme saaiheden. Krantenkoppen, een geparkeerde auto en wandelende mensen. Toch waren ze onlosmakelijk met elkaar verbonden, wist hij uit jarenlange ervaring. Straks zou dit grijzemuizenkabinet veranderen in een enerverend jachtterrein waar de roofdieren hun prooi razendsnel grepen. Saillant detail was het ongeloof van de prooi na afloop van de raid. Voor de meesten onder hen was het namelijk de eerste maal dat niet zij, maar de andere partij de rol van predator vervulde. Een van de redenen dat Nueve in en om het Ritz opereerde, was de aanwezigheid van Talal al Sabah in suite 419. Deze Syrische wapenhandelaar was niet naar Barcelona gekomen voor een rondleiding in de Sagrada Familia van Gaudi, wist Silva honderd procent zeker. Dat kostte tijd, dus geld, en dat ging regelrecht in tegen het levensmotto van de corpulente Syriër. Als deze handelaar in de dood op tournee was, dan week hij nimmer af van het imaginaire pad waarop de zichtbare handel werd bedreven. De dossiers waren daar helder over. In en rond zijn woonplaats Damascus wilde Al Sabah nog wel eens de lolbroek uithangen. Daar voelde hij zich betrekkelijk veilig; het was lekker dicht bij huis.

In Silva's ogen was Talal al Sabah het schuim der aarde. Puur uitschot dat aan andermans ellende bergen geld verdiende. Helaas dachten de Syrische autoriteiten daar veel genuanceerder over. Al Sabah beschikte namelijk over de juiste papieren om wereldwijd als wapenhandelaar zaken te doen. Dat deze documenten feitelijk een farce waren, deed er niets toe. Ze waren rechtsgeldig. Zolang Al Sabah maar een stevig percentage van zijn winst aan enkele voorname bureaucraten op het Syrische ministerie van Binnenlandse Zaken afdroeg, bleef dit zo. De enige houdbaarheidsdatum die dit corrupte gajes namelijk als wettig erkende, was het watermerk in knisperende biljetten. En dat verliep nooit.

Het profiel in zijn linkerooghoek beviel hem. Het was de vuurdoop voor Carmen Marrero en tot nu toe had hij haar op geen spoortje van uiterlijke nervositeit kunnen betrappen. Toch ging Silva ervan uit dat de zenuwen haar door de keel gierden en haar maag regelmatig salto's maakte. Net zoals dit jaren geleden bij hem het geval was geweest. Een operatie vanuit het tijdelijke commandocentrum succesvol tot een einde brengen, werkte ontegenzeglijk statusverhogend binnen de pikorde van Nueve. Voor de desbetreffende persoon was het daarentegen een mentale geseling die haar evenknie nauwelijks kende. Vanwege de complexiteit van de acties, plus de naam die Nueve had hoog te houden, stond er altijd druk op de ketel. Als extra facet was daar het opmerkelijke feit dat een operatie van *Oficina numero Nueve*, zoals de Dienst officieel te boek stond, voor de eerste maal door een vrouw werd geleid.

'Vier,' hoorde hij het onderwerp van zijn gedachten stoïcijns melden. Silva hield de monitoren die er nu toe deden scherp in de gaten. De daaropvolgende minuten deed de status-quo echter opgeld. Uit de lift stapten gasten die in de verste verte niet op de twee lijfwachten of de drie Spaanse gasten van Al Sabah leken.

'Het kon wel eens een latertje worden,' bromde Silva. 'Ik hoop niet dat je een afspraakje hebt.' Tijdens het uitspreken van deze woorden, voelde hij de puntige klauwen van een schaamtescheut vanuit zijn maag naar zijn keel grijpen. Met deze zogenaamd laconieke opmerking wilde hij eventuele overconcentratie bij Carmen wegnemen. Een ridicule poging, realiseerde hij zich direct. Onverschillige kalmte behoorde niet tot zijn specialiteiten en van overconcentratie was bij Carmen geen sprake. Wellicht bij zichzelf, aangezien een naargeestig duiveltje hem vanuit de diepste krochten van zijn brein regelmatig treiterde met de vraag: 'Is ze er wel klaar voor?'

'David kan goed met mijn werktijden leven,' antwoordde de enige vrouw binnen Nueve op neutrale toon. 'Als hij maar op tijd zijn eten krijgt, vindt hij alles best.' Haar blik bleef strak op de monitoren gericht.

'Klinkt oké. Heel stabiel, ook.' Silva kon zo snel niets anders bedenken dan dit obligate antwoord. Hoewel Carmen een aantrekkelijke vrouw was, had hij uit de gesprekken van andere Nueve-leden begrepen dat er geen man in haar leven was. Blijkbaar wishful thinking van die kerels; er bleek wel degelijk iemand naast haar wakker te worden.

'David is mijn hamster, *jefe*. Voor andere dingen heb ik geen tijd.'

Silva deed een halfslachtige poging om een alwetende grijns op zijn gezicht te toveren. Een probeersel dat reeds bij voorbaat gedoemd was te mislukken. Het liefst was hij voor even dwars door de opperhuid van Barcelona gezakt. Gelukkig had zich een lichtpuntje aangediend. Carmen was er inderdaad klaar voor, wist hij nu zeker.

'Vier,' klonk het monotoon toen het rode lampje wederom oplichtte. Hierna concentreerden zij zich voornamelijk op de monitoren die de beelden vanuit de lobby doorgaven. Het was een archaïsche methode; het plaatsen van afluisterapparatuur en camera's in suite 419 behoorde niet tot de opties. Ze moesten er gewoonweg van uitgaan dat een beroeps als Al Sabah zijn onderkomen op ongewenste elektronica had laten screenen.

Een fractie van een seconde nadat de liftdeuren werden geopend, drukte Carmen het knopje in dat haar rechtstreeks verbond met de leden van team A.

'Haan, kip en kuiken verlaten het nest.'

Alfonso Silva voelde hoe zijn nekspieren zich samentrokken. Een eigen-aardigheid die zich altijd voordeed als een operatie daadwerkelijk van start ging. Twee ademtochten verder kwam de ontspanning en nam de trance van de onverzettelijke jager bezit van hem.

Op de monitoren zag Silva dat de drie jonge mannen zonder dralen naar de uitgang van het Ritz liepen. Twee boefjes en het sufferdje van de buurt die zich helemaal de man voelde. Deze laatste had zojuist zijn meesterwerk voor het bedrag van tweehonderdduizend euro aan een louche Arabier verkocht. Zijn vingers omklemden krachtig het hengsel van het koffertje met het geld. Na afdracht van veertigduizend euro voor bemiddelings- en beveiligingskosten aan de man aan zijn rechterzijde, bleef er voor die gozer nog een fortuin over, dacht Silva cynisch. In gedachten zag hij het grijnzende smoelwerk van Talal al Sabah voor zich. Tweehonderd briefjes van duizend waren in de wereld van de internatio-nale wapenhandel bij wijze van spreken wisselgeld. Dat had je bij je voor onvoorziene uitgaven die cash betaald moesten worden. Gastvrouwen, champagne, smeergeld, een paar lijntjes wit om in de stemming te komen, dat werk. Niet voor de deal op zich. Daar waren veel grotere bedragen mee gemoeid.

'Vertrek,' zei Carmen gedecideerd.

Exact op het moment dat het drietal het Ritz verliet, stonden Ruiz en Sosa op. Kalm liepen zij naar de uitgang. Pacheco wachtte de vooraf afgesproken tien seconden en deed daarna hetzelfde.

Op vier monitoren was de saaiheid verbannen. Drie leden hadden de achtervolging ingezet en uit de beelden van een aangrenzende monitor was op te merken dat de ambulance in beweging was gekomen. Vanwe-ge zijn jarenlange ervaring wist Silva dat degene die de operatie vanuit het commandocentrum leidde, de afzonderlijke beelden tot één groot geheel moest samenvoegen. Enkel vanuit deze visie konden de juiste beslissingen worden genomen. Voor het merendeel van de operaties gold overigens dat het commandocentrum de teams enkel begeleidde. De werkwijze stond bij voorbaat vast en alle individuen die participeerden waren eveneens getraind in improvisatietechnieken. Een onderdeel dat ieder teamlid beheerste en gelijktijdig verfoeide. Operaties waarbij Nueve betrokken was, werden vooraf namelijk tot in detail uitgewerkt. Moest er tijdens het karwei daadwerkelijk worden geïmproviseerd, dan was er onderweg iets goed misgegaan. Geen beste referentie dus voor de inlichtingendienst die door zijn internationale collega's reeds tijden als de beste ter wereld werd beschouwd. Ze hadden een naam hoog te houden. Dat ze er jaarlijks voor een breed publiek geen *award* in de trant van Het Platina Pistool of De Gouden Granaat mee in de wacht sleepten, was nu eenmaal inherent aan hun vak. Met deze betrekkelijke anonimiteit konden ze echter prima leven.

'Geschatte afstand voertuig tot pluimvee veertig meter.'

Silva zag dat de afstand tussen het drietal en Ruiz en Sosa verminderde. Pacheco was zijn beide collega's inmiddels tot op een meter of vijf genaderd. Vlak voordat ze gezamenlijk zouden toeslaan, zou hij zich op één lijn met hen bevinden. Nu was het een kwestie van inschatten en wachten op het juiste moment. De stem van Carmen Marrero diende hierbij als hulpmiddel. Zij bevestigde in feite enkel wat de mannen met hun eigen ogen registreerden.

'Geschatte afstand dertig meter.'

Op de monitor zag Silva dat de ambulance stapvoets reed. Een tactiek waar ze tijdens de briefing voor hadden gekozen. Zo op het eerste gezicht was deze klus er één uit het boekje. De spelers, hun beweegredenen, de omgeving en het tijdstip waren ruim voor aanvang van de operatie bekend. Enkel de poppetjes moesten op hun juiste plaats worden gezet.

Het achterhoofd van het middelste poppetje kwam op monitor nummer vijf met de seconde prominenter in beeld. Het zwarte sluikhaar behoorde toe aan Pablo Perdomo, een drop-out die ooit had gedroomd van een carrière als wetenschapper. Vanwege zijn extensieve drugsgebruik en daaruit voortvloeiende onhandelbare gedrag, werd hij echter van de universiteit getrapt. Deze weinig verheffende gebeurtenis vond twee dagen na zijn tweeëntwintigste verjaardag plaats. Nu, ruim anderhalf jaar later, had Pablo Perdomo zijn eerste carrière-move gemaakt. Het mocht dan enigszins afwijken van de reguliere route, het begin was er. Tweehonderdduizend keiharde euro's min onkosten in ruil voor een ingenieus mechanisme dat mobiele telefoons op elk gewenst moment kon laten exploderen. Dit duivelse apparaatje was universeel en kon door iedere atechnische boerenkinkel moeiteloos worden ingebouwd. Het moment van exploderen werd vooraf geprogrammeerd. Dit hing samen met het aantal gesprekken dat het slachtoffer pleegde, of ontving. De klap kon zowel vallen bij zijn derde gesprek als bij het tachtigste belletje dat hij ontving.

'Geschatte afstand twintig meter,' hoorde hij Carmen zeggen.

Silva zag nu naast het onverzorgde kapsel van Pablo Perdomo de zowat kaalgeschoren kop van Esteban Rojo opduiken. Deze vijfentwintigjarige aso-crimineel wierp zich op als lijfwacht en vervulde deze rol met verve. Hoofdzakelijk hield dit in dat hij zich had uitgedost met een zwartlederen outfit en bijpassende laarzen. Zelfs vanaf de monitor oogde zijn schouderpartij indrukwekkend. Het gevolg van beulswerk in de sportschool, of een bepaalde snit die het postuur van de drager in buitenproportioneel veranderde. Het maakte Alfonso Silva bitter weinig uit. Dit soort stumpertjes aten zijn mensen voor hun ontbijt. Met bosjes tegelijk, als de situatie daar om vroeg.

Het dossier van Esteban Rojo bevatte weinig schokkende informatie. Hij was opgegroeid in een achterstandswijk. Zijn vader was een zuipschuit met losse handjes die de veertiende verjaardag van zijn zoon blijkbaar een uitermate geschikte datum vond om zich dood te drinken. Mede dankzij deze tragedie daalde Esteban versneld de trappen af naar het criminele circuit. Wat begon met boefjesgedrag eindigde in een poging tot doodslag op een uitgemergelde junk die net even te lang wachtte met het betalen van zijn openstaande rekening bij de lokale dealer. Gedurende zijn asociale loopbaan maakte Esteban Rojo zich verder schuldig aan minstens twintig autodiefstallen, twee gewapende overvallen en het dealen van een variëteit aan drugs van uiterst bedenkelijke kwaliteit. Tel hierbij de drie jaar lik op, dan kon Esteban Rojo al met al een redelijke conduitestaat overleggen. Hij was gepokt en gemazeld. Niet al te slim, maar wel gretig. Iemand die je met een beetje begeleiding om een criminele boodschap kon sturen.

Dit was zo ongeveer wat Jorge Buldago, de man die het trio completeerde, moest hebben gedacht toen hij het gewezen straatschoffie een baantje als manusje-van-alles aanbood. Aangezien Jorge Buldago tot het middenkader van de Barcelonese onderwereld behoorde, greep Esteban Rojo deze kans met beide handen aan. Vanuit zijn beperkte gezichtspunt was dit namelijk een regelrechte promotie met uitzicht op meer.

'Tien meter,' meldde Carmen. Ze hield het bewust kort. Elk overbodig woord was er nu één te veel. In het veld werden de spieren letterlijk aangespannen.

Silva nam in zijn ruime blikveld het profiel van de coördinatrice mee. Tot aan dit moment was het kinderspel geweest, een vingeroefening. Ieder lid van Nueve had haar dit moeiteloos nagedaan, wist hij zeker.

De klasse van een coördinator werd enkel weerspiegeld door de juistheid van de beslissingen die hij of zij nam. Ten grondslag hieraan lag het vermogen tot deduceren en combineren tijdens de operatie zelf. Om succesvol te zijn, diende Carmen dus alle beschikbare monitoren in de gaten te houden. De mogelijkheid bleef altijd aanwezig dat de oppositie anders handelde dan vooraf was ingeschat.

'Actie,' zei Carmen emotieloos. Een fractie van een seconde later liepen de teamleden Ruiz en Sosa naast Esteban Rojo en Jorge Buldago. Met een synchroniciteit die jarenlange training verraadde, deelden ze ieder één klap uit in de nek van de criminelen. Zonder enig geluid zegen die neer. Pancheco voerde van achteren bij Pablo Perdomo een soortgelijke charge uit. Omdat de ambulance zich op slechts enkele meters van hen bevond, ging het plotselinge gejank van de sirene door merg en been. Aansluitend bogen de mannen zich over hun gevloerde tegenstanders. De lichaamstaal die zij nu tentoonspreidden, was wars van agressie. Zij straalden eerder bezorgdheid uit.

Eloy opende de achterdeuren van de ambulance. Hij had zich de vermoeide, enigszins afgestompte gezichtsuitdrukking van een hulpverlener aangemeten. Een man van rond de dertig die het allemaal al had meegemaakt. Iemand die zich tijdens zijn dienst eigenlijk nergens meer druk om maakte. Zeker niet over drie kerels die uitgeteld op het trottoir lagen. Dat maakte hij dagelijks mee.

Met een aan onverschilligheid grenzende achteloosheid wenkte hij de drie mannen. Deze namen ieder zonder verder dralen een bewusteloze in hun armen en liepen gezamenlijk naar de ambulance. Nadat iedereen was ingeladen en ingestapt, sloot Eloy de deuren, nam achter het stuur plaats en reed weg. Ditmaal maakte hij beduidend meer snelheid.

'Pluimvee in het hok,' meldde Pancheco. De taak van team A zat erop.

Onder de paar forensen die bij toeval getuige waren geweest van de gehele, kortstondige actie van team A, overheerste een gevoel dat het midden hield tussen verbazing en onbekommerdheid. Ze hadden in een flits de klappen zien vallen. Wat daarna plaatsvond, strookte daarentegen in het geheel niet met het voorafgaande. Op het moment dat de hevig kloppende slagader van Barcelona hun aandacht weer opeiste, vergat het overgrote merendeel echter het vreemde voorval. Voor de kleine minderheid die de gebeurtenis ergens op een harde schijf opsloeg, was het uitstel van executie. Ook bij hen zouden die handvol vreemde seconden worden gewist. De bruisende levensstijl die de inwoners van Cataloniës hoofdstad zich hadden aangemeten, stond daarvoor garant.

Terwijl haar blik onveranderd op de monitoren rustte, verscheen er een dunne glimlach om Carmens lippen.

'Ben benieuwd wat Scarface nu denkt,' zei ze schamper.

Silva grijnsde. Jorge Buldago's dossier vermeldde dat zijn moeder een Cubaanse was. Door het monotone in de stem van de broodnuchtere Carmen, werd de bijnaam echter ontdaan van spannende associaties. Die klonk nu meer als de naam van een net geopend jeugdhonk voor ontspoorde hangjongeren of een samenvoeging van zwarte letters op de boeg van een afgeschreven rivierschuit die hordes bejaarden de dag van hun leven bezorgde.

'Iets in de trant van "wie heeft mij dit geflikt", denk ik,' antwoordde Silva.

De glimlach op Carmens gezicht won aan kracht. Als operatieleider had zij zich logischerwijze verdiept in de achtergronden van het onfrisse drietal dat reeds voor pampus lag. Dat dossiers soms als waardeloos oud papier konden worden betiteld, bleek in het specifieke geval van Esteban Rojo te kloppen. Deze 'aankomende zware jongen' was namelijk van een totaal ander kaliber dan de documenten suggereerden.

Inspecteur Javier Sanchez van de Unidad de Drogas y Crimen Organizado – UDYCO voor intimi – was verantwoordelijk voor Rojo's blamerende ontmaskering. In tegenstelling tot zijn collega's van het undercoverteam van de policia nacional, was Sanchez van mening dat Rojo de zwakste schakel in de organisatie van Jorge Buldago was. Hij kwam tot deze stelling na een aantal ondervragingen van verdachten die ooit zijdelings met Rojo te maken hadden gehad. Hoewel Sanchez bewust nooit te diep op de materie inging, kon hij na enkele gesprekken reeds zijn conclusie trekken.

Esteban Rojo was een lafaard.

Door zich behendig tussen de geldende mazen van het criminele verkeer te manoeuvreren, had hij rond zijn ware aard lang een rookgordijn kunnen leggen. Nu hij echter in naam voor een heuse gangster werkte, werd zijn positie met de dag onhoudbaarder. Waar hij het vroeger met een grote waffel of intimiderend gedrag afkon, werd in zijn huidige positie om daadwerkelijk optreden gevraagd. Meestal gepaard met grof geweld. Hierdoor kwam zijn probleem indirect bovendrijven. Mensen die al jaren de status van willoos slachtoffer genoten, trapte Rojo zonder problemen in elkaar. De personen die nu op de nominatie voor een pak rammel stonden, waren daarentegen van een ander kaliber. Hij kreeg te maken met uit de kluiten gewassen kroegbazen en doortrapte dealers die om uiteenlopende redenen hun schulden bij Buldago niet tijdig konden aflossen. Volgens deze *coming man* van de onderwereld een legitieme reden voor minstens een midweek ziekenhuis. De aanstaande slachtoffers dachten daar echter geheel anders over.

Aangezien Rojo de klus zelf niet kon en durfde te klaren, huurde hij externe mensen in voor het vuile werk. Dommekrachten die onder zijn bezielde leiding de wanbetalers er duchtig van langs gaven. Op het eerste gezicht leek dit een snuggere oplossing, ware het niet dat in dit betrekkelijk hogere echelon andere regels golden. Bepaalde zaken handelde een wise guy namelijk zelf af. Hiermee scheidde het koren zich van het kaf. Rojo's onervarenheid met deze materie zou hem op den duur zijn kop kosten, gonsde het door de straten en stegen van Barcelona.

Javier Sanchez greep de *wannabe* crimineel op een broeierige juninacht in zijn kladden. Nadat hij, zoals zijn tipgever hem had verzekerd, een pond cocaïne in het handschoenenkastje van Rojo's auto aantrof, begon de afstraffing. Verzet tijdens een aanhouding was voor de UDYCO-inspecteur een prima papieren back-up. Het woord 'vermeend' was in de latere rapportage van de arrestatie nergens terug te vinden.

Eenmaal op het bureau werd de bont en blauw geslagen arrestant aan een bijzonder intimiderend verhoor onderworpen. Tot verwondering van iedereen behalve Sanchez, sloeg hij binnen een halfuur door. De daaropvolgende ochtend had de stenotypiste ruim drie uur nodig om het gesproken woord van de bandopnames op papier te zetten.

Uit de linkerbinnenzak van Alfonso Silva's colbert klonk een overspannen gezoem. Drie seconden later lag er een mobiele telefoon in zijn ranke handen.

'*Dígame*,' zei hij droog.

'Taxi voor suite 419,' antwoordde de receptionist van het Ritz.

'*Vale.*'

Nadat de verbinding was verbroken, toetste Silva het nummer van Enrique Navarro in.

'*Sí?*'

'Voorrijden.'

'*De acuerdo.*' Hierna startte het Nueve-lid zijn taxi en legde de mobiele telefoon in zijn dashboardkastje. Volgens het draaiboek zou er nooit meer gebruik van worden gemaakt. Eigenlijk zonde van zo'n gloednieuw ding, schoot het door zijn hoofd. Daarna gaf zijn rechtervoet gas.

'Arend, gier en havik in de lobby,' zei Carmen Marrero. Haar rechterwijsvinger hield een groene knop op het paneel voor haar ingedrukt. Het was nu de beurt aan Team B, dat werd gevormd door Hernandez en Pedrollo die als oudere jongeren wat met skateboards liepen te dollen, Lopez in de zwarte volgwagen met geblindeerde ramen en Navarro in de hoedanigheid van taxichauffeur. Van dit kwartet droeg enkel de laatste geen standaard communicatieapparatuur. Talal al Sabah en zijn trawanten zouden in zijn taxi plaatsnemen, waardoor de onderlinge afstand te gering werd. Lopez moest zich dus strak aan het plan houden en blindvaren op zijn visuele vaardigheden.

Op de monitor die geschakeld was aan de buitencamera van het Ritz, zagen zij hoe de drie mannen in de taxi stapten.

'Vogels in het net,' meldde Carmen aan de overige drie leden. Als een volleerd chauffeur die aasde op een flinke tip, was Enrique Navarro uitgestapt om daarna de portieren voor zijn passagiers te openen. Toen het drietal was ingestapt, sloot hij deze en liep op een enigszins gehaaste manier naar de bestuurdersplaats. Zijn loopje was kenmerkend voor een taxichauffeur in een grote stad die klanten bij een vijfsterrenhotel heeft opgepikt. Verwachtingsvol, terwijl van de modus operandi 'tijd is geld' nimmer werd afgeweken.

Carmen drukte de groene knop in.

'Arend links achter, gier rechts achter, havik naast bestuurder.'

De taxi reed weg, wat impliceerde dat er de komende anderhalve minuut geen visueel contact was. Zoals het een bekwame taxichauffeur betaamde, zou Navarro de dichtgeslibde hoofdaders van Barcelona mijden. Er waren immers voldoende binnenwegen die naar het vliegveld leidden. Als wereldreiziger zou Talal al Sabah hiervoor begrip hebben. Waarschijnlijk vond hij het de normaalste zaak van de wereld.

De stilte in de bestelbus was tekenend voor een operatie van Nueve. Zwijgen kende een hogere gradatie dan goud. Elk woord moest een toegevoegde waarde hebben. Zo niet, dan hield je gewoonweg je mond.

De pakweg negentig seconden die nu volgden, waren doorslaggevend, wist Silva. Het was een hiaat in de operatie dat ze niet afdoende hadden kunnen afdekken. Nadat Esteban Rojo besloot om als een lijster op een zonnige zomerochtend te zingen, had inspecteur Javier Sanchez met gezonde tegenzin contact met het ministerie van Binnenlandse Zaken gezocht. Hij was dit verplicht, aangezien angsthaas Rojo zaken te berde bracht die als staatsgevaarlijk te boek stonden. De melding werd doorgespeeld naar Centro Superior de Investigacion de Defensa, de Binnenlandse Veiligheidsdienst die in de volksmond als CESID te boek stond. Elite-onderdeel hiervan was Oficina numero Nueve, geleid door *Jefe de Operaciones* Alfonso Silva.

Hoewel laatstgenoemde het altijd vervelend vond om een goed onderbouwde zaak van anderen over te nemen, twijfelde hij in dit geval geen moment. In vergelijking met het wapenarsenaal dat dagelijks wereldwijd van hand tot hand ging, waren de bomtelefoons prutswerk. Al jarenlang in de handel en zelfs door de Mossad openlijk gebruikt om een tegenstander letterlijk een kopje kleiner te maken. In onderschatting rustte daarentegen tevens het grote gevaar. In deze roerige tijden waarin terrorismebestrijding de hoogste prioriteit genoot, werd met de mobieletelefoonbom de oppositie een prachtig instrument in handen gespeeld om een destabiliserende steen in de vijver van de bestaande maatschappelijke structuur te gooien. Langetermijnterrorisme. Kleinschalig, maar zo doeltreffend. Als her en der in het land telefoontjes ontploften terwijl mensen ermee stonden te bellen, dan kwam er onrust. Men hoefde geen *Jefe de Operaciones Secretas* te zijn om dit te kunnen voorspellen.

Doordat Talal al Sabah eveneens acte de présence zou geven, sloeg hij twee vliegen in één klap. Natuurlijk zou deze door de wol geverfde wapenhandelaar niet zo stom zijn om met een bom in zijn binnenzak gepakt te worden. Je kon er vergif op innemen dat hij het Ritz enkel met tekeningen of een proefmodel zonder lading zou verlaten. Echter, de wetten die vroeger geteisem als Al Sabah de hand boven het hoofd hielden waren heden ten dage niet meer van kracht. Het enige voordeel van extremisme dat op terrorisme uitdraaide, was dat de wetgeving, voor een democratie dan, vliegensvlug werd aangepast. De jagers op radicale uitwassen kregen carte blanche. Alfonso Silva kon in zijn hoedanigheid als opperhoofd van Nueve zomaar een negen maanden oude baby op laten pakken als hij enigszins het vermoeden had dat diens strontluiers explosief materiaal bevatten.

Zoals in 95 procent van de zaken het geval was, werd ook deze zaak hem door een verrader in de schoot geworpen. Om voor strafvermindering in aanmerking te komen had Esteban Rojo hun alles over de op stapel staande deal in het Ritz verteld. Tevens had hij zijn medewerking aangeboden. Voor een tamelijk milde straf was hij best bereid heel naturel zijn rol van bodyguard te spelen en daarna een klap in zijn nek te ontvangen. Het enige waarvan ze niet op de hoogte waren, was de bestemming die Talal al Sabah de taxichauffeur zou opgeven. Logischerwijs wilden de Syriër en zijn gevolg naar het vliegveld, de deal was immers gesloten. Mocht hij echter ergens anders naartoe willen, dan zou Navarro enkel knikken en gewoon de vooraf geplande route nemen. In het uiterst onwaarschijnlijke geval dat een der inzittenden hem corrigeerde, moest Navarro improviseren. Een act die hooguit anderhalve minuut duurde. Dit moest te doen zijn.

'Vijfenveertig seconden,' meldde Carmen. In haar stem was geen spoor van twijfel te bekennen. Ze straalde een bepaald soort onoverwinnelijkheid uit. Een must voor ieder Nueve-lid, dacht Silva. Helemaal als je de enige vrouw in het gezelschap was en tevens hogerop wilde. Een handvol seconden voelde hij bewondering voor Carmen Marrero. Een gemoedstoestand die hij resoluut overboord kiepte toen de teller in zijn hoofd de minuut passeerde.

Drie straten van het Ritz vandaan, liepen Hernandez en Pedrollo. Ze droegen shirts met korte mouwen en kaki broeken waarvan de pijpen waren afgeknipt. Dit was overduidelijk gebeurd met een bot instrument, waardoor de outfit onmiskenbaar met een stigma van oorspronkelijkheid werd besprenkeld. Allebei hadden ze boven de verplichte zwarte zonnebril hun baseballpet achterstevoren opgezet. Dit was zowel cool als casual, woorden die in het vocabulaire van skaters een voorname plek innamen. De relaxte loop die het duo zich had aangemeten, kon met een beetje fantasie worden geïnterpreteerd als een virtueel opgestoken middelvinger naar gestreste medeburgers waarvan het in Barcelona wemelde. Om hun look te vervolmaken, had het duo een skateboard onder de rechterarm geklemd.

'Taxi op vijftig meter,' sprak Hernandez zogenaamd tegen Pedrollo. Dit was de eerste zin die zij de afgelopen anderhalf uur hadden gewisseld. Deze woorden werden door het commandocentrum opgevangen, wist hij. Tevens konden de operatieleiders een glimp opvangen van hetgeen Pedrollo en hijzelf glashelder zagen gebeuren.

Toen de taxi het kruispunt tot op dertig meter was genaderd, drukte Hernandez op de bovenste knop van een kleine afstandsbediening die inmiddels in de palm van zijn linkerhand rustte. Direct sprong het verkeerslicht op oranje. De chauffeur van de wagen die voor de taxi reed, deed exact waar Hernandez op hoopte. Hij gaf extra gas en flitste nog net langs het verkeerslicht voordat het op rood sprong.

Vlak voordat de taxi stopte, splitste het Nueve-duo zich op. Hernandez slenterde enkele meters rechtdoor om daarna links af te slaan. Eenmaal op het zebrapad liet hij achteloos het skateboard vallen en plantte zijn rechtervoet erbovenop. Met zijn linkervoet zette hij rustig af. De wazige blik in zijn ogen was in werkelijkheid een uiting van pure concentratie.

Pedrollo zag in zijn linkerooghoek de zwarte volgwagen van de Dienst. Er bevonden zich welgeteld twee auto's tussen de taxi en de auto met geblindeerde ramen die door Lopez werd bestuurd. Perfect, dacht Pedrollo. Met een houding waaruit misdadige desinteresse sprak, liep hij langs de geparkeerde auto's in de richting van de taxi. Terwijl zijn getrainde geest een snelle berekening maakte, spanden zijn spieren zich voor de overrompelingsaanval.

Alfonso Silva absorbeerde de beelden van de drie monitoren die er nu nog toe deden en visualiseerde ze tot één geheel. Naast hem deed Carmen Marrero precies hetzelfde. Haar uiterlijke onbewogenheid was een compliment voor zijn werk. Tenslotte had hij haar opgeleid. In plaats van een imaginaire schouderklop permitteerde Silva zich een uiterst spaarzame glimlach. In gedachten telde hij af.

'Actie,' zei Carmen zonder dat er enige vorm van opwinding in haar stem doorklonk. Zelfs in het heetst van de strijd was dit een must. De operatieleider diende te allen tijde de rust zelve te zijn, hield ze zichzelf in stilte voor. Een heilige richtlijn, opgesteld door de ondoorgrondelijke man naast haar.

Hernandez draaide een kwartslag naar links en stormde op de taxi af. Vanaf de achterkant benaderde zijn collega het voertuig op dezelfde manier. Binnen drie seconden opende Hernandez het linkerachterpor- tier. Hij keek in de wijd opengesperde ogen van de lijfwacht die de code- naam Arend droeg. Een fractie van een seconde later maakte Hernandez' rechterhand een flitsende beweging. Zijn knokkels raakten de verbou- wereerde bodyguard op diens linkerslaap. Aansluitend gleed het lichaam van de zwaargebouwde man naar rechts, waar 'Gier' Talal al Sabah recht in de vervaarlijke loop van een Sig Sauer keek. De onverzoenlijke blik van de eigenaar leek in niets meer op de uiterst vriendelijke oogopslag van de taxichauffeur die hij zo-even toch echt leek te zijn.

Half tegen voormalig taxichauffeur Enrique Navarro aan lag het bewus- teloze lichaam van de lijfwacht die namens Nueve kortstondig als 'Havik' door het leven ging. Hij had een soortgelijke behandeling als zijn collega ondergaan. Met dien verstande dat Pedrollo de knokkels van zijn linkerhand had gebruikt om de rechterslaap van de lijfwacht te gese- len.

'Echte vakjongens,' bromde Hernandez spottend terwijl hij bepaald niet zachtzinnig het logge lijf van 'Arend' uit de auto sleurde. Hij opende het achterportier van de volgwagen die door Lopez werd bestuurd. Deze had op het moment dat de actie begon de dienstauto uit het rijtje der wachtenden gemanoeuvreerd en het logge gevaarte naast de taxi van Navarro geparkeerd. Dat hij zich op de verkeerde weghelft bevond, deerde niet. Door een aardigheidje van de technici van El Sevicio, ston- den alle verkeerslichten op de kruising op rood waardoor er van tegen- liggers geen sprake kon zijn.

'Eruit,' snauwde Navarro nadat de twee lijfwachten bewusteloos en geboeid in de volgwagen waren gelegd. Talal al Sabah knikte kort. Naast de dwingende stem sprak er uit de loop van het 9mm-pistool voldoende vijandschap om elke order meteen uit te voeren. Hij stapte uit de taxi en werd door Hernandez ruw bij zijn arm gepakt en in de volgwagen gesmeten. Lopez gaf gas, waarna Navarro in zijn taxi volgde. Toen beide wagens het kruispunt voorbij waren, drukte Hernandez op de onderste knop van de kleine afstandsbediening. Na dit signaal zouden de ver- keerslichten weer normaal functioneren.

'Vogels in kooi,' meldde Pedrollo.

'Stand-by module,' antwoordde Carmen meteen. Haar linkerwijsvinger hield de witte knop op het paneel ingedrukt. Deze lijn gaf haar verbinding met alle Nueve-leden in het veld. Ze keek naar de monitoren met een blik waaruit de scherpte was verdwenen. De operatie was voorbij. De teamleden waren op weg om hun ladingen te lossen bij een safehouse van CESID, ergens in een buitenwijk van de stad. Haar werk zat erop. Met de grootst mogelijke moeite kon ze een triomfantelijke glimlach onderdrukken. In plaats daarvan keek ze met een half oog naar haar mentor.

'Wie doen de ondervragingen?'

Silva keek haar bedachtzaam aan. De vraag was een verkapte sollicitatie. Ze was ontegenzeggelijk gretig, wilde alle facetten van het vak leren. Indien mogelijk, ruim binnen de daarvoor geldende tijdslimieten. Hij zag veel van zichzelf in haar terug. Mede daardoor wilde hij haar voor misstappen behoeden die hij wel had gemaakt. Gas terugnemen, was nu het parool.

'Ik betrek er een paar jongens van UDYCO bij, dat hebben die gasten wel verdiend,' was het antwoord dat Carmen niet wilde horen. Ze keek enigszins stuurs naar de monitoren waarop weinig interessants viel te zien.

'Kun jij lekker met die cavia dineren,' voegde Silva er quasi-droog aan toe.

'Het is een hamster,' reageerde Carmen vinnig. Ze kon de zogenaamde humor er absoluut niet van inzien.

3

Eindelijk verloor de zon aan kracht. Maar liefst veertien uur lang had de koperen ploert met straffe hand over Gran Canaria geregeerd. Augustus, hartje zomer. Tropische temperaturen en een staalblauwe hemel die enkel volle charters haar luchtruim liet doorkruisen. Voor wolken en andere droefgeestige natuurelementen was het verboden terrein.

Op de stranden in het zuiden van het Canarische eiland was de leegloop reeds in volle gang. Tienduizenden toeristen slenterden naar hun tijdelijke onderkomens om daar het zand, de loomheid en de ingebrande hitte van zich af te spoelen. De douchestraal verwijderde moeiteloos de beige korrels die op de vreemdste plekken resideerden. Verfrissend water zorgde voor nieuwe energie. Het gevolg van urenlange blootstelling aan de Afrikaanse zon liet zich daarentegen niet zomaar door het riool afvoeren. Na de verplichte opknapbeurt volgde de onvermijdelijke warme hap. Sangria en pullen bier gingen van hand tot mond, aangedragen door gedienstige obers die het glimlachen tot een kunst hadden verheven. Aansluitend het gehannes in broeierige winkelcentra of gedrang op de eens zo paradijselijke boulevards die door het voetvolk massaal werden afgetrapt.

Massatoerisme. Zowel hapklaar voedsel als oudedagsvoorziening voor de plaatselijke bevolking. Hiervan betrok volgens de geldende statistieken 76 procent een gedeeltelijk of volledig inkomen. Een gegeven waarvan de bewoners van de archipel elke werkdag doordrongen waren. Ze moesten wel. Gran Canaria en toerisme vormden een heilige combinatie die ten koste van alles in stand gehouden diende te worden. Een Siamese tweeling. Scheidde je deze, dan kon één van tweeën zomaar overlijden. Vanwege de almaar durende economische crisis was het overduidelijk wie in dit geval de pineut zou zijn.

Ruim vijftig kilometer ten noorden van het toeristische zuiden lag de hoofdstad Las Palmas. Met zijn 350.000 zielen qua inwonersaantal de achtste stad van moederland Spanje. In tegenstelling tot de stenen amusementscentra waar een achtergebleven slipje van een *one night stand* als historisch erfgoed werd beschouwd, beschikte Las Palmas over architectonische hoogstandjes die de sfeer van een ver verleden uitademden. Het was een havenstad, maar het lukte de daarmee gepaard gaande stank, criminaliteit en vervuiling niet er een negatief stempel op te drukken. Daarvoor waren de bewoners te speels, de parken te talrijk en de stranden te ontvankelijk.

Ondanks de eeuwige zon en het opgeruimde karakter van zijn bevolking, kende Las Palmas ook een keerzijde. Door de voortdurend slechte economie werd de gemeenteraad keer op keer gedwongen om rigoureus te snoeien in de toch al fragiele budgetten. Dit ging naar eer en geweten, voorzover politici over dit soort eigenschappen beschikten. Op papier oogde het best redelijk, verdedigbaar zelfs. In de praktijk pakte het echter anders uit. Een reeks van factoren was verantwoordelijk voor de teloorgang van enkele wijken. Deze van oudsher al zwakkere broeders op de sociale en hygiënische ladder, werden door het uitblijven van vooral financiële ondersteuning zowel letterlijk als figuurlijk gesloopt. Van oudsher gezellige volksbuurten verpauperden tot verzamelplaatsen voor drugsdealers en ander ongedierte.

Een van deze wijken was Jinamar.

Ehedey Del Pino keek om zich heen. Voor omstanders gebeurde dit op een uiterst ontspannen manier. Alsof hij hiernaartoe was gekomen om een blowtje te roken en een biertje te drinken, in plaats van ruim tweehonderd man te vermaken. Het kwam niet in de reeds halfbenevelde breinen van de verwachtingsvolle jongeren op dat Del Pino bloednerveus was.

'Nog twee minuten, Edy,' zei een dikke man van de organisatie. Ook hij kortte de Guanche-naam van de jonge Canario af tot drie letters. Dit lag stukken beter in het gehoor. Dat hij hiermee een stukje erfgoed van de oorspronkelijke eilandbewoners verkrachtte, was hem een rotzorg.

Ehedey maakte zich los van zijn vriendenkring en liep ogenschijnlijk op zijn dooie akkertje naar het podium. Een voorzichtig gejuich steeg op toen hij de eerste treden ervan op liep. Dit zou zijn zevende optreden in vier maanden worden en aan de reactie van het publiek te horen was zijn reputatie hem reeds vooruitgesneld.

Een kortstondig moment werd hij overspoeld door een golf van onverholen trots. Ze zijn hier voor mij gekomen, dacht hij. Voor Ehedey Del Pino, straatschoffie uit de krottenwijk Polvorin!

De laatste meters werd hij gedragen door euforie. Lichtvoetig liep hij over het inderhaast in elkaar getimmerde plankier en hij pakte de microfoon van de standaard. Zijn nervositeit was inmiddels geabsorbeerd door de menigte. Hij voelde zich ineens helemaal in zijn element.

'Hallo, uitschot van Las Palmas!'

Als op afroep strekte een woud van armen zich uit.

'*Nosotros, nosotros, nosotros!!!*'

De strijdkreet waarmee hij de laatste maanden furore had gemaakt, schalde door Jinamar. Leden van rivaliserende bendes, piepjonge bijstandsmoeders, alcoholisten en ten dode opgeschreven junks balden hun rechterhand tot een vuist. Met hun onderarm maakten ze een pompend gebaar waaruit zowel angstaanjagende woede als woekerende frustratie sprak.

'Jullie kunnen het zonder mij wel af,' sprak Ehedey laconiek. Op zijn gezicht lag daarentegen een uitdrukking die het midden hield tussen opportunisme en bezieling. Eigenschappen die de menigte vóór hem ergens onderweg was verloren.

Een afkeurend gejoel weerklonk. Als een aankomend messias hief Ehedey beide armen.

'Oké,' zei hij in de microfoon. Waar het gebral van belerende politici of geschreeuw van overactieve agenten het gepeupel van Las Palmas niet tot zwijgen kon brengen, lukte het de jonge Canario om met dit ene woord de massa stil te krijgen. Fluisterend uitgesproken, waardoor het zalvend werkte.

'Ik moest solliciteren, omdat ik anders mijn uitkering zou kwijtraken,' begon hij zonder enige aankondiging vooraf. 'Dus ging ik naar het zuiden, want daar liggen de baantjes immers voor het oprapen.' Hij liep nu als een volleerd entertainer heen en weer over het podium. In tegenstelling tot andere performers keek hij niet over de menigte heen, maar zocht hij constant oogcontact met zijn publiek.

'Ooit heb ik eens een cursus management gevolgd.' Na deze zin stond hij abrupt stil en rolde met zijn ogen. Daarna trok hij een verontschuldigend gezicht naar zijn toehoorders. Het lachsalvo dat hij wilde horen, klonk als een voorgeprogrammeerde uiting van blikken vrolijkheid uit een Amerikaanse comedy.

'Ik mocht langskomen bij een hotel in Playa del Inglès. Omdat de manager een onbeschofte hond was die mij meer dan anderhalf uur liet wachten, ging ik maar eens op onderzoek uit. Tja, tenslotte is het innovatief om alvast een kijkje in de keuken van je toekomstige werkgever te nemen, nietwaar?'

Aansluitend viste hij weer een schalks masker uit zijn vijver vol gelaatsuitdrukkingen. Het publiek reageerde prettig voorspelbaar, zodat hij naadloos door kon.

'Ik dook dus de keuken in,' hij negeerde het gegrinnik en zette aan voor een spraakwaterval. 'Er waren twee bordenwassers, vriendelijke jongens die zich werkelijk de pleuris werkten. Drie hulpkoks frommelden salades in elkaar, sorteerden vis en renden ook nog eens van hot naar her. Dit deden ze op bevel van de koks die zich enkel bezighielden met het omdraaien van vlees op de grill. Onderwijl tapten zij voornamelijk moppen en blaften hun orders. Dit alles werd zo nu en dan gadegeslagen door de chef voor wie het inspecteren van de inhoud van zijn neus de hoogste prioriteit had.'

Voordat de ademloos toehorende menigte de kans kreeg te reageren, strekte Ehedey zijn rechterhand uit en priemde zijn wijsvinger in hun richting. Zijn gezicht was zo strak als een doodsmasker en zijn ogen waren getransformeerd tot gloeiende, zwarte kolen.

'Ik vergat jullie te melden dat de bordenwassers de Marokkaanse nationaliteit hadden, de hulpkoks kinderen van het eiland waren en zowel de koks als de chef...'

Exact vier hartslagen later strooide Ehedey Del Pino het zout in de wonden die al jarenlang etterden.

'*Godos*,' fluisterde hij in de microfoon. '*Godos*.'

Het woord, dat letterlijk 'Goten' betekende en door de Canario's als scheldwoord voor Spanjaarden werd gebruikt, werkte als een rode lap op de honderden dolle stieren in menselijk ornaat die de plaatselijke arena bevolkten.

'*Nosotros, nosotros, nosotros!*'

Ehedey hield beide armen gekruist voor zijn borst. Met de rechtschapen blik van een vorst die het beste met zijn onderdanen voor had, keek hij op de menigte neer.

'*Nosotros, nosotros, nosotros!*'

Doordat hij stokstijf in deze houding bleef staan, voelde het publiek instinctief dat de apotheose nog niet was bereikt. Langzaam veranderde de vloedgolf van onvrede in een kabbelend beekje van ergernis dat door enkele toehoorders met een dwingend 'ssst' werd drooggelegd. Zonder zijn blik van de massa af te wenden, bracht Ehedey de microfoon naar zijn mond.

'De manager was een trendy jongeman met een veel te duur pak die na twee uur eindelijk een gaatje voor me kon vinden. Hij vertelde me dat er wellicht volgend jaar een baantje als assistent-receptionist vrijkwam. Daarna wees hij mij de deur.'

De menigte wilde reageren, maar Ehedey was hen voor.

'Toen ik de deurkruk in mijn handen had, tikte dit zwijn met zijn pen op zijn bureau om mijn aandacht te trekken. Hij maakte een weids gebaar en vertelde in afgebeten zinnen dat hij van onderen af aan begonnen was en alles had opgebouwd met keihard werken. Toen ik weg wilde lopen stelde hij mij nog een vraag.'

De mensen hingen aan zijn lippen. Het was doodstil in een wijk die enkel stilte kende als de dood er daadwerkelijk intrad. Gevoed door zijn straatwijsheid besefte Ehedey Del Pino dat het moment suprème was aangebroken.

'Met een alwetende grijns op zijn schijnheilige smoelwerk vroeg hij mij of ik wist wat een workaholic was. Ik knikte en vertelde hem dat dit een zelfingenomen patser was die het presteerde om op kantoor meer te zuipen dan thuis.'

Het gelach kwam in fasen. De paar individuen die de Engelse taal tot op zekere hoogte machtig waren, reageerden uitbundig en vertaalden voor de omstanders. Zij verspreidden het woord, waarna een orkaan van hilariteit opzwol. Op het hoogtepunt liep Ehedey naar het uiterste puntje van het podium. Vol gespeeld afgrijzen zette hij zijn slotakkoord in.

'Die manager was een Canario!' Voor de eerste maal verhief hij zijn stem, waardoor het leek alsof hij schreeuwde. 'Een jongen van het eiland. Iemand zoals jullie en ik. Opgeleid, neergezet en zogenaamd belangrijk gemaakt door de Godos die vanaf de *peninsula* aan de touwtjes trekken. Iemand met een voorbeeldfunctie, iemand waar wíj tegen op moeten kijken. Wij, de sufferdjes, de negertjes, de achterlijken die niets anders kunnen dan leven in sloppenwijken en elkaar afmaken.'

Hij haalde geforceerd adem terwijl het publiek langzamerhand in een extatische gekte geraakte.

'Wij trappen er niet langer in. Dit eiland is van óns. Weg met de Godos, weg met Europa. Onafhankelijkheid is ons doel. Canarias voor de Canario's.'

Hij balde zijn vuist en maakte het teken dat de laatste maanden was uitgegroeid tot een symbool in de achterstandswijken van Las Palmas.

'*Nosotros, nosotros, nosotros!*'

Ergens achteraan in de menigte bekeek Romén Sanchez hoe het volk werd opgezweept. Dit was de tweede maal dat hij in de anonimiteit een optreden van Ehedey Del Pino bekeek. Op zijn lippen lag een tevreden glimlach. Hij was overtuigd. Deze opdracht kon hij met een gerust hart aannemen en uitvoeren.

Wat ooit was begonnen met een achteloze tip die hij ergens in zijn grijze massa had opgeslagen, kon uitgroeien tot... ja, tot wat was moeilijk te zeggen. Tot het ten uitvoer brengen van zijn opdracht, leek nu het beste antwoord hierop. Deze jongen had het in zijn vingers, dat was zeker. Als een volleerde heiland wist hij zijn volgelingen te bespelen. Deze mensen gingen voor hem door het vuur.

Hij zag dat Del Pino zich omdraaide en glimlachte naar vier meiden in hemeltergende leren outfits die vanaf de achterkant het podium opkwamen. Dit was de hoofdact van deze culturele avond, vermoedde Sanchez. Hij meende zich te herinneren dat het kwartet op de affiches als Puntas de Jesús was aangekondigd. Een meidengroep die death metal speelde.

Het zal wel, dacht hij en hij draaide zich om. Op het podium nam Ehedey afscheid van zijn publiek. Een muur van lawaai begeleidde de aftocht van de geëngageerde stand-up comedian.

Sanchez hoorde hem nog: 'Jullie hebben zeker geen ambitie voor het bedrijfsleven?' aan het met piercings en tatoeages versierde viertal vragen. De laatste maal dat hij de lachers op zijn hand kreeg.

Toen de eerste akkoorden uit de boxen klonken, startte Romén Sanchez zijn auto en reed weg.

Tijdens de rit die hem naar het centrum voerde, dacht hij aan de herder die in de nabije toekomst zijn schapen zou laten bijten in plaats van blaten.

4

'Het is... schitterend,' zei Alain Rouge. Hierna rolde hij met zijn ogen, maakte een zuinig mondje en haalde overdreven hard adem door zijn neus.

Juanfran Doramas keek de Franse kunsthandelaar aan met een ondoorgrondelijke blik. Hij was hierop voorbereid. Zijn contactpersonen hadden hem reeds op de hoogte gebracht van het theatrale gedrag dat de rasnicht tegenover hem regelmatig tentoonspreidde. Als voormalig kolonel van de guardia civil gruwelde hij van dit gekunstelde gedoe. Aangezien hij hier in zijn hoedanigheid van secretaris van de Raad zat, deed Doramas echter of het hem geen ene flikker interesseerde. Niet dat Rouge wist welk genootschap hij vertegenwoordigde. Voor de kunsthandelaar was hij niet meer dan de zoveelste cliënt die iets te koop kwam aanbieden. En dat 'iets' scheen hem wel te bevallen.

'Prachtstukken, meneer Torres. Een ware lust voor het oog van iedere verzamelaar.'

'Dat doet me genoegen,' antwoordde Doramas stoïcijns. 'Dan kunt u vast wel een indicatie geven omtrent de waarde ervan.'

Een hoog, haast vrouwelijk gegiechel klonk aansluitend in het bedompte achterkamertje. Rouge hief beide handen, legde zijn hoofd in zijn nek en richtte zijn blik op de hemel die zich ergens boven het witte plafond bevond.

'Alweer zo'n kunstbarbaar die enkel in harde pecunia is geïnteresseerd. Nu vraag ik u, waaraan heb ik dit verdiend?'

Doramas veinsde volledige onverschilligheid. Ook dit was hem door zijn contactpersonen ingefluisterd. Volgens hen de enige manier om de homoseksuele kunsthandelaar van joodse afkomst betrekkelijk snel to the point te laten komen. Blijkbaar een gouden tip, aangezien Rouge zich opeens een bloedserieuze houding aanmat.

'Goed dan, meneer Torres. We spelen het op uw manier.'

Hij negeerde de goedkeurende knik van Doramas en raakte met zijn vingertoppen de drie juwelen aan die op de tafel voor hem lagen.

'U weet wat er hier voor ons ligt?'

Met 'kostbaarheden' hield de secretaris van de Raad zich enigszins op de vlakte. Natuurlijk wist hij dat de voorwerpen een behoorlijk bedrag vertegenwoordigden. Naar de hoogte ervan kon hij enkel gissen. Dit gold evenzeer voor de herkomst van de juwelen.

'Kostbaarheden...' imiteerde Rouge met een voor hem ongewoon zwaar stemgeluid. 'Dat noemen ze geloof ik een dooddoener.'

Doramas glimlachte flauwtjes, hetgeen hem moeite kostte. Voor dit soort gesprekken was hij niet in de wieg gelegd. Dat had voornamelijk te maken met het feit dat het initiatief geheel bij de Fransman lag. Als voormalig ondervrager van staatsgevaarlijke elementen was Doramas daar niet aan gewend en evenmin van gediend.

'Voordat wij verder gaan moet ik u vragen of deze juwelen van diefstal of andere criminele activiteiten afkomstig zijn. Dit heeft niets te maken met het feit dat ik u niet vertrouw, maar alles met het gegeven dat ik een legitieme kunsthandel run. Geen enkel kunstvoorwerp ter wereld is het namelijk waard mijn naam in diskrediet te brengen.'

Doramas had deze vraag verwacht. De kunstgruwel deed niets meer of minder dan zichzelf indekken, wist hij. Hoogstwaarschijnlijk werd dit gesprek in een naastgelegen vertrek opgenomen door een ingehuurde bodyguard die bij een eventuele valstrik direct met getrokken wapen kwam binnenstormen.

'De juwelen zijn afkomstig uit een erfenis,' loog Doramas. 'Mijn cliënt wil anoniem blijven en heeft mij als tussenpersoon ingeschakeld.' Hiermee gaf hij Alain Rouge carte blanche.

De kunsthandelaar glimlachte voldaan. Dit was precies het antwoord dat hij wilde horen.

'Ik denk dat wij zaken kunnen doen, meneer Torres. Sterker nog, ik ben ervan overtuigd.'

Nu was het de beurt aan Doramas om tevreden te grijnzen. Hij had een vooringenomen hekel aan de persoon tegenover hem, maar het gesprek liep voorspoedig. Hoewel je altijd voorzichtig moest zijn met snelle conclusies, leek het er toch verdacht veel op dat Alain Rouge de persoon was die zijn contacten hadden beschreven. Een bekwame, maar o zo gladde koopman. Iemand die een hoge commissie in rekening bracht en daar ook vakwerk voor afleverde. Volgens betrouwbare bronnen had deze man connecties in de kunstwereld die zich uitstrekten van Texas tot Tokyo.

Via zijn diepgaande connecties met het bankwezen was Rubén Betancor de voorzitter van de Raad, Rouge op het spoor gekomen. Aangezien Betancor volstrekt ongeschikt was voor veldwerk dat buiten zijn vertrouwde bankterrein lag, had het voor de hand gelegen dat Doramas naar Lyon zou afreizen. Als voormalig kolonel van de guardia civil en secretaris van de Raad, was deze missie wel aan hem toevertrouwd. Manuel Albelda, eveneens Raadslid en vinder van de schat, was geen partij geweest. Nadat deze grotduiker zijn vondst bij de voor hem hoogste autoriteit – de voorzitter van de Raad – had gemeld en zij de schat gedrieën in veiligheid hadden gebracht, werd er een spoedoverleg op de agenda gezet. Tussen voorzitter en secretaris. Zij waren het er spoedig over eens dat Albelda buiten hun verdere plannen zou worden gehouden. Het Raadslid had zijn plicht gedaan en daarmee was de kous af. Om hem in hun toekomstplannen te betrekken, bracht enkel risico's met zich mee. Logischerwijs lieten ze Albelda in het ongewisse. Als de tijd daarvoor rijp was, was het vroeg genoeg om eens met hem om de tafel te gaan zitten. Tot aan die tijd was het een kwestie van pappen en nat houden.

'Aangezien wij zaken gaan doen, heb ik nog een paar vragen,' zei Rouge. 'Deze houden hoofdzakelijk verband met de antwoorden die ik toekomstige cliënten moet gaan geven.'

Doramas knikte begrijpend, al had hij slechts een vaag vermoeden waar de Fransman op doelde.

'Aan de telefoon liet u doorschemeren dat dit slechts een fractie van de totale hoeveelheid was.' Terwijl hij dit zei, aaide Rouge met de vingertoppen van zijn rechterhand over de juwelen. 'Waar praten we in zijn totaliteit over?'

Over dit antwoord hoefde Doramas slechts enkele seconden na te denken.

'Er is meer,' zei hij beslist. 'Veel meer.'

Rouge hief beide handen in de lucht.

'Oké, oké,' sprak hij op verontschuldigende toon. 'Het was maar een vraag, hoor. Ik bijt heus niet.'

Na deze woorden maakten zijn lippen een hapgebaar in het luchtledige. Een rilling liep over Doramas' rug. Vreemd genoeg nam hij na dit misselijkmakende toneelstukje de Fransman wat nauwkeuriger op. Het eerste wat hem te binnen schoot, was diens leeftijd. Volgens de documenten zat hij midden in zijn drieënvijftigste levensjaar. De man voor hem kon daarentegen zomaar doorgaan voor een midden-dertiger. Rimpelloos gezicht, regelmatig, wit gebit en een figuur dat in het gevecht tegen de vetzucht nog dik op punten voorstond. Opmerkelijk hoe jong die poten er toch blijven uitzien, dacht Doramas zonder enige vorm van jaloezie. Hij neigde eerder naar bewondering, al zou hij dat natuurlijk nooit toegeven.

'Dan een vraag die mij de komende tijd meerdere malen gesteld zal worden,' ging Rouge verder. 'Biedt degene die u vertegenwoordigt misschien een bepaald soort kelk aan die in de volksmond ook "De Heilige Graal" wordt genoemd?'

Hoewel het niet aan zijn gezichtsuitdrukking viel af te lezen, werd Doramas wel degelijk overdonderd door deze vraag. Natuurlijk hadden ze onderling over de herkomst gespeculeerd. Aangezien Betancor en hij geen enkele sjoege van kunst hadden, werd internet geraadpleegd. Omdat zij hier uiterst voorzichtig dienden te opereren, bleek al spoedig dat dit medium niet zomaar de heimelijk gevraagde antwoorden kon oprispen.

'Niet dat ik weet,' sprak de secretaris van de Raad. Hiermee liet hij voorlopig de waarheid in het midden. Meerdere malen had hij een aantal kostbaarheden door zijn handen laten glijden. De beroemdste drinkbeker uit de geschiedenis had daar niet tussen gezeten. Zelfs een kunstnitwit als hij kon daar uitsluitsel over geven. Het leek hem echter verstandiger dat wat voor hem een weet was, voorlopig voor Rouge een vraag bleef. Honger hield de mens tenslotte scherp.

'Ik kan me voorstellen dat er vanuit uw optiek na deze vraag een enigszins naïef waas omtrent mijn vakkennis in het vertrek hangt, meneer Torres. Laat het me verduidelijken.'

Doramas knikte enkel. Omdat hij benieuwd was wat er zou volgen, wilde hij de kunsthandelaar niet ophouden.

'Dit collier, de ring en de dolk vertegenwoordigen op de vrije markt een waarde van respectievelijk zeventig-, vijftig- en tachtigduizend euro. Hierbij betracht ik enige voorzichtigheid omtrent de hoogte van de bedragen, waardoor het uiteindelijke bedrag enkel kan meevallen.'

Doramas reageerde bewust niet. Zijn intuïtie vertelde hem dat Rouge de bedragen als inleiding gebruikte voor een statement dat meer omvatte dan enkel geld.

'Het collier komt uit Engeland, tiende eeuw. De ring is in opdracht van de adel door een goudsmid in Frankrijk vervaardigd. Zelfde periode, schat ik zo.' Met zijn linkerhand pakte hij de dolk en legde deze in de palm van zijn rechterhand. 'De herkomst van dit voorwerp is daarentegen een totaal ander verhaal. Mocht iemand mij het mes op de keel zetten, dan zou ik Dimashq, oftewel Damaskus, zevende eeuw, zeggen.'

De doordringende blik die hij hierna op Doramas wierp, was die van de absolute vakman die exact wist waarover hij sprak en zijn conclusies trok.

'Mijn werkgebied mag geografisch gezien groot zijn, het kringetje waarin ik mij begeef is relatief klein. Dit zijn de grote spelers. Multimiljonairs met één grote passie: kunst.' Hij legde de dolk weer op de tafel en inspecteerde het collier en de ring met een kennersblik. 'Naar uw zeggen maken deze prachtstukken deel uit van een grote collectie. Nu durf ik gerust te stellen dat ik de afgelopen twintig jaar de verzamelaars die over een repertoire beschikken waarin deze voorwerpen zouden passen, in kaart heb gebracht. Voorzover ik weet – en geloof me, nieuws verspreidt zich razendsnel in deze specifieke wereld – zijn er geen kunstvoorwerpen ontvreemd. Althans, geen stukken die in de verste verten ook maar lijken op hetgeen hier voor mij ligt.'

Het werd Doramas met de seconde duidelijker dat de kunsthandelaar op een geraffineerde manier zat te vissen. Met de vooraf zorgvuldig gefilterde informatie probeerde hij een soort van overrompelingstactiek die moest leiden tot een verspreking bij zijn klant. Slim, dacht Doramas. Alleen niet slim genoeg.

'Blijft over de achterneef die zijn tuin omspit voor een zwembad of de hond van de buren die op de hei een diepe kuil graaft. In onze wereld noemen wij dit simpelweg een "hit", de autoriteiten spreken echter van "illegale opgraving". Een aanzienlijk gedeelte van de handel in ons circuit komt voort uit toevalstreffers van mensen die, geheel onwetend, op de juiste plek in onze aardkorst wroeten.'

Rouge zag in een enkele oogopslag dat de man die zich als señor Torres had voorgesteld, niet hapte en ook niet van plan was dat in de nabije toekomst te doen. In een kortstondig moment besloot de kunsthandelaar het vanaf nu kort te houden en zich in de loop van de dag te concentreren op de verkoop van de juwelen.

'De Heilige Graal is het ultieme kunstobject en van onschatbare waarde. Mocht deze relikwie ooit opduiken, dan is het als gevolg van een pure gelukstreffer, gescoord door iemand die hoogstwaarschijnlijk niet eens weet wat hij of zij in handen heeft.' Hij kuchte en maakte met zijn handen een verontschuldigend gebaar. 'Ik neem aan dat u nu begrijpt waarom ik die vraag wel moest stellen.'

Lyon lag reeds driehonderd kilometer achter hem en nog steeds reed Doramas op de automatische piloot. Hij was zeker geen goed chauffeur, hooguit een degelijke. Als hij al een lijst van favoriete tijdsbestedingen had gehad, dan stond autorijden daar zeker niet op. Dit kwam ongetwijfeld omdat hij in zijn leven weinig kilometers daadwerkelijk achter het stuur had gezeten. In de tijd dat zijn ster nog rijzende was, maakte hij veelvuldig gebruik van een chauffeur. Meestal een jong broekie met grote carrièreplannen die het een grote eer vond om een hoge officier te rijden.

De secretaris van de Raad grijnsde en voelde gelijktijdig een gevoel van weemoed de kop opsteken. Herinneringen waren als goede vrienden die het heden voor het hiernamaals hadden verruild. Enkel hun deugden bleven je bij en deden je verlangen naar een weerzien.

Aan het gesprek met Alain Rouge had hij een goed gevoel overgehouden. Hij zag weinig beren op de weg, als de man maar voor de helft zo bekwaam was als hij zichzelf voordeed. Uiteindelijk ging het om handel. Aanbieden en verkopen. En ergens onderweg streek de Fransman een aanzienlijk deel op. Een gegeven waar Doramas mee kon leven. Met het geld dat zij zouden ontvangen kon een langverwachte droom werkelijkheid worden. Jarenlang was er met stumperige bedragen een poging gedaan om politici met gelijkgestemde denkbeelden van meer invloed te voorzien. Stuk voor stuk onbegonnen missies. Tegenwoordig ontkwam je niet aan een miljoeneninvestering als je werkelijk poot aan de grond wilde krijgen. Geld dat zij eenvoudigweg nooit hadden kunnen ophoesten.

Doramas knarste met zijn tanden. Een irritante gewoonte die altijd opspeelde als hij aan die verraders dacht. Een minder beladen woord was op hen niet van toepassing. De rijken, de adel, de mensen voor wie altijd en overal deuren opengingen. Schorem dat het benodigde geld wél had kunnen ophoesten. Nadat generaal Franco zijn laatste adem had uitgeblazen, waren zij echter als een blad aan de boom omgeslagen. Tuig dat voorheen zwoer bij een krachtige leiding van staat en kerk, omhelsde nu eendrachtig een nieuwe stroming.

'Democratie.' Doramas spuugde het woord met een vies gezicht uit. 'Zij hebben Spanje vermoord,' siste hij nu tussen zijn opeengeperste lippen. 'Alles is kapot. We zijn niets meer of minder dan vazallen van het socialistische Europa. Schoothondjes.'

Zoals alle leden van de Raad wond hij zich hier nog elke dag over op. Zij waren mannen van eer van wie de meesten nog onder *El Generalisimo* hadden gediend. De democratisering van Spanje was voor hen een nachtmerrie waaraan zij weigerden deel te nemen. In tegenstelling tot de overlopers bleven zij hun idealen trouw. Pijn was tijdelijk, opgeven voor altijd. De Raad werd gesticht. Een orgaan dat er uiteindelijk voor moest zorgen dat Spanje de leider kreeg die het verdiende. Het mocht gewoon niet zo zijn dat alles wat de Generaal had opgebouwd door het socialisme werd afgebroken.

Feitelijk bleef het bij verhitte discussies en inzamelingsacties die bij voorbaat gedoemd waren te mislukken. Dat was de trieste realiteit. Ondanks deze tegenslagen was de geest nog verre van gebroken. Bij ieder lid van de Raad klopte het Franco-hart nog onverminderd door en leefde diens gedachtegoed vuriger dan ooit. Het ontbrak hen aan financiële middelen om werkelijk een gooi naar de macht te doen. Een langdurige patstelling waarin nu eindelijk verandering zou komen.

Na een korte blik op de kilometerteller berekende Doramas dat het mogelijk was om La Coruña binnen zes uur te bereiken. Zjn gedachten dwaalden weer af naar het gesprek in Lyon. En daarbij nam direct datgene wat Alain Rouge níét had gezegd een prominente plek in zijn gedachtegang in.

De kunsthandelaar had duidelijk gesuggereerd dat de voorwerpen van een opgraving afkomstig waren. Door de Heilige Graal te noemen, gaf hij aan eveneens te weten aan wie de schat ooit had toebehoord. De naam van deze organisatie was tijdens het hele gesprek niet gevallen.

De orde der Tempeliers.

Deze naam schalde te pas en te onpas door zijn kop. Een voormalige orde die van origine was opgericht om pelgrims te beschermen tijdens hun trip naar het heilige land. Uitgegroeid tot een machtige organisatie wier leden er een groot genoegen in schepten om zo veel mogelijk Arabieren over de kling te jagen en via allerlei slinkse wegen een vermogen te vergaren.

Dat de schat hoogstwaarschijnlijk ooit had toebehoord aan de Tempeliersorde, was hem in eerste instantie een rotzorg geweest. Met het geld dat binnenkort vrij zou komen, konden ze serieuze ondersteuning geven aan een plan om Spanje weer op het rechte pad te brengen. Dit plan was helaas nog een utopie, aangezien het niet bestond. Het vergaren van liquide middelen was hun eerste zorg geweest, daarna zou er ongetwijfeld een pasklaar strijdplan volgen.

De perfecte opzet voor het bereiken van hun doel moest normaal gesproken uit het brein van de voorzitter van de Raad, Rubén Betancor, vloeien. Hij was veruit de intelligentste van hun tweeën, wist Doramas. Vandaar dat hij een beetje onrustig werd vanwege het gevoel dat hem al een slordige drie uur in de greep had. Een prachtidee kreeg met de minuut meer gestalte. Op zich was dit opmerkelijk, aangezien hij nou niet bepaald te boek stond als een creatieve denker.

'De Orde der Tempeliers,' fluisterde Doramas. Een gemene grijns verscheen op zijn magere gezicht.

De laatste jaren had de Tempeliersorde een opmerkelijke revival beleefd.

In eerste instantie was het boek *De Da Vinci Code* hiervoor verantwoordelijk. Hoewel Doramas een van de weinigen was die het boek nog nooit had gelezen, wist hij wel van het bestaan ervan. Dat was niet zo bijzonder, want in elke boekwinkel nam het een vooraanstaande plek in en op de radio en televisie waren de discussies over de houding die de schrijver ten opzichte van de rooms-katholieke kerk innam, gemeengoed geworden.

In het kielzog van dit opzienbarende boek zwommen duizenden schrijvers met de sterke stroming mee. 'Relithrillers' werden een hype. Zo'n beetje iedere historische figuur of organisatie van enige importantie werd betrokken in ongeloofwaardige mysteries en beticht van duistere machtsspelletjes. De lezer smulde en kocht de verzinsels. Vooral dat laatste deed ertoe.

De grijns op het gezicht van Doramas werd nadrukkelijker. Van al die helden en schlemielen uit het verleden waren de Tempeliers het populairst. In de meeste verhalen speelden zij de hoofdrol of werden ze er zijdelings bij betrokken. Geweldenaren uit het verleden die op papier weer helemaal tot leven waren gekomen.

'Maar wat als die helden werkelijk tot leven komen?' mompelde Doramas. 'Hoe zal de wereld dan reageren?'

5

De sfeer in het lokaal was klinisch. Ruim 25 jaar regeerde er absolute orde en netheid. Op de gesloten, beige lamellen die eventuele pottenkijkers weghielden, was geen stofje te ontdekken. Het onberispelijke wit van de tafelkleden deed onwerkelijk aan. Evenals de deklaag van de geëmailleerde asbakken was de donkerbruine vloerbedekking brandschoon. Enkel wanneer men deze aan een grondige inspectie onderwierp, zouden er slijtplekken en minuscule oneffenheden aan het licht komen.

Het onderkomen waar de Raad maandelijks bijeenkwam, was om door een ringetje te halen. Een punt dat tijdens de eerste vergadering, bijna 26 jaar geleden, hoog op de agenda had gestaan. Onvoorwaardelijke netheid was een eis. Hiermee waren alle leden opgegroeid. In eerste instantie thuis, onder de hoede van hun geïndoctrineerde ouders. Later werd deze levenswijze in kazernes en ten burele van verscheidene ministeries vervolmaakt. Als gevolg hiervan beschouwden de leden van de Raad de maandelijkse corvee als vanzelfsprekend. Met de nauwgezetheid van een ploeg kerels die behept waren met een smetfobie, kweten zij zich van deze taak.

Manuel Albelda hoorde de fluisterende klaagzang van zijn buurman aan. De uitdrukking op zijn gezicht was ernstig te noemen. Regelmatig knikte hij bevestigend als de monoloog daar om leek te vragen. De man naast hem heette Ernesto Bajol en was lid sinds de oprichting van de Raad. Dat deze ex-militair de zestig reeds was gepasseerd, deed er niet toe. Dit gold eveneens voor zijn op maat gesneden zwarte pak en de walm aftershave die hij verspreidde. Het waren bijzaken in de letterlijke zin van het woord. Gedurende deze bijeenkomsten nam iedereen elkaar namelijk serieus. Er was respect. Een groot goed, dat in de hen omringende wereld reeds was gedevalueerd tot een druppel in een poel van onfatsoen.

'Dat bruine gespuis fokt maar door,' zei Ernesto Bajol. Zijn woorden gingen gepaard met een afstotend gepiep dat aangaf dat zijn longen op geleende tijd functioneerden. 'De straten zijn vergeven van dat islamvolk. Binnenkort hebben wij niets meer te vertellen in ons eigen land.'

Aansluitend trok hij een gezicht dat onuitgesproken wijsheid veinsde. De diepe groeven in zijn gelaat dienden voornamelijk als de stilzwijgende getuigen hiervan. 'Ik vraag me af wat erger is; de bolsjewieken of dat geteisem.'

Albelda knikte bedachtzaam. 'Vechten met de beer of worstelen met de slang,' zei hij op rustige toon. 'Niet bepaald prettige opties.'

Zijn antwoord trok de belangstelling van een tweetal eveneens op leeftijd zijnde mannen die aan dezelfde tafel zaten en onderling in discussie waren.

'De Russische beer heeft zijn eigen huid voor dollars verkwanseld, Manuel,' sprak Alberto Fuentes de la Perra met een basstem die geheel bij zijn indrukwekkende postuur paste. 'We hebben er een slangennest voor teruggekregen.' Aansluitend liet hij bewust een stilte vallen om zijn slotzin van meer body te voorzien. 'En die krengen zijn stuk voor stuk zo giftig als de pest.'

Dit statement kon op bijval rekenen. Vier hoofden knikten eensgezind. Het kwam weinig voor dat ze het onderling oneens waren. Dit had voornamelijk met de gespreksstof te maken. Triviale onderwerpen brachten ze nimmer te berde. Daar werden ze in de door hen verfoeide maatschappij al genoeg mee lastiggevallen.

Albelda liet zijn blik door de zaal gaan. Hij deed dit zo natuurlijk en onopvallend mogelijk. Terwijl de gezichten aan hem voorbijtrokken, registreerden zijn hersenen elk woord dat aan zijn tafel werd gesproken. Hij vertrouwde hierbij volledig op zijn natuurlijke filter van logica en intuïtie. Mocht er een reactie van hem worden verwacht, dan zou dit instrument bijtijds een signaal afgeven.

Sinds de grotduik in de Dordogne was er veel veranderd, wist hij. Een metamorfose die zich geheel achter de schermen afspeelde. Hier, in de belichaming van hun organisatie, was alles bij het oude gebleven. Binnen in dit omhulsel waren de organen die ertoe deden echter voorzien van een krachtige impuls waardoor de levensverwachting drastisch werd opgeschroefd. De adrenaline die bij dit proces vrijkwam, werd door de vitale organen voorlopig vastgehouden. Wanneer deze uiteindelijk door het gehele lichaam zou gaan stromen, was ook voor Albelda een vraag. Deze moeilijke beslissing lag volledig bij Rubén Betancor en Juanfran Doramas.

'Dat rode tuig wil het graf van *El Caudillo* ontheiligen,' hoorde hij Ernesto Bajol minachtend zeggen. Het was overduidelijk dat de man zowel geïnspireerd als op stoom raakte. Drie directe toehoorders was geen dagelijkse kost voor hem. Buiten de Raad leefde Bajol een teruggetrokken bestaan waarin de dagen hoofdzakelijk werden gevuld met mijmeringen over vroeger. Op een lederen bank in zijn landhuis transformeerden prettige herinneringen onder het bewind van generaal Franco tot glorieuze periodes. Terwijl hij door de ramen naar de druilerige regen staarde, veranderde zijn militaire carrière in één onafgebroken zegereeks. '*Valle de los caidos* is een nationaal monument. Ons erfgoed, verdomme nog aan toe.' De plotselinge stemverheffing verdreef het naargeestige gepiep waarmee zijn woorden steevast gepaard gingen. De aderen in zijn nek zwollen op, beide vuisten waren gebald. Ondanks zijn respectabele leeftijd maakte hij een uitermate strijdbare indruk. 'De eerste socialistische hond die met zijn klauwen aan die tombe durft te komen, hak ik persoonlijk zijn kop af.' Om zijn woorden kracht bij te zetten, flitste zijn rechterhand horizontaal langs zijn keel. Een actie die bij ieder ander ongetwijfeld gechargeerd zou overkomen. Bij Bajol was dit echter niet het geval. Daarvoor was de blik in zijn ogen te intens en haatdragend.

Evenals het tweetal tegenover hem, bromde Albelda instemmend. Achter hem hoorde hij iemand roepen: 'Zo is het, Ernesto,' en: 'Zeg maar wanneer, dan kom ik een handje helpen,' hetgeen impliceerde dat de emotionele oprisping van Bajol evenzeer door leden aan andere tafels was opgemerkt. Het voorstel van enkele socialistische politici om Franco's laatste rustplaats in Madrid te ontdoen van het predikaat 'nationaal monument', had onder de Raadsleden tot enorme beroering geleid. Tijdens de bijeenkomst verleden maand had iedereen zijn zegje hierover willen doen. Toen de gemoederen met hen op de loop dreigden te gaan, greep Rubén Betancor in. Een ferme klap met zijn rechtervuist op de tafel was voldoende geweest om het volume van de discussie naar een aanvaardbaar niveau te brengen. Een simpele, doch doeltreffende handeling waarmee hij eens te meer zijn onbetwiste leiderschap had bevestigd.

'Denken jullie nou werkelijk dat *El Generalisimo* zijn oren naar de Europese Unie had laten hangen?' luidde de retorische vraag die Ernesto Bajol aan niemand in het bijzonder stelde. 'Of een referendum zou uitschrijven? Kom, laat me niet lachen. Hij nam zelf de beslissingen, eventueel na beraadslaging met enkele getrouwen. En dat was goed. Er was overzicht. De bevolking van Spanje wist precies waar ze aan toe was. De tijd voor slap gelul over politiek ontbrak, er moest namelijk gewerkt worden. Kom daar nu maar eens mee. Dat werkschuwe geteisem lacht je recht in je gezicht uit.'

Hij maakte een wegwerpgebaar. 'Na Nederland en België zijn wij het derde land in Europa dat een homohuwelijk legaliseert. Dat is nog eens

een lekker podium om op te etaleren, zeg. Kotsmisselijk word ik ervan.'
Na deze woorden wist Albelda dat hij zijn aandacht voor zijn directe omgeving iets kon laten verslappen. In dit stadium van de discussie zou teugelloze euforie de boventoon voeren. Het nadrukkelijke *El Generalisimo*, dat veel omvattender was dan *El General* of *El Caudill* (de chef), stond hier garant voor.

Zijn blik gleed van generaal Franco's staatsieportret naar dat van koning Juan Carlos. Vader en zoon, zonder dat er bloedverwantschap aan te pas was gekomen. Zoals een groot staatsman betaamt, had de generaal over zijn graf heen geheerst. Niet de beoogde opvolger in lijn, Don Gonzalo de Bourbón, maar zijn neef Juan Carlos zou na zijn dood de nieuwe koning van Spanje worden, zo had *El Generalisimo* beslist. Hij nam de jongeman onder zijn hoede en bereidde hem voor op het toekomstige koningschap. Een prachtig historisch verhaal waarvan Manuel Albelda nog steeds een brok in zijn keel kreeg. Zijn liefde voor koning Juan Carlos was bijna even groot als het verdriet over het verlies van Spanjes grootste leider ooit. De tragedie was echter dat de koning in de loop der jaren steeds gematigder werd en openlijk zijn oren naar de linkerkant van de politiek liet hangen. Dit voelde voor alle Raadsleden aan als een dolksteek in de rug van hun leider. De man die Juan Carlos tenslotte groot had gemaakt.

Schuin onder beide portretten stond een tafel waaraan Rubén Betancor en Juanfran Doramas zaten. Aangezien dit tweetal het hoogst op de hiërarchische ladder stond, bevond hun zitplaats zich het dichtst bij de portretten van hun leider en diens protégé. In de beginjaren van de Raad was de tafelopstelling nog klassiek geweest. Twee strakke rijen met aan het hoofd daarvan een tafel waarachter de voorzitter plaatsnam. Dit was Jorge Betancor, een bankdirecteur uit La Coruña, die zich erop voor liet staan dat hij in het verleden tot de intieme vriendenkring van Franco behoorde. Toen dit financiële brein na een hartstilstand overleed, volgde zijn zoon Rubén, eveneens een bankman, hem op. Hoewel hij de Raad geheel in de geest van zijn vader leidde, vond er toch een verandering plaats op het gebied van de inrichting. Rubén was ervan overtuigd dat een andere opstelling tot nog meer saamhorigheid zou leiden. Hierover werd gestemd, en met elf stemmen tegen negen kreeg hij het voordeel van de twijfel.

Van de aanwezige tafels werden één rechthoek en vier vierkanten gevormd. Deze werden in de vorm van een pentagram opgesteld. De rechthoek, waaraan zes personen zaten, werd rechts achterin geposteerd. Dit waren 'de nieuwkomers'. Het aantal jaren dat men lid was van de

Raad, bepaalde de positie in de zaal. Deze regel gold niet voor voorzitter en secretaris. Vanwege hun functie, de Raad kende er welgeteld twee, zaten zij gezamenlijk aan de voorste tafel van de denkbeeldige vijfhoek. In totaal telde de Raad twintig leden. Dit specifieke aantal was een eerbetoon aan de sterfdatum van hun leider: 20 november 1975.

Twee jaar geleden was Albelda vanwege een sterfgeval een tafel opgeschoven. Het kon nog jaren duren voordat hij een plekje aan de felbegeerde tafel links voor, door de overige leden gescherend 'het voorportaal' genoemd, zou bemachtigen. Er waren nog drie tafelgenoten vóór hem en degenen die zij ooit zouden opvolgen waren tanige knakkers die geenszins van plan waren om binnenkort het heden voor het hiernamaals te verwisselen.

Albelda glimlachte dunnetjes. De actualiteit was veel interessanter dan de verre toekomst. Dat plaatsje aan de linkerkant zou er heus wel komen. Wanneer... ach, dat was koffiedik kijken. Als hij tachtig was, of zo.

Zijn blik gleed over de spierwitte wand links van hem. Precies in het midden ervan hing een indrukwekkende plaquette. FRANCISCO FRANCO FAHAMONDE 1892-1975 meldden de gouden letters. Hij keek er graag naar. Voor zichzelf wist hij dat hun leider dit eerbetoon zou hebben gewaardeerd. Strak, helder en onberispelijk. Een metalen belichaming van zijn stalen karakter. Ja, op de een of andere manier leek de karakteristieke gedenkplaat iets van het charisma van *El Generalisimo* uit te stralen, dacht Albelda.

Francisco Franco behoorde tot de allerhoogste categorie leiders die de wereld ooit had voortgebracht. Hij werd geboren op 4 december 1892 in El Ferrol. In 1910 rondde hij succesvol zijn studie op de militaire academie van Toledo af, waarna hij in 1913 bij het achtste regiment in Marokko werd gedetacheerd. Ondanks zijn weinig indrukwekkende fysiek en zijn hoge stem, dwong hij door zijn moed respect af en hij maakte snel promotie. In 1917 bekleedde hij reeds de rang van majoor.

De daaropvolgende jaren maakte Franco furore als een geboren leider in het Spaanse vreemdelingenlegioen, *Tercio de Extranjeros*. Door zijn krachtige optreden tegen de Moren werd hij in het moederland een held. In 1923 trouwde hij met Carmen Polo en drie jaar later werd hij tot brigade-generaal benoemd. De jongste in Europa.

Nadat Franco in 1936 de noodtoestand in Spanje wilde uitroepen vanwege de banden die de regeringspartij met de Sovjet-Unie had, werd hij verbannen uit de generale staf en weggepromoveerd naar Las Palmas, waar hij de titel van militair gouverneur van de Canarische eilanden aangemeten kreeg.

Gesteund door de fascistische Falange-partij, een junta van generaals en de katholieke kerk, begon Franco een burgeroorlog. Vliegtuigen, tanks en artillerie werden ter beschikking gesteld door zijn politieke vrienden Adolf Hitler en Benito Mussolini, zodat *El Generalisimo* het pleit betrekkelijk snel in zijn voordeel beslechtte.

Deze episode uit het leven van Spanjes grootste leider ooit, vond Albelda persoonlijk het indrukwekkendst. Hieruit bleek namelijk het duidelijkst dat een mens op wilskracht heel ver kon komen. Aangezien Franco van nature over zoveel meer dan enkel energie beschikte, bereikte hij de allerhoogste trede.

Toen hij eenmaal het heft in handen had, leverde *El General* een wereldprestatie toen hij Spanje tijdens de Tweede Wereldoorlog een neutrale status bezorgde. Ook in de daaropvolgende periode was hij iedereen te slim af. Na de oorlog gold Spanje voor de westerse wereld toch als een paria. Een belachelijke stelling die vooral gevoed werd door de Amerikanen. Gedurende de jaren vijftig wist Franco dit idiote imago langzamerhand van zich af te schudden door onder meer in te stemmen met een Amerikaanse basis op Spaans grondgebied en lid te worden van het IMF en de VN.

Tijdens de jaren zestig nam *El Generalisimo* keihard stelling in de Koude Oorlog die toen woedde. Hij was een fervent anticommunist, hetgeen de Amerikanen deugd deed. Tevens groeide de Spaanse economie enorm. Zonder Franco's krachtige leiding was Spanje in communistische handen gevallen, een tweede Cuba. Daar was Albelda van overtuigd. Iedereen in de zaal deelde vanzelfsprekend deze mening.

'Het rode gevaar is een bedreiging voor zichzelf geworden,' sprak Alberto Fuentes de la Perra luid. Zijn manier van spreken kon bijna geclassificeerd worden als schreeuwen, wat impliceerde dat ook hij op zijn praatstoel was beland. 'Binnenkort bestoken die mafkezen elkaar met kernraketten.' Er stond een geamuseerde uitdrukking op zijn gezicht, zag Albelda vanuit zijn rechterooghoek.

'Met een beetje geluk stellen ze die ondingen verkeerd af en komen ze in Noord-Afrika neer,' stelde Ernesto Bajol met een boosaardige grijns. 'Ruimt lekker op.'

Aan de lichaamstaal van Rubén Betancor en Juanfran Doramas bemerkte Albelda dat de vergadering op het punt van beginnen stond. Vanaf het moment van binnenkomst hadden de twee de overige leden nauwelijks een blik waardig gekeurd. Ze hadden overduidelijk belangrijke zaken aan hun hoofd die ze eerst met elkaar wilden bespreken. Albelda zag het tweetal nu met een aangeleerde achteloosheid die zo typerend was voor mannen met een bepaalde machtspositie, gelijktijdig naar hun attaché-koffertje reiken en die aansluitend openen.

Albelda gniffelde inwendig. Als de leden toch eens wisten hoe de monden van hun voorzitter en secretaris letterlijk waren opengevallen toen hij hun had verteld over zijn vondst in de Dordogne. Absolute verbazing en volslagen ongeloof, wat naargelang hij verder in zijn relaas kwam omsloeg in ongebreideld enthousiasme. Nadat hij was uitgesproken en het kunstvoorwerp dat in zijn duikpak was blijven steken aan hen toonde, viel er een stilte. Op dat moment realiseerden de mannen zich pas goed de impact van zijn ontdekking...

Zowel Betancor als Doramas keek nu recht voor zich uit de zaal in. Het gemurmel verstomde.

'Heren,' sprak Betancor een handvol seconden later. 'Vandaag is een heuglijke dag.' Er lag zowaar een flinterdunne glimlach op zijn gelaat.

6

Airco aan, ramen dicht. Vooral het laatste was essentieel.

Begin september kon de temperatuur in Madrid moeiteloos wedijveren met die van de Sahara. Vaker wel dan niet steeg het kwik overdag boven de vijfendertig graden. Wolken waren op die dagen net zo schaars als een vleugje frisse, natuurlijke lucht in een omgeving die met de minuut meer vacuüm werd getrokken. In tegenstelling tot in de woestijn, bleven de nachten hier warm en benauwd. De smog veroorzaakt door verkeer en industrie, die pertinent weigerden voor ongeacht welke temperatuursverandering te capituleren, bedekte Spanjes hoofdstad met een thermische laag waarin kankerverwekkende stoffen floreerden.

Meteorologisch gezien waren juli en augustus hartje zomer, waardoor september als een opmaat voor de herfst gold. Een feit waar de Madrilenen schamper om lachten. Omdat de hitte dag en nacht te nadrukkelijk aanwezig was, beheerste die hun levenswijze. Verkoeling was een luchtspiegeling die enkel boven de vriesvakken van de supermarkt of door de airco geconcretiseerd werd. Zonder airco dreven ze gewoonweg uit hun kleding.

'*How fragile we are, how fragile we are,*' neuriede Carmen Marrero met Sting mee. Ze lag op de bank en had het idee dat haar voeten er elk moment konden afvallen. Een moordende conditietest eerder op de dag was hier verantwoordelijk voor. Heuvel op, heuvel af. In totaal vijftien kilometer op een noest terrein waar geen vlak stukje te bekennen viel. Aansluitend oefenen in abseilen en man-tegen-mangevecht.

Ten zuidwesten van Madrid was de omgeving wonderschoon. Bekeken vanuit een gekoelde auto met een blikje fris bij de hand, welteverstaan. Om er een halve dag in de brandende zon rond te rennen, was andere koek. Waanzin, eigenlijk.

Er verscheen een bedachtzame uitdrukking op haar gezicht. Hoewel de conditietest meer weg had van lichamelijke mishandeling, was er geen serieuze klacht over de lippen van de Nueve-leden gekomen. Als ze er überhaupt nog de puf voor hadden, bleef het bij wat binnensmonds gemopper. Iedereen was ervan doordrongen dat de loodzware conditietest simpelweg een onderdeel van hun werk was. Net zoals improvisatie-technieken, schietoefeningen en acteerlessen.

Met een pijnlijke grimas stond Carmen op. Hoewel ze over een topconditie beschikte, protesteerden haar spieren tegen praktisch elke beweging. Ze liep naar de koelkast en schonk zichzelf een vruchtensapje in. Haar handelingen waren doelbewust; iets te drinken pakken en direct terug naar de betrekkelijke weelde van de bank.

Ze plofte onbehouwen neer en had daar meteen spijt van. Een pijnscheut trok door haar onderrug. Rond haar middel trokken spieren waarvan ze het bestaan niet kende zich hardhandig samen. Een afgeknepen 'auw' ontsnapte aan haar lippen.

'*How fragile we are, how fragile we are.*'

Er volgde een akoestisch slotakkoord, waarna de presentator de volgende *golden oldie* aankondigde. Nadat hij was uitgesproken, rolde de kenmerkende baslijn van Mister Mister's *Broken wings* door het appartement.

Carmen legde haar beide benen op de tafel en strekte ze traag. Aansluitend haalde ze de spanning eraf door ze licht te buigen en daarna masseerde ze haar hamstrings. Door middel van deze oefening probeerde ze zich volledig te ontspannen, hetgeen wonderwel lukte. De houding waarin ze nu lag was de juiste. Het scala van vervelende napijntjes had hierdoor nog nauwelijks invloed op haar fysiek.

Terwijl de vingers van haar rechterhand de hamstring in haar rechterbeen masseerden, zochten haar ogen naar de afstandsbediening. Zoals gewoonlijk lag deze net buiten handbereik. Aan opstaan moest ze nu even niet denken, dus kneedden haar vingers gestaag door en keek ze half geïnteresseerd voor zich uit.

In het grenen wandmeubel recht voor haar nam de breedbeeldtelevisie een voorname plek in. Op de plank erboven, de verplichte reeks fotolijsten. Carmen zag zichzelf op driejarige leeftijd in de tuin van haar ouderlijk huis in Alicante staan. Wit jurkje, ravenzwart haar en een paar donkere ogen die onbevangen de wereld om haar heen aanschouwden.

'Papa gek doen,' fluisterde ze. Als kind had ze dit zinnetje duizenden malen uitgesproken. Er was toen niets mooiers te bedenken dan de rare gezichten die haar vader op afroep kon trekken. Een tevreden glimlach nestelde zich op haar gezicht. Ze had ontegenzeglijk een fijne jeugd gehad. Haar blik gleed langs enkele momentopnames hiervan.

De foto waarop ze met een gouden medaille stond, was genomen toen ze tien jaar oud was. Tot haar veertiende had turnen een belangrijke plaats in haar leven ingenomen. Op het moment dat ze in aanmerking kwam voor wedstrijden op nationaal niveau, had ze er de brui aan gegeven. Van de ene op de andere dag. Het waarom achter die radicale beslissing was, vreemd genoeg, in de loop der jaren steeds vager geworden, wist Carmen. Waarschijnlijk had dit te maken met haar gedachtegang destijds. Het brein van een tienermeisje was lastig te doorgronden. Zelfs als het om je eigen geestestoestand ging.

Ingelijste foto's van zichzelf en familieleden trokken aan haar voorbij. Kerstmis bij opa en oma, *Reyes* (Driekoningen) rond een haardvuur in een hut in de bergen van Andorra, enkel lachende gezichten tijdens de uitreiking van haar middelbareschooldiploma.

Uiterst links sloot de rij met een kiekje dat anderhalf jaar geleden was genomen. Drie meiden keken breeduit lachend naar de camera. Ze hadden weer een horde genomen op de weg die leidde naar het lidmaatschap van het elitekorps van de Spaanse veiligheidsdienst. Op het moment van deze opname waren ze ruim over de helft van hun opleiding die zes maanden bedroeg, wist Carmen zich nog moeiteloos te herinneren.

Het drietal dat een einde zou maken aan de gevestigde orde. Zelfverzekerde meiden die het mannelijke bolwerk genaamd Nueve op zijn grondvesten zouden laten trillen. Daarvan waren ze overtuigd geweest. Dat het anders kon lopen was nauwelijks in hun gedachten opgekomen. Carmen schudde mismoedig met haar hoofd. Zij was als enige overgebleven...

Anna Maria Santana was de vrolijkste van het stelletje geweest. Een vriendelijke meid die exact wist wanneer ze een dolletje kon maken of serieus moest zijn. Hoewel ze klein van postuur was, stond ze haar mannetje tijdens de lijf-aan-lijfgevechten. Haar roots lagen bij de *Policía local* in Bilbao, waar ze enkele spectaculaire arrestaties op haar naam had staan. Mede hierdoor was Alfonso Silva's oog op haar gevallen. Na het bekijken van een paar video's waarop Anna's werkzaamheden waren vastgelegd, volgde een intakegesprek. Silva trok zijn conclusie en besloot haar een kans te geven. Een beslissing die gedurende de opleiding volkomen gerechtvaardigd leek.

'Ongelofelijk,' mompelde Carmen. Steeds als ze eraan terugdacht, kwam dat ene woord bovendrijven. Van de ene op de andere dag had Anna de opleiding verlaten. Toen ze afscheid kwam nemen, was er ogenschijnlijk geen sprake van teleurstelling of verbittering.

'Dit is niet waarnaar ik op zoek ben,' hoorde Carmen haar voormalige kamergenote in gedachten zeggen. 'Ik hoop dat jullie het wel redden.' Hierna had ze vier kussen uitgedeeld en was vertrokken. Terug naar Bilbao en de *Policía local*. Het uitstapje bij Nueve was een kortstondige flirt geweest. Haar ware liefde bevond zich blijkbaar in het Baskenland.

Dat Dolores Baena zich weinig tot niets aantrok van Anna's plotselinge vertrek, was eigenlijk heel logisch. Vanaf de eerste dag had ze iedereen duidelijk gemaakt dat er met haar niet te spotten viel. Zij was een keiharde tante die een imposante staat van dienst bij de *Policía nacional* had opgebouwd. Een eenling die overtuigd was van haar eigen kunnen en dit ook uitdroeg. Het ging er bij Dolores niet meer om óf ze bij Nueve terecht zou komen, maar hoe hoog zij uiteindelijk binnen deze organisatie zou eindigen.

'Hoe kon je toch zo stom zijn,' dacht Carmen hardop. In haar woorden klonk geen spoor van sarcasme of cynisme. Ze constateerde enkel.

Tijdens het afnemen van een verhoor haalde een verdachte Dolores het bloed onder haar nagels vandaan. Dit gebeurde in opdracht van Alfonso Silva. Luca Echeverra, een voor Dolores onbekend lid van Nueve, had één opdracht van zijn chef meegekregen: vind haar zwakke plek. Achterliggende gedachte hiervan was het gegeven dat er eenvoudigweg geen supermensen bestonden, al wilde Dolores doen voorkomen dat dit wel zo was. Ieder mens had een poreuze plek in zijn harnas, redeneerde Alfonso Silva. Ook Dolores Baena.

Echeverra speelde zijn rol met verve. Hij weigerde iets over zijn contacten of beweegredenen los te laten. Over zijn zogenaamde privé-leven, en voornamelijk zijn seksuele voorkeuren, sprak hij echter honderduit. Volledig gefocust op haar opdracht, die inhield dat ze met namen van handlangers van de verdachte het verhoorlokaal moest verlaten, tuinde Dolores in de opgezette valstrik. Terwijl Echeverra maar door bleef ratelen over zijn seksuele escapades, werd Dolores met de minuut narriger. Zij voelde de opdracht door haar vingers glippen. In haar gedachtewereld, die op dat moment tegen tunnelvisie aan zat, voelde dit als een bittere teleurstelling. De geroutineerde Echeverra voelde aan dat de spartelende vis door hem binnengehaald kon worden. Toen hij een bijzonder schunnige opmerking over de aanzienlijke omvang van haar boezem maakte, knapte er iets bij Dolores. In een vlaag van woede sloeg ze hem tegen de grond.

In het direct daaropvolgende evaluatiegesprek was Dolores niet voor rede vatbaar. Een adrenalinecocktail van onbeheersbare woede en opperste verontwaardiging joeg door haar aderen. Aangezien de situatie volledig dreigde te escaleren, was Alfonso Silva gedwongen haar een voorlopige schorsing van drie dagen op te leggen. Een uiterst mild oordeel waarmee hij de deur voor Dolores op een kier hield. Door aansluitend briesend en tierend haar spullen te pakken, besloot ze deze echter zelf te sluiten.

Carmen nam een slok en schudde vertwijfeld haar hoofd. Enkele weken na het vervelende voorval had ze via het geruchtencircuit vernomen dat Alfonso Silva nog steeds pisnijdig was. Hoofdzakelijk op zichzelf. Dolores had namelijk in haar eentje het verhoor afgenomen. Hieruit had ze meteen kunnen concluderen dat het een pseudo-verdachte betrof. Bij Nueve werkte men nooit alleen. Er was altijd een back-up. Dit had ze moeten weten. Het feit dat ze hier volledig aan voorbij was gegaan, had te maken met haar opleiding. Ergens was er iets fout gelopen. Waar of wat exact, wist Silva niet. Wel dat de verantwoording bij hem lag.

'De vos, het luipaard en de grijze muis,' mompelde Carmen. In de periode dat zij nog gezamenlijk de opleiding doorliepen, was ze ervan overtuigd geweest dat zijzelf de zwakste schakel van het drietal was. Anna had een natuurlijke aanleg voor dit werk en Dolores bevond zich op eenzame hoogte. Zijzelf moest er echt voor knokken. Voor haar gevoel liep ze continu op haar tenen.

Toen zij als enige vrouw overbleef, ging het vreemd genoeg beter. Terwijl de druk nu had moeten toenemen, leek er juist iets van haar af te vallen. Nadat Dolores was opgestapt, ging Carmen als een speer. Betrekkelijk eenvoudig voltooide ze haar opleiding en ze werd het eerste vrouwelijke lid van Nueve.

Ze nam een slok van het vruchtensap en trok een vies gezicht. Te zoet. Tijd voor een aperitief. In gedachten proefde ze het bitterzoete van een rode martini. Met ijs, haar lievelingsdrankje. Hoewel de verleiding groot was, bleef ze zitten. De avond was nog lang, de martini kon wachten.

Haar ogen dwaalden naar rechts. Wanneer zij thuis herinneringen aan het werk ophaalde, vond haar blik vroeg of laat de grote poster aan de wand.

Barcelona by night.

Als er vrienden of kennissen bij haar over de vloer kwamen, was de poster immer een onderwerp van discussie. Kort en heftig. Hoe ze het als rechtgeaard Madrileense in haar hoofd haalde om een sfeerfoto van 'dat Catalaanse dorp' aan haar muur te hangen. En wat haar volgende decoratieve plannen waren. Een foto van Nou Camp waarin *azul grana* het maagdelijk wit van 'De Koninklijke' vernederde, soms?

Ze deed de felle reacties zo veel mogelijk af met een ontwapenende glimlach en veranderde van onderwerp. Barcelona had een speciale plek in haar hart verworven. Hier had zij haar kans gekregen en gepakt. Natuurlijk, het ging om een betrekkelijk eenvoudige operatie. Dat realiseerde zij zich heus wel. Maar het was wel op rolletjes gelopen. Ondanks het feit dat zij bijna had moeten overgeven van de zenuwen, had ze geen krimp gegeven. Met stoïcijnse precisie had zij de klus geklaard. In samenwerking met het team, natuurlijk. Die kerels waren fantastisch geweest en hadden onbewust een stapje harder gedaan. Dat laatste was een aan zekerheid grenzend vermoeden dat zij nu eenmaal had.

Alfonso Silva hield de na-briefing kort en zakelijk. Volgens haar collega's een onuitgesproken compliment voor het verrichte teamwerk. Silva was verre van scheutig met het uitdelen van pluimen, wisten zij haar even-eens te melden. Dat kon ten koste gaan van de scherpte bij de volgende opdracht, was het motto van *el jefe*.

Ze was dan ook zeer verbaasd dat ze tien dagen na de operatie bij Silva op kantoor werd ontboden. In een kort onderonsje meldde hij haar dat er met de Syrische wapenhandelaar een akkoord was bereikt. Wat dit inhield, bleef onbesproken. Waarschijnlijk stond deze man nu bij Silva op de 'loonlijst'. Verder meldde hij dat het drietal criminelen staatsge-vaarlijke activiteiten ten laste gelegd zou worden.

'Die zijn wel een jaartje of tien uit de roulatie,' had hij binnensmonds gemompeld. Uit zijn intonatie maakte ze op dat hij met deze strafmaat prima kon leven. Toen ze reeds met de deurkruk in haar handen stond, had Silva zijn keel geschraapt.

'Zeg, Marrero.'

Ze had zich niet durven verroeren. Er zat dus toch een addertje onder het gras. Het grote 'maar' omtrent haar optreden zou Silva nu te berde brengen. Terloops en droog. Terug naar af, dus.

'Je hebt het er in Barcelona aardig van afgebracht.'

Na deze woorden wilde ze het liefst ter plekke gaan juichen. Ze wist zich echter te beheersen en knikte Silva koeltjes toe.

'Bedankt, chef.' Daarna verliet ze de kamer.

De zoemer van de intercom bracht haar terug naar het heden. Ondanks haar protesterende spieren liep ze op een drafje naar de voordeur. De stem die haar vanuit het portiek toesprak, was exact de stem die ze wilde horen. Ze glimlachte mysterieus, verwelkomde het prettige gevoel dat zich plotseling in haar onderbuik nestelde en drukte op de knop die automatisch de buitendeur opende. Daarna liet ze haar eigen voordeur op een kiertje staan en liep terug naar de bank.

De man die twee minuten later binnenkwam, leek enkel qua uiterlijk op de taxichauffeur die in Barcelona deel van het team had uitgemaakt. De loop van Enrique Navarro hield het midden tussen die van een sprinter en een triatleet. Een mix van explosieve kracht en ongekend uithoudingsvermogen. In plaats van indrukwekkend waren zijn spieren functioneel. De spijkerbroek en het lichtblauwe overhemd konden dit nog enigszins camoufleren. Zijn afgetrainde gezicht sprak daarentegen boekdelen.

'Dag schoonheid,' zei Navarro toen hij recht voor haar stond. 'Last van spierpijn, zeker?'

Carmen trok haar linkermondhoek op, waardoor ze hem een schampere grijns voorschotelde.

'Van dat stukje joggen? Laat me niet lachen, joh.'

Navarro grijnsde terug. 'Dat komt dan goed uit.'

Hierbij kneep hij zijn oogleden samen, waardoor zijn knappe gezicht iets wreeds kreeg. Als een roofdier dat zich realiseert dat de prooi zich niet noemenswaardig ging verdedigen. Hij zakte door zijn knieën en nam op een tedere manier die ogenschijnlijk botste met zijn voorkomen, haar hoofd tussen zijn handen.

Daarna kuste hij Carmen Marrero alsof het zijn laatste daad op deze wereld was.

7

De digitale dieptemeter gaf het getal twaalf aan. Zo'n beetje het diepste punt dat zij deze avond zouden bereiken, wist Javier Martel. Duiktechnisch gezien ging het dus helemaal nergens over. Precies datgene waarnaar hij op zoek was. Rond zijn ademautomaat verschenen de contouren van een glimlach.

Hij liet de lichtbundel van de lamp in zijn rechterhand over de zandbodem glijden. Enkele donkere plekken duidden op aangekoekt zeewier en ondefinieerbare grauwe plantsoorten. Om de zoveel meter lag een aartslelijke steen die met de minuut meer op gedenktekens voor naamloze gevallenen gingen lijken. Hier en daar scheerde een klein visje schijnbaar doelloos met een bloedgang over de bodem.

'Jezus,' murmelde Martel in zijn automaat. 'Wat een trieste bende.'

Ondanks deze woorden bleef er een geamuseerde grijns op zijn gezicht liggen. Hij had het prima naar zijn zin. Zowel de omgeving als het hem omringende gezelschap leende zich uitstekend voor de uitvoering van zijn plan.

Toen enkele weken geleden duidelijk werd dat hij van de aardbodem moest verdwijnen, was deze plek direct bij hem boven komen drijven. Javea, een idyllisch plaatsje tussen Valencia en Alicante. Twintig kilometer boven Benidorm, waar in het hoogseizoen de toeristen per dag meer kippen en eieren consumeerden dan slachterijen en legbatterijen wekelijks konden produceren.

In zijn puberteit had hij in Javea meerdere vakanties doorgebracht. Met hem, half Madrid. De Costa Blanca was bij uitstek hét vakantieoord waar Madrilenen de maand augustus en een gedeelte van september vertoefden. Al dan niet in hun tweede huis. Samen met de altijd en overal aanwezige Duitsers vormden zij hier veruit de meerderheid.

Twee weken geleden had hij in het gebied rond de duikstek enkele verkenningstochten uitgevoerd en voorbereidingen getroffen. Er hadden zich geen onoverkomelijke problemen aangediend, zodat hij met een goed gevoel naar Madrid was teruggekeerd.

Vanuit zijn rechterooghoek zag Martel zijn buddy stuntelen. Een middenveertiger, net als hijzelf, én stadgenoot die ooit tijdens een vakantie in de Cariben twee duikbrevetten had gehaald. Toen tijdens de briefing duidelijk werd dat zij het komende uur als onafscheidelijke maatjes zouden doorbrengen, had de man hem dit verteld met de blik van een allesweter en de lichaamstaal van een alleskunner. Hij behoorde overduidelijk tot het bataljon midlifecrisis-idioten die zichzelf en de rest van de wereld wilden wijsmaken dat ze lichamelijk nog hetzelfde konden presteren als twintig jaar geleden. Een snelle reclamejongen of omhooggevallen salesmanager die na zijn derde echtscheiding dwangmatig zijn tweede jeugd moest beleven. Waarschijnlijk maakte hij in zijn vrije weekenden tourtochten op een veel te zware motor en sliep met alles wat los en vast zat.

Martel tikte de wijsneus die Jaime heette op zijn schouder. Daarna richtte hij de lamp op zijn linkerhand en maakte het 'alles oké'-teken. Met de gretigheid van een jonge puppy beantwoordde Jaime het signaal.

Jammer dat alles goed met je is, lul, dacht Martel. Het liefst zou hij die gladjakker met zijn gelifte oogleden en gemanicuurde nagels een oplawaai verkopen. Hij glimlachte daarentegen vriendelijk naar zijn tijdelijke buddy. Aansluitend wees hij naar het tweetal duikers dat voor hen zwom. Ze mochten niet al te ver achterop raken, maakte hij met een simpele handbeweging duidelijk. Deze duik moest harmonieus verlopen. Tenminste, voorlopig.

Op een natuurlijke manier bewoog Martel zich door het water. Enkel zijn onderbenen gingen loom op en neer. Vanaf zijn knieën hing zijn lichaam roerloos in het water. Hij was één met zijn omgeving. Honderden uitstapjes in tientallen zeeën, meren en rivieren hadden hem gevormd tot de uitstekende duiker die hij nu was.

Hij voelde een zachte onderstroming en liet zich hierop meedrijven. Door dit onverwachte mazzeltje kon hij zelfs zijn vinnen stil houden, waardoor hij nogmaals zijn surplus aan kwaliteiten kon tonen. Voor het verdere verloop van deze duik was het namelijk van eminent belang dat het sufferdje naast hem overtuigd was van de superioriteit van zijn toegewezen buddy. Hij zag Jaime naar hem kijken en wist dat het goed zat. Onder water zou de glibber hoogstwaarschijnlijk alles doen wat hij hem zou opdragen.

De eerste betonblokken verschenen in zijn lichtbundel. Martel strekte zijn arm licht en maakt een weids gebaar, waarna het topje van de straal om beurten een aantal duikers aantikte. In totaal waren ze met zijn zevenen. Twee buddyparen die door een instructeur werden begeleid en hijzelf die als een soort van mentor voor het duikwonder naast hem fungeerde. Toen hij vanmorgen zijn PADI-pasje dat DIVEMASTER vermeldde

aan de dienstdoende instructeur overhandigde, brak er een vette glimlach op diens gelaat door. Het divemaster-brevet was namelijk het voorportaal van het instructeurschap. Degene die deze opleiding had doorlopen, was gemachtigd om onder supervisie van de instructeur als assistent
op te treden. In de praktijk kwam het er meestal op neer dat een divemaster zich onder auspiciën van de afgestompte instructeur het leplaza-
rus werkte.

Aangezien Martel zogenaamd voor zijn lol kwam duiken, kon de
instructeur niet verder gaan dan hem aan een onervaren buddy te koppelen. De daarbijbehorende 'oude jongens krentenbrood'-knipoog liet
daarna slechts enkele seconden op zich wachten. 'Altijd lekker als een
ervaren rot de rijen sluit.'

Martel hoorde het de opgeschoten knaap nog zó zeggen...

Door zowel het eeuwige ritme als de onvoorspelbare grilligheid van de
Middellandse Zee waren de door mensenhanden vervaardigde en afge-
storte betonnen blokken in de loop der jaren getransformeerd tot een
kunstmatig rif. De vaste bewoners hiervan behoorden tot de kleinere
goden. Voor hen bood het artificiële onderkomen een prima beschutting tegen aanvallen van vraatzuchtige rovers uit de diepte. Een wereld
op zich met eigen regels en wetten. Die van de sterkste bleef ook hier de
allervoornaamste.

Met een enkele blik schatte Martel de situatie in. Het rif was vijfentwintig meter lang en zes meter breed. De instructeur en zijn vier metgezel-
len waren reeds halverwege. Naast hem lag Jaime uitgebreid naar een
kleine octopus te kijken die zichzelf in een spleet had verankerd.

Martel kneep zijn oogleden iets samen en concentreerde zich volledig op
zijn lichtbundel en de zijwaartse gloed ervan.

Als het onverzoenlijke zoeklicht van een gevangeniscomplex tastte de
felle strook het rif af. Anderhalve minuut later vond hij de steenvis. Het
dier lag doodstil in een nis tussen twee rotsblokken. Vanwege zijn
natuurlijke schutkleuren kon de steenvis eenvoudig doorgaan voor een
plant of vreemdsoortige uitstulping.

Hij permitteerde zich een triomfantelijke glimlach van een handvol
seconden, daarna tikte hij Jaime op zijn linkerschouderblad. Hoogst
verbaasd keek deze hem aan. Blijkbaar bestond zijn wereld op dat
moment enkel uit het wel en wee van een octopus en was hij in eerste
instantie verontwaardigd over het feit dat iemand hem durfde te storen.
De opstandige blik verdween echter toen hij zag dat Martel hem ergens
op probeerde te wijzen. Zijn ogen vonden de lichtbundel die dienstdeed
als verlengstuk van de priemende vinger van de divemaster.

Martel bracht Jaimes gezicht tot op een meter afstand van de steenvis. Pas toen hij voor de derde keer nadrukkelijk wees, drong het tot de onderwaterheld door dat hij niet naar een ludiek gedeelte van een rotsblok staarde, maar naar een levend wezen. Toen het hem even daarna duidelijk werd waarnáár hij precies keek, volgde een schrikachtige reactie. Aansluitend legde Martel zijn rechterhand op zijn linkerschouder en knikte hem toe als een wijze oom. Met de oogopslag van een verward en afhankelijk kind keek Jaime afwisselend naar de steenvis en Martel. Doordat zijn buddy als een toonbeeld van rust oogde, verdween het schichtige echter uit zijn lichaamshouding. Zijn ademhaling werd weer regelmatig, terwijl zijn veel te wijde pupillen slonken tot normale afmetingen.

De lichtbundel van Martels lamp bleef op de steenvis gericht. Het dier lag roerloos in het water, enkel zijn lippen maakten een op en neer gaande beweging. De stekels die over zijn ruggengraat liepen, hadden meer weg van puntig fiberglas dan van de giftige naalden die ze in werkelijkheid waren. Onder het merendeel van het duikvolk was het hoge toxinegehalte van de uitsteeksels wel bekend, wist Martel. Voor de met masker, snorkel en zwemvliezen gewapende toeristen was de steenvis meestal een grote onbekende. Aangezien het dier in kustgebieden veelvuldig voorkwam tussen rif- en rotspartijen, kon het zo nu en dan gebeuren dat een grijpgrage of overmoedige snorkelaar een prikje opliep. De daaropvolgende drie dagen met hoge koorts in bed, waren een ronduit onaangenaam intermezzo van de vakantie.

Vanuit zijn linkerooghoek zag Martel het aantal lichtbundels afnemen. Dit betekende dat het vijftal dat voor hen uit zwom met de draai naar de andere kant van het rif bezig was. Op het moment dat het laatste schamele lichtpuntje geheel dreigde te doven, stootte Martel zijn buddy aan. Aansluitend wees hij naar de minimale lichtbundel van de achterste duiker. Zijn handsignalen lieten niets aan duidelijkheid te wensen over. Jaime moest direct aansluiting bij de groep bewerkstelligen. Zelf wilde hij nog even de steenvis bewonderen, waarna ook hij zich bij de groep zou voegen. De ogenblikken die nu volgden waren van cruciaal belang, wist Martel. Zijn opdracht aan Jaime was ronduit curieus te noemen. Enkel in afwijkende of levensbedreigende situaties scheidden buddyparen zich onder water. De aanwezigheid van een steenvis viel nou niet bepaald onder die noemer.

Het ging er nu om in hoeverre Jaime blind op hem voer.

Hoewel Martel heel even een schittering van ongeloof in diens ogen zag, keerde zijn buddy hem gehoorzaam de rug toe en hij zwom met krachtige slagen naar de spookachtige gloed die met de seconde aan kracht afnam. Terwijl Martel zijn lichtbundel strak op de steenvis gericht hield, was zijn blik volledig gefocust op het schijnsel van Jaimes lamp. Het kwam op inschatten aan. Met een speling van hooguit enkele seconden. Toen de lichtbundel van zijn buddy ietwat naar rechts leek af te wijken, reageerden zijn spieren op het bevel van bovenaf.

'Nu,' gromde Martel. Razendsnel richtte hij zijn lamp op Jaime die zich net op dat moment omdraaide, alvorens naar de andere kant van het rif te zwemmen. Martel had erop gerekend dat de slimmerd deze beweging zou maken om zich ervan te vergewissen dat zijn buddy hem inderdaad volgde. De lamp die loodrecht in zijn richting scheen was hier dus het onomstotelijke bewijs van.

Toen de gerustgestelde Jaime om de hoek verdween, steeg Martel op. In plaats van zijn digitale computer scherm in de gaten te houden, wierp hij er een vluchtige blik op. Daarna deed hij zijn lamp uit. Een duiktijd van zeventien minuten met een maximale diepte van twaalf meter, liet hem koud. In zo'n korte periode op deze geringe diepte werd er door zijn lichaam nauwelijks stikstof opgebouwd. Een veiligheidsstop op vijf meter om overtollig stikstof te lozen, was niet aan de orde. Tijdens een 'normale' duik zou hij dit wel hebben gedaan. Puur voor de zekerheid.

Door de stijging kreeg hij geleidelijk aan een beter overzicht over de positie waarin de duikers zich bevonden. De zes lichtbundels lagen redelijk op één lijn, wat inhield dat de groep nog steeds op dezelfde diepte poedelde.

Het gaat perfect, dacht Martel.

Rondom hem heerste volslagen duisternis. De drukvermindering op zijn holtes was een betrouwbare referentie waaraan hij voelde dat het oppervlaktewater niet lang meer op zich liet wachten. Kort hierna begroette hij de met miljoenen sterren omfloerste zwarte horizon als een verre vriend voor wie hij opeens warme gevoelens koesterde.

Het eerste deel van zijn plan was geslaagd.

Met zijn rechterhand opende hij de gesp van zijn loodgordel, die daarna als een ongeleid projectiel naar de bodem denderde. Hij drukte op het knopje van zijn inflator, waarna het trimvest rond zijn bovenlijf zich met lucht vulde. Aansluitend vonden zijn vingers de sluitingen van het trimvest. De bovenste ging gladjes open. Bij de onderste voelde hij wat weerstand. Waarschijnlijk een kwestie van harder duwen, dacht Martel. In een reflex stak hij zijn hoofd onder water. Een koude rilling die contrasteerde met de aangename watertemperatuur trok over zijn ruggengraat. Er steeg iemand op.

De lamp scheen recht in zijn ogen en het licht won met de seconde aan kracht.

Hij komt recht op me af, ging het door hem heen. Het is verdomme toch niet te geloven!

In de handvol seconden die aan de confrontatie voorafgingen, waren zijn hersens een ondefinieerbare brij van absolute lethargie en absurde hyperactiviteit. Zijn hart bonsde als een waanzinnige, terwijl het voor zijn gevoel gestopt was met tikken. Hoewel hij comfortabel dreef, leken de kabbelende zwarte golven ineens op het voorportaal van een gigantische muil die hem genadeloos wilde inslikken en verorberen.

Thuis tijdens het polijsten van zijn plan, had hij wel degelijk rekening gehouden met een afwijkend scenario waarbij geïmproviseerd zou moeten worden. Hier en nu leek dit echter een onmogelijke opgaaf. Hij blokkeerde volledig. Hij was een crimineel, geen acteur.

De duiker kwam een armlengte van hem vandaan boven water. Nadat hij zijn ademautomaat met zijn rechterhand uit zijn mond had genomen, keek Jaime hem met grote ogen aan.

'Wat is er in godsnaam aan de hand?' sprak hij vol ongeloof. Zijn gezichtsuitdrukking was een mengelmoes van oprechte bezorgdheid en opspelende verwildering. Martel herkende eveneens angst in zijn stem. Een gemoedstoestand waarmee hij bijna dagelijks werd geconfronteerd. Onderdeel van zijn werk.

Wat precies het palletje in zijn hersens de goede kant op liet vallen, zou immer een vraag blijven. Het antwoord hierop interesseerde hem nauwelijks, maar van het ene op het andere moment wist hij exact hoe te reageren.

Allereerst versnelde Martel zijn ademhaling. Omdat hij stevig rookte, werd het gehijg vergezeld door een slijmerig fluittoontje. Hij liet zijn hoofd ietwat hangen om een slappe indruk te wekken. De dunne glimlach oogde zó geforceerd, dat een kleuter kon zien dat deze fake was.

'Jezus, Javier. Gaat het?'

Martel knikte zwakjes. Zijn lichaamstaal was overduidelijk. Een uitgerangeerde zwaargewicht die in zijn laatste gevecht tegen één klap te veel was aangelopen, maar dit categorisch weigerde te accepteren.

'Ik ben moe,' antwoordde hij met een stem die op breken stond. 'Een beetje misselijk... duizelig... en ik heb het koud.'

Jaime overbrugde de afstand tussen hen beiden met twee vinslagen. Hij pakte Martel bij diens schouders en keek hem paniekerig aan. De woorden die hij zojuist had gehoord, waren door hem reeds vertaald naar symptomen.

'Heb je die steenvis soms aangeraakt?'

'Ik... ik weet het niet. Opeens maakte dat beest een onverwachte beweging... schoot vlak langs me heen.'

'Godallemachtig.' Ondanks zijn schichtige blik bleek Jaimes geest helder genoeg om de situatie in te schatten. Hij leek heel even in dubio. Daarna pakte hij Martel nog steviger vast. 'Ik breng je naar de kant, daar zien we wel verder.'

Martel schudde zijn hoofd.

'Ga terug naar het rif,' fluisterde hij op besliste toon. 'De instructeur weet hoe te handelen. Ik blijf hier hangen. Bevestig mijn lamp aan het vest, zodat jullie mij kunnen zien.'

'Maar...'

'Geen maar, Jaime. Ga nu, ik red me wel. Niks aan de hand.'

Hij produceerde wederom een mager lachje met een sausje van lichte zelfspot. Jaime keek hem doordringend aan en nam een beslissing.

'Ik ben zo terug.' Hij stopte de automaat in zijn mond, liet wat lucht uit zijn vest ontsnappen en verdween onder water. Een leger uiteenspattende luchtbellen markeerde de plek waar hij zich zojuist had bevonden.

Martel stak zijn hoofd onder de oppervlakte en volgde de afdaling met argusogen. Toen zijn buddy bijna bij het rif was aangekomen, gespte hij zijn vest los en glipte eruit. Meteen stopte hij het siliconen mondstuk van de snorkel die aan zijn maskerbandje hing in zijn mond. Oriënteren was overbodig; hij wist precies waar hij zich bevond en waarnaartoe te zwemmen. Met machtige vinslagen ging Martel op de kust af.

Vijftig meter verderop lag het strand. Twee weken geleden had hij deze afstand al gezwommen. Als de onbeholpen Jan de toerist die met zijn speer een portie vis bij elkaar probeerde te spietsen. Ruim twee minuten had hij er toen over gedaan om van hier naar de kuststrook te geraken. Nu moest de klus in de helft van die tijd geklaard worden.

Terwijl de donkere strook land snel dichterbij kwam, probeerde hij te visualiseren wat er zich op het rif afspeelde. Jaime die zwaar opgefokt naar de instructeur toe zwom, waarna het eerste onbegrip zou toeslaan. Een nerveuze duiker zonder buddy zorgde standaard voor verwarring.

Hij rende door de branding. Op het strand in de baai was zowel letterlijk als figuurlijk geen hond te bekennen.

'Perfect,' hijgde hij tussen twee stappen door. Wandelaars zorgden alleen maar voor complicaties. Als er mensen waren geweest dan had hij extra meters moeten maken om hen te ontwijken. Niet onoverkomelijk, maar lastig. Niemand mocht hem het water uit zien komen. Dat was essentieel.

Met beide vinnen in zijn rechterhand en longen die in brand stonden, zette Martel koers naar een uitstekende landtong, honderd meter aan zijn rechterzijde. Anderhalve minuut, gaf zijn imaginaire klok aan. Geheel volgens schema dus.

Als Jaime goochem was, dan griste hij ergens een onderwaterleitje vandaan en schreef in korte bewoordingen zijn verhaal op. De instructeur zou dan ongetwijfeld kordaat handelen en met de hele bups opstijgen. Dat was overigens geen gemakkelijke klus, aangezien de groep de twijfelachtige eer genoot een aanzienlijk kneuzengehalte te hebben. In totaal vier minuten voordat ze de gemarkeerde boei zonder menselijke inhoud vonden, wist Martel zeker. Sneller was een utopie.

Hij bereikte de landtong. Er was tweeënhalve minuut verstreken sinds hij het op een zwemmen had gezet. Hij keek om en zag een zwarte, licht deinende vlakte met daarin één zwak schijnsel dat zijn dobberende trimvest markeerde. De overige lichtpuntjes bevonden zich een paar honderd meter verderop en waren van neon. Javea.

Dertig meter van hem vandaan ging het strand over in een tussenstrook met daarop kniehoog struikgewas. Het liep steil omhoog. Martel voelde dat na zijn longen nu ook zijn beenspieren hevig protesteerden. Een halve minuut later bevond hij zich tussen de bomen.

Tot zijn genoegen begon het wolkendek zich langzaam te openen, waardoor het vage maanschijnsel de contouren in zijn directe omgeving beter liet uitkomen. Het vergemakkelijkte het volgen van de route die hij uit zijn hoofd kende.

Het blikje dat door de buitenwereld zou worden betiteld als achtergelaten zwerfvuil, lag nog op dezelfde plek als waar hij het gisteravond had achtergelaten. Nadat hij in zijn hotel was ingecheckt, was hij als rechtgeaard vakantieganger nog een wandelingetje gaan maken. Zonder dat iemand dit opmerkte – daar was hij van overtuigd – had hij de benodigde hulpmiddelen neergelegd en verborgen.

Hij pakte het kleine, vergeelde soepblik, ging op zijn hurken zitten en begon de zachte grond recht voor hem weg te schrapen. De beige rugtas die tevoorschijn kwam kostte twaalf euro, maar kon nu de vergelijking met een godsgeschenk doorstaan. Hij pakte er een zwart joggingpak, donkerblauwe trimschoenen en een sleutelbosje uit. Daarna ontdeed hij zich van het neopreen en stopte dit in de rugtas. De vinnen gingen er als laatste in. Rechtop, het paste precies.

Vergeleken met het beklemmende neopreen, voelde de synthetische stof van het joggingpak als een verademing. Hij slingerde de rugtas over zijn schouders en liep terug naar het strand. Daar aangekomen, sloeg hij links af. Weg van de duikstek.

Toen hij de draf van een gevorderde trimmer wilde inzetten, zag Martel de lichtjes op de plek waar zijn trimvest zich ongetwijfeld bevond. Het waren net heldere speldenknopjes in een gordijn van zwart fluweel.

'Duiker vermist,' fluisterde hij sarcastisch.

Daarna begon hij te rennen.

8

Julien Manne stond ineens stil. Zomaar. Zonder het zelf te beseffen. Zoals hij wel meer dingen deed waarvan hij eigenlijk geen weet had. Hij handelde gevoelsmatig, een gemoedsbeweging die niet of nauwelijks door hem was te definiëren. Wel dingen onderkennen of signaleren, maar deze niet in een specifiek hokje kunnen plaatsen. Om over het onder woorden brengen maar te zwijgen.

De gevoelsprikkel die hij nu ontving was een forse. Zo sterk, dat hij er direct aan toegaf.

Hij moest stoppen met lopen. Iets maakte hem dit duidelijk. Het was geen stem die vanuit het onpeilbare niets tot hem sprak. Het was gewoon 'iets'.

Julien Manne stond stil en zag wat hij wilde zien, rook wat hij wilde ruiken en voelde daarbij niets bijzonders. Geen beelden die zijn geest verwenden, geuren die hem prikkelden of een sensationeel gevoel dat zijn lichaam verwarmde. Wat hij zag, rook en voelde, was er gewoon. En iets legde hem de wil op het ter plekke waar te nemen.

'Is het nog ver weg, Julien?'

Hij haalde zijn schouders op en bromde iets onverstaanbaars. Aansluitend dacht hij aan een van de weinige zinnen die boer Rodiart tijdens het hooien ooit tegen hem had gesproken.

'Wat voor een haas dichtbij is, kan voor de koe een roteind weg zijn, jongen.'

Deze woorden hadden diepe indruk op hem gemaakt. Waarom, wist hij niet precies. Het was gewoon zo. Boer Rodiart was een heel wijze man.

De vraag die zijn cliënt zojuist had gesteld, maakte dat hij er stevig de pas in zette. Terwijl hij zich liet leiden door zijn gevoel en grote kennis van het gebied, genoot Julien van het woord dat hij enkele maanden geleden tijdens een televisieprogramma had opgevangen.

'Cliënt,' fluisterde hij. De zes letters smaakten even hemels als de dampende stoofpotten die zijn moeder hem voorzette nadat hij weer eens voor langere tijd van het buitenleven had geproefd. Met een kan water om het weg te spoelen. Geen wijn, dat wilde zijn vader niet hebben.

'Alcohol kan bij jou verkeerd vallen, Julien,' sprak hij dan heel zelfverzekerd. Zijn vader was een wijze man. De beste boer van de hele Dordogne. Beter dan boer Rodiart, die ook een wijze man was.

Ondanks zijn logge postuur bewoog Julien zich met het grootste gemak over het ruwe terrein. De keien, kuilen en uit de gescheurde aarde oprijzende halfvergane stronken en wortels waren geen obstakels, maar talloze stukjes van een grillige legpuzzel die inhoudelijk regelmatig veranderde.

Opeens kreeg hij de drang om over zijn schouder te kijken. Niet dat zijn cliënt achterbleef, o nee, deze cliënt beschikte over een uitstekende conditie. Het was die stem... die sloop door zijn hersens. Kwam op verboden plekken. Bracht dingen naar boven waarover zijn moeder heel stellig was. Niet goed, dus.

Met de grootst mogelijke moeite kon Julien de impulsen weerstaan. In plaats van om te kijken, schroefde hij het tempo nog wat op. Voortgedreven door de machtige dijbenen, bonkten zijn voeten nu onevenredig hard op de grond. Zowel in zijn hoofd als lichaam was de souplesse verdreven.

'Heb je soms haast?' In plaats van achterop te geraken, was de stem dichterbij gekomen. Zijn cliënt bevond zich vlak achter hem. Twee meter, of zo. Misschien vier. Getallen en inschatting waren niet zijn sterkste kanten.

'Neeuuuhh,' antwoordde hij zonder daarbij zijn tred te verslappen. Hij wilde dolgraag wat anders zeggen, maar hield zijn mond verder dicht. Als hij nu ging praten, dan ging het niet over een haas en een koe. Hierover sprak hij wel met Manuel, de aardige Spanjaard die al jarenlang met duikflessen de grotten bezocht. Van zijn moeder mocht hij ook met Manuel praten. Want Manuel was heel lang geleden een keertje bij hen thuis op de boerderij geweest. Zijn ouders hadden een verpakt stuk vlees van hem gekregen. Uit zijn geboortedorp, waar het beste vlees van Spanje vandaan kwam. Dat had Manuel verteld. En als Manuel dat zei, dan was het zo. Manuel was namelijk een wijze man. Net zoals boer Rodiart en zijn vader.

Sindsdien waren zij vrienden geworden. Echte vrienden die over alles en nog wat met elkaar spraken. Waarover, kon hij zich niet precies herinneren. In elk geval over een haas en een koe. Dat wist hij wel zeker.

Voordat Julien de grot daadwerkelijk zag, voelde hij de aanwezigheid ervan. Hij maakte een onduidelijk gebaar met zijn rechterarm en liep onverdroten door. Zijn cliënt volgde hem op de voet.

Het was een droge grot. Zijn cliënt was geïnteresseerd in stenen, vandaar de pikhouweel. Hij had wel meer mensen naar droge grotten gebracht. Meestal droegen ze zwarte, nauwsluitende pakken en helmen met daarop een lamp. En ze hadden altijd gereedschap bij zich. Ze noemden zich spe... speleo... of zoiets. Een moeilijk woord, in elk geval.

Zijn cliënt droeg ook gereedschap. Een pikhouweel. Geen helm met lamp of een strak zittend pak. Dat was blijkbaar niet nodig. Wellicht wilde zijn cliënt de grot helemaal niet betreden. Lagen de stenen wel bij de ingang.

Van het ene op het andere moment brak zijn gezicht open. Hij glimlachte breeduit, terwijl hij het liefst hardop wilde lachen. Zijn cliënt wilde niet naar binnen. Durfde niet naar binnen. Net als hij.

De ingang van de grot lag in het midden van een steile heuvel die ooit de intentie had gehad een volwassen berg te worden, maar gaandeweg was gestopt met groeien. Julien vertraagde zijn pas. Zijn opdracht was volbracht. Hij ging op een uitstekend rotsblok zitten en keek naar de grond. 'Hier is het.'

Zijn cliënt keek hem met een uitdrukkingsloze blik aan.

'Dat heb je goed gedaan, Julien.'

Een verlegen glimlach nam bezit van zijn gelaat. Om zich een houding aan te meten, schraapte hij met zijn grove bergschoenen gleuven in de stoffige opperlaag. Zijn knuisten bleven op zijn dijen rusten.

'Eh... was een makkie.'

Zijn cliënt deed twee stappen naar voren en plaatste de pikhouweel tussen hen in. Julien kreeg hierdoor de steel ervan in zijn blikveld. Dofzwart, zag hij. Als een markeringspaal die de boeren in de streek gebruikten om hun land mee af te bakenen. Een zonnestraal ketste af op het metalen uiteinde, waardoor het stuk gereedschap iets grimmigs kreeg.

'De stenen die ik zoek liggen in de grot. Ik zou het fijn vinden als jij met mij meeloopt,' hoorde hij zijn cliënt zeggen. De betekenis hiervan drong pas enkele seconden later tot hem door, aangezien hij gefascineerd naar het spel van metaal en zonlicht staarde.

'Ik ga niet naar binnen,' antwoordde hij stuurs. Daarna pakte hij een losliggende steen en gooide deze met een boog heuvelafwaarts. Door deze obstinate actie, was het onvermijdelijk dat hun blikken elkaar kruisten. Dit luttele ogenblik had vergaande consequenties. Het maakte Julien stukken onzekerder dan hij al was. Voor de eerste maal sinds zijn kinderjaren, liet hij het idee om een grot te betreden tot zijn hersens toe.

'Je doet mij er een enorm plezier mee, Julien.' Zijn cliënt keek hem nu vragend aan. Daarna volgde een ontwapenende glimlach. 'Weet je wat?

Als jij een stukje met mij oploopt, doe ik er nog zo'n briefje bij.'

Terwijl in zijn hoofd een veldslag werd uitgevochten van een reeds verloren oorlog, stopte hij zijn rechterhand in zijn broekzak. Het briefje van honderd euro voelde glad aan en knisperde. Zo veel geld had hij nog nooit voor een tochtje ontvangen. De dingen die hij ermee kon doen waren onvoorstelbaar. Laat staan met twee briefjes! Het was ineens zo gigantisch dat hij zich er nauwelijks een voorstelling van kon maken. Beelden van kratten cola, kledingrekken en een nieuwe tractor voor zijn vader trokken razendsnel aan zijn geestesoog voorbij. De verleiding was te groot.

'Oké.'

Hij stond op en pakte het briefje van honderd uit de toegestoken hand van zijn cliënt. Daarna liep hij naar de ingang van de grot. Toen hij deze uiterst voorzichtig betrad, sloeg de wroeging toe.

Vanaf het moment dat zijn cliënt hem tijdens een wandeling had aangesproken, was hij fout geweest. Had hij de regels gebroken. Regels die zijn ouders hem veelvuldig en uiterst geduldig hadden uitgelegd. Hij mocht niet zomaar met mensen meegaan. Als iemand een gids wilde, dan moest hij zich eerst bij hen melden zodat ze wisten waar hun zoon uithing.

Er waren nog meer regels, maar dit waren de hoofdlijnen.

Hij was fout, wist Julien. Ditmaal wist hij het heel zeker.

Om het beklemmende, naargeestige gevoel tegenstand te bieden, sloot zijn rechterhand zich om de twee briefjes van honderd. Wacht maar tot papa zijn nieuwe tractor ziet, dwong hij zichzelf te denken. En mama krijgt een taart die we met zijn allen opeten. En...

'Laten we hier maar beginnen, Julien.'

Zijn cliënt stapte naar voren en liet de pikhouweel op het onderste gedeelte van de rotswand neerkomen. Het galmende geluid van de klap scheurde het vlies van Juliens droomwereld open. Hij was weer in de grot. Dure cadeaus en feestmaaltijden leken even ver weg als het soezerige van een middagzonnetje begin oktober. De kilte en klamheid waren gladde kompanen die hem begeleidden in een vrije val. Het gebrek aan licht, de vretende kou en de beklemmende ruimte, brachten onplezierige herinneringen boven. Hij wilde schreeuwen en naar de uitgang lopen, maar zowel zijn stem als zijn benen weigerden botweg dienst.

'Eens kijken of dit wat heeft opgeleverd,' hoorde Julien vanuit een andere dimensie. Hij zag hoe zijn cliënt zich vooroverboog en het verse litteken in de rotswand bestudeerde.

'Dit lijkt me interessant. Kom jij eens kijken, Julien. Twee weten meer dan een.'

In een wolk van opwaaiend stof zag hij de hand een gebiedend gebaar naar hem maken. Hoewel hij best gehoor aan de oproep wilde geven, waren zijn benen nog steeds geblokkeerd. Met wijd opengesperde ogen staarde hij naar de hand die trekjes van ongeduld begon te vertonen.

'Kom op nou, joh. Dit wil je graag zien, geloof me nou maar!'

Bij de eerste, slepende stap die hij zette, voelden zijn benen als onbuigzame, stenen zuilen die al eeuwenlang op dezelfde plaats stonden. Bij de tweede stap was het koppige al naar zijn kuiten gezakt en de daaropvolgende meters werkten zijn voeten eveneens mee. Hij bukte op de plek die zijn cliënt zojuist had aangegeven.

Terwijl Julien de beschadigde rotswand afzocht, kwam buiten zijn gezichtsveld de pikhouweel omhoog.

9

'Het smaakt meer dan voortreffelijk,' sprak Rubén Betancor met een grijns waarop geen maat leek te staan. Na dit antwoord glimlachte de serveerster beroepsmatig sexy. Een onderdeel van haar werk dat ze beheerste. Licht flirtend naar het manvolk, openhartig lachend naar de schaars aanwezige vrouwen. Serveerde ze aan een tafel waar beide seksen waren vertegenwoordigd, dan straalde ze een bepaalde gereserveerdheid uit.

'Dank u wel.' Ze knikte de drie mannen vriendelijk toe en liep door. Manuel Albelda keek over zijn bord heen zo neutraal mogelijk naar de voorzitter van de Raad. Zijn stijgende bewondering voor de man tegenover hem had hij geparkeerd onder de oppervlakte van zijn gezichtsuitdrukking. Enkel wanneer dit passend en functioneel was, zou hij overwegen deze te tonen. De kans dat dit daadwerkelijk gebeurde was zeer klein, wist hij. Leden van de Raad stonden niet te boek als gevoelige types.

'Knappe meid,' zei Albelda luchtig, geheel in de kunstmatig gecreëerde sfeer die aan hun tafel heerste.

'Vroeger pakten wij dat soort types met bosjes,' antwoordde Juanfran Doramas terwijl hij bedachtzaam op een stuk entrecote kauwde. 'Achter de kazerne, en als ze het lekker deden mochten ze naar huis.'

Met een tevreden gezicht slikte hij het vlees door. Er verscheen een korte twinkeling in zijn ogen. Alsof het verleden in één korte, aangename film aan hem voorbijflitste.

'Ja, die goeie ouwe tijd,' reageerde Betancor.

'We beschuldigden hen gewoon van insubordinatie, en dat moet nou eenmaal bestraft worden,' zei Doramas. 'Toen kon dat nog.'

Hij tuitte zijn lippen, waardoor het leek of hij genoot van de afdronk van een Vallcorba 1994, in plaats van de middelmatige rioja die op tafel stond.

Ieder in zijn eigen wereld aten ze verder. Drie mannen op leeftijd. Bezig aan de laatste jaren bij het bedrijf waarvoor ze al sinds mensenheugenis werkten. Vertegenwoordigers in de verfbranche, verzekeringsagenten, schade-experts; de mogelijkheden waren legio. Middenkader. Mannen die ergens onderweg in hun carrière waren blijven hangen. De stap naar de top bleek voor hen niet een luttele trede, maar een hele ladder te hoog gegrepen. Zoals zij liepen er honderdduizenden rond, wist Albelda.

'Miquel Felippe Medina-Campo,' zei Betancor droog. 'Die naam brengt vragen naar boven, nietwaar?'

Albelda knikte. Hij had vaag van de man gehoord, daar hield het ook mee op. Vandaar zijn verbazing toen deze man tijdens de laatste bijeenkomst van de Raad als de toekomstige leider van Spanje werd aangekondigd. Natuurlijk hield hij zijn ongeloof voor zich en klapte hij net als de andere aanwezigen langdurig en respectvol. Het telefoontje van Betancor de daaropvolgende morgen, stelde hem enigszins gerust. De voorzitter probeerde hem in korte zinnen duidelijk te maken dat ze precies wisten waarmee ze bezig waren. Binnenkort zouden ze een afspraak maken.

Het had even geduurd, maar het was er uiteindelijk toch van gekomen. Een doorsneerestaurant aan de *route nacional* even buiten La Coruña zou als locatie dienen. Hier zou de voorzitter van de Raad hem deelgenoot maken van de toekomstplannen, daarvan was hij overtuigd. Een aanzienlijke rol was hierin voor hem weggelegd.

'Miquel Medina bedrijft al jaren politiek. Vijf, om precies te zijn.' Rubén Betancor keek hem met de gespeelde goedlachsheid van een door de wol geverfde verkoper aan. De man was een kameleon die zijn rol als de lunchende vertegenwoordiger van wat dan ook met speels gemak vertolkte. Niet alleen zijn mimiek, maar ook zijn kledingkeuze was perfect. Lichtblauw overhemd waarvan het bovenste knoopje openstond. Daarop een donkerblauwe das. Tussen boord en das een bewuste opening van vijf centimeter. Om zijn pols waar normaliter een gouden Rolex zat, hing nu een oosters prutswerk op halfzeven.

'Ruim een jaar geleden besloot hij uit Fuerza Nueva te stappen,' ging Betancor verder. 'Hij zag geen heil meer in de koers die ze voeren. Te extreem, volgens hem.'

Albelda fronste zijn wenkbrauwen.

'Ik weet wat je nu denkt,' zei Betancor met een sussend gebaar. Hij had de primaire reactie van de man tegenover hem herkend en goed ingeschat. Fuerza Neuva was namelijk het politieke restant van de voormalige Falange-partij. In het huidige Spanje kwam de denkwijze van deze rechts-extremisten nog het meest overeen met die van dictator Franco.

'Miquel Medina komt uit een goed nest. Enig kind, zijn vader was een officier bij de *guardia civil*, en zijn moeder hield zich bezig met de huishoudelijke taken. Exact zoals het hoort.'

Naast hem knikte Juanfran Doramas goedkeurend. In tegenstelling tot de voorzitter, was zijn poging om casual over te komen een lachertje. Ondanks zijn beige overhemd en loszittende bruine stropdas, straalde de discipline van een leven in uniform van hem af. De stramme houding, strakke haardracht en harde lijnen in het tanige gezicht van de voormalige kolonel van de *guardia civil*, waren eenvoudigweg niet te camoufleren. Het optreden van Betancor was daarentegen zó overtuigend, dat Doramas door de overige aanwezigen wellicht werd aangezien voor een weerbarstig familielid dat een dagje op sleeptouw werd genomen.

'Onze nieuwe leider doorliep keurig zijn school en ging rechten studeren. Nadat hij deze studie had voltooid, werd de advocatuur de volgende stap. Sinds het begin van zijn universitaire opleiding was hij al geïnteresseerd in politiek. Onze zijde, en ik moet daar meteen aan toevoegen "gelukkig wel", want Medina wordt een heel grote, geloof me.'

Betancor schonk de drie glazen bij. Hij deed dit met aandoenlijk volkse gewichtigheid. Het prototype 'vertegenwoordiger in de baas zijn tijd'.

'Hij begon een eenmanspartij, *Todos Unionos*! (Allen verenigd!), oftewel TU (Jij!)! Een goed in het gehoor klinkende naam, waarover is nagedacht. Je kunt er namelijk alle kanten mee op. Het spreekt zowel de massa als het individu aan. De politieke koers die Medina vaart is gematigd te noemen.'

'Wat natuurlijk allemaal gelul is,' vulde Doramas aan. 'Medina is diep in zijn hart een van ons. Dat populaire naamsgedoe en die gematigde politieke denkwijze zijn een rookgordijn dat enkel en alleen dient om zieltjes te winnen.'

Betancor glimlachte fijntjes. 'Juanfran gaat wat kort door de bocht, maar daar komt het wel zo'n beetje op neer.'

Albelda knikte kort, hoewel hij er nog niet veel van begreep. Dolende stippen kwamen langzamerhand bijeen. Er begonnen zich broze lijnen te vormen. Van een groot geheel was echter nog geen sprake. Hopelijk was dit na afloop van deze lunch wel het geval.

'In de loop der jaren is gebrek aan geld onze grootste makke geweest. Door jouw formidabele inspanningen is dit probleem opgelost. Het gaat er nu niet meer om hoe wij het geld krijgen, maar hoe we er van afkomen.' Betancor begreep dat dit om verdere uitleg vroeg. Hij nam een slok rode wijn en ging verder. 'In het verleden is het meerdere malen gebeurd dat Raadsleden en participanten een financiële bijdrage leverden aan een politieke partij. In praktisch alle gevallen ging het dan om Fuerza Nueva of daaraan gelieerde splinterpartijen. Meer een gebaar op zich. De bedragen die hiermee gemoeid waren, kon je niet substantieel noemen.'

Betancor keek hem recht aan. In zijn blik stond te lezen dat hij een reactie van hem verwachtte. Op zijn minst een blijk van waardering.

Albelda slikte geluidloos. Hij zag het niet. Zelfs dit kleine deel, dat slechts een onderdeel van het grote geheel was, was één groot raadsel voor hem. En als ik dit stukje al mis, hoe moet het dan met de hele puzzel, dacht hij. Manuel Albelda voelde zich met de seconde kleiner worden, daadwerkelijk krimpen. Hij was de man die zij slechts voor even pretendeerden te zijn. De gewone man, de middenklasser... de domoor.

'Het is een truc, Manuel,' bromde Doramas nors. 'Een verdomde banktruc van Rubén om de poen op slinkse wijze naar Medina's partij te sluizen.'

Betancor permitteerde zich een voorzichtige grijns waar toch de nodige zelfgenoegzaamheid vanaf straalde.

'Zoals je weet zijn er wekelijks tientallen bijeenkomsten van mensen die onze standpunten delen. Logischerwijs ken ik er daar een aantal van. Vrienden uit Asturias, Cantábrica, Aragón, ach, zo'n beetje uit driekwart van Spanje. Zonder verder in details te treden, het betreft hier tenslotte wel een staatsgreep, heb ik hen op de hoogte gebracht van onze actie. Ook zij zullen financieel een steentje bijdragen.'

'Wat eveneens een rookgordijn is,' vulde Doramas aan. 'Maar dat zul je inmiddels wel begrepen hebben.'

Albelda knikte. Het begon hem te dagen. Hoewel het niet meer dan een licht vermoeden betrof, voelde hij weer de zojuist onder zijn voeten weggeslagen bodem. Maar nog steeds was hem niet duidelijk welk aandeel hij in het grote geheel zou hebben. Welke rol was er voor hem weggelegd?

'De afgelopen zomer heb ik voor een groot deel in het buitenland doorgebracht,' sprak Betancor met een schalkse uitdrukking op zijn gezicht. 'Beroepshalve heb ik veel banken bezocht.'

'En nog veel meer nummerrekeningen geopend,' reageerde Doramas ad rem.

Een vleug irritatie gleed over Betancors gezicht. Uit de blik die hij Doramas toezond, was elke vorm van verkapte kameraadschap verbannen. Twee tellen later had hij zichzelf echter weer onder controle.

'Jouw vondst was een waar godsgeschenk, Manuel. Hierdoor werd de eerste en veruit hoogste hindernis uit de weg geruimd. De rest was een kwestie van plannen. De tijd zal uitwijzen of wij de juiste beslissingen hebben genomen.'

De ogen van de voorzitter van de Raad waren nu rechtstreeks op hem gericht. Albelda zag de vreemde mix van respect en toegeeflijkheid. Een minzame glimlach accentueerde de huidige stand van zaken.

'In de toekomst zal jouw rol geroemd en bewierookt worden, mijn vriend,' zei Betancor bij wijze van toetje. 'In kleine kring, natuurlijk.'

Het was alsof de wereld kwam stil te staan. Albelda had geen flauw idee hoe het hem lukte, maar hij bleef ogenschijnlijk kalm. Onderdanig rustig. Binnenin stond hij daarentegen in brand. Zijn aderen waren gevuld met olie en Betancor had er zojuist een vlammetje bij gehouden. Gedurende de conversatie had het spook van onvrede al een ritje door zijn maag gemaakt. Met de achterliggende gedachte dat het gesprek over zijn deel in het grote geheel nog zou komen, had hij dit nare gevoel kunnen onderdrukken.

Maar er kwam geen gesprek.

Niet over hem, in elk geval.

Alles was al geregeld. Ze hadden hem niet meer nodig.

'Ik ben blij dat ik een aandeel heb kunnen leveren,' sprak hij met een bescheiden oogopslag. Hij glimlachte hierbij als een tot verkoper gepromoveerde autopoetser.

'Een groot aandeel, Manuel. Laten we dit vooral niet bagatelliseren.'

Vuile hufter, dacht Albelda en hij nam het compliment met een licht knikje in ontvangst. De bewondering die hij jarenlang voor de man tegenover hem had gehad, was verdwenen. De negatieve golven die hij tijdens deze lunch probeerde te negeren, hadden zich ongemerkt ontwikkeld tot een vervaarlijke stuwing. Op het moment dat hij inwendig ontplofte, werd elke genegenheid met de kracht van een tsunami verzopen. Er dienden zich nu prikkelingen onder zijn huid aan die werden aangestuurd door onvervalste rancune. Hij voelde zich zwaar verraden.

Betancor hief zijn glas.

'Op een nieuw Spanje met oude normen en waarden.'

'Proost,' zei Doramas.

Albelda tikte beide glazen voor hem aan en zei eveneens: 'Proost.' De slok die hij daarna nam smaakte als gal.

De voorzitter van de Raad wenkte de serveerster en bestelde koffie. Tijdens de daaropvolgende minuten spraken ze over de geijkte zaken waar kerels van hun leeftijd het nu eenmaal vaak over hadden: geld, het weer en een opspelende prostaat.

Hoewel hij met zijn gedachten heel ergens anders zat, lukte het Albelda om geanimeerd mee te kletsen en versprekingen buiten te sluiten. De drang om op te staan en: 'Stelletje ellendelingen!' te brullen bleef. Door gedeeltelijk uit zichzelf te treden, wist hij die te onderdrukken.

Terwijl Albelda met enigszins wazige blik zijn correcte antwoorden op consciëntieuze wijze uitsprak, zwierf zijn geest over de ruige vlakten van de Dordogne. Hij dacht terug aan de grotduik en het moment dat hij had beseft wat hij in handen had. Hij zag zichzelf weer roerloos in zijn auto zitten. Diep nadenkend over de schat, de Raad, zichzelf en de toekomst. Het was de moeilijkste beslissing van zijn leven geweest. Wat hij uiteindelijk had besloten, had hem de daaropvolgende maanden regelmatig slapeloze nachten bezorgd. Hij bleef maar twijfelen over de juistheid ervan. Het lidmaatschap van de Raad was hem namelijk heilig.

Na wat er vandaag was voorgevallen, zou hij vannacht echter op twee oren slapen.

'Ik zal de rekening vragen,' zei Betancor. Met een weids gebaar wist hij de aandacht van de serveerster te trekken. De joviale grijns op zijn gezicht was typerend voor een handelsreiziger die weet dat hij het bonnetje bij zijn werkgever gaat declareren.

Jij voelt jezelf een hele vent, dacht Albelda. Een man wiens toekomst verder reikt dan de horizon. Ja, ja... Hij zag nog het verraste gezicht van Betancor voor zich toen het kunstvoorwerp onder zijn neus werd geschoven. Toen hij daarna hoorde over de schat die voor het oprapen lag, kon de voorzitter van de Raad enkel wat geprevel uitbrengen. Een handvol minuten later herstelde hij zich knap. Ter plekke besloot hij dat alleen Doramas op de hoogte mocht worden gesteld. Na onderling overleg reisden ze met drie auto's naar de Dordogne af. Dit verkleinde de pakkans op de hele buit, wist Doramas. Deze keuze pakte goed uit. Nadat de door hem opgedoken kunstvoorwerpen in de auto's waren geladen, loodste Doramas hen over onwaarschijnlijk smalle bergpassen Spanje binnen. Een verlaat presentje vanuit de tijd dat hij bij de *guardia civil* in Baskenland diende.

'Wacht even,' zei Albelda toen de twee aanstalten maakten op te staan. 'Er is iets wat ik niet begrijp.'

Betancor keek hem vragend aan. Tevens gaf hij blijk van lichte irritatie. Zoals een schoolmeester deed, die vlak voordat de bel ging het minst pientere ventje uit de klas voor de zoveelste maal hetzelfde moest uitleggen. Doramas keek daarentegen stuurs voor zich uit. Hij was het overduidelijk zat en wilde weg. Manuel Albelda was voor hem een zolderkameroptimist met een toevalstreffer op zijn conto. Daar kwam bij dat het in zijn ogen belachelijk was dat een militair een burger tekst en uitleg gaf. Ook al had deze persoon zich verdienstelijk gemaakt voor de goede zaak.

'Hoewel ik de details niet ken, is het mij duidelijk dat er grote sommen geld naar de partij van Medina worden gesluisd,' begon Albelda. Betancor knikte kort ter bevestiging. 'Hiervan zal zendtijd worden gekocht om de partij landelijke bekendheid te geven. Men trekt een marketingbureau aan dat adviseert in de reclamecampagne. De publiciteitsmachine komt op gang. Tot zover begrijp ik het nog wel.'

'Waar begint dan de blinde vlek?'

'In Spanje zelf. Wij hebben namelijk twee grote politieke stromingen: *Partido Popular* en *Partido Socialista*. Dit blok is goed voor zo'n beetje tachtig procent van de stemmen. De bevolking stemt dus óf gematigd óf links.'

Betancor knikte wederom. Zijn hoofdbeweging was dit maal sneller. Op deze manier wilde hij Albelda duidelijk maken er wat vaart achter te zetten.

'Ik neem aan dat onze inspanningen dienen om politieke invloed te krijgen in het parlement. De verkiezingen zijn volgend jaar, dus het moment is perfect. In de aanloop ervan kan veel publiciteit gegenereerd worden.'

'Waar wil je nou naartoe, Manuel?'

Albelda zoog zijn bovenlip naar binnen en beet er met zijn ondertanden op. Aansluitend hield hij zijn hoofd schuin en keek de voorzitter van De Raad met een licht wantrouwende blik aan.

'Voor hoeveel zetels gaan wij eigenlijk?'

Betancor glimlachte dunnetjes.

'Wij gaan voor de winst, *amigo*.'

Na dit groteske antwoord beet Albelda nogmaals op zijn bovenlip. Deze keer om Betancor niet recht in zijn gezicht uit te lachen. Hij streek met zijn rechterhand over zijn gezicht. Zogenaamd om de opspelende vermoeidheidsverschijnselen op zijn gelaat partij te bieden.

'Met geld kun je veel doen, maar geen wonderen verrichten,' sprak hij ernstig.

Voordat Betancor kon antwoorden, boog Doramas zich voorover. In zijn ogen lag een gloed waarvan een normaal denkend mens bang zou worden. Aangezien Albelda zichzelf tot die categorie rekende, kroop er een rilling over zijn rug.

'Waar denk jij dat ik de laatste maanden mee bezig ben geweest, Albelda? Eendjes voeren, soms? Of stiekem onder de rokjes van jonge meisjes kijken?'

Albelda produceerde een stompzinnige grijns. Het was nu beter om verder niet meer aan te dringen, wist hij. Het was bijzonder onverstandig om Juanfran Doramas tegen je in het harnas te jagen. De verhalen over mensen die dat ooit hadden geprobeerd waren talrijk. Uit het feit dat anderen hierover vertelden, was maar één conclusie te trekken. Niet bepaald een opwekkende, dus.

'Sorry, hoor,' fluisterde hij. 'Zo bedoelde ik het niet.'

Betancor maakte een armgebaar waarmee hij de boel wilde sussen. 'Rustig nu, mannen. Iedereen staat al maandenlang onder spanning. Het is dus logisch dat er irritatie ontstaat. Maar elkaar onderling in de haren vliegen is wel zo'n beetje het stomste wat we kunnen doen, nietwaar?' Aansluitend keek hij zijn tafelgenoten met een bezorgde blik aan. Terwijl Doramas zijn schouders ophaalde, wendde hij zich tot Albelda.

'Soms is het voor alle betrokkenen beter om bepaalde dingen niet te weten, Manuel. Neem nu gewoon van mij aan dat wij met zijn allen bezig zijn een wonder te creëren. Heus, Miquel Medina gaat de verkiezingen winnen.' Daarna voegde hij er fijntjes aan toe: 'Op een nette manier, want toestanden zoals in 1981 willen we niet meer.'

Albelda knikte gedwee. Betancor refereerde aan de poging van kolonel Tejero om de macht over te nemen. Gewapend met een pistool verscheen hij in het parlement om zijn woorden kracht bij te zetten. Tegelijkertijd met deze actie liet Tejero generaal Milans Del Bosch zijn tanks vanuit Valencia over de snelweg naar Madrid oprukken. Mede door de standvastigheid van de koning werd deze coup verijdeld. Beelden van een schietende Tejero en parlementariërs die onder de banken doken, waren door het beschaafde gedeelte van de wereld met afgrijzen bekeken. Tevens werden de rollen van de toenmalige president Adolfo Suarez en generaal Gutierrez Mellado geroemd. Terwijl de kogels in de rondte vlogen, bleven zij kaarsrecht staan.

'Ik begrijp en respecteer het,' antwoordde Albelda op een toon die naar slaafs neigde. Hierna stak hij zijn hand uit naar Doramas, die deze accepteerde. 'Nogmaals, mijn excuses.'

De voormalige kolonel van de *guardia civil* gromde iets onverstaanbaars. Uit de dunne glimlach maakte Albelda op dat ook hij er zand overheen had gegooid. Na een afscheidsgroet stonden ze gezamenlijk op en gingen ieder hun eigen weg.

Eenmaal achter het stuur van zijn auto, ontspande Manuel Albelda zich. Terwijl hij in gematigd tempo huiswaarts reed, werd het grote geheel hem steeds duidelijker. De gouden bergen die zij hem hadden beloofd, waren feitelijk grote hopen stront. Nadat de schat was binnengehaald, was hij de gevierde man geweest. In kleine kring. En verder zou het niet komen, daar was Betancor zonet duidelijk in geweest. De illusies die zij eerder hadden gewekt, waren achteloos terzijde geschoven.

'Nog bedankt voor het vinden van de schat. En nu... tot ziens maar weer!' Zijn laatste woorden overstemden de presentator die een groep uit Galicië aankondigde. Normaal gesproken luisterde Albelda graag naar folkloristische muziek uit zijn eigen landstreek. Nu kon het hem gestolen worden.

'Zelfingenomen klootzakken,' gromde hij vervaarlijk. 'Soms is het voor alle betrokkenen beter om bepaalde dingen niet te weten, Manuel.' Een uit het hart gegrepen imitatie die ronduit slecht klonk. Ergens onderweg gaan ze mij lozen, ging het voor de zoveelste maal door hem heen. Promoveren ze me naar Nergenshuizen. Nee, als het aan hen ligt, is er voor deze jongen geen roem en glorie te behalen.

'Inzage in het grote geheel is niet voor jou weggelegd, Manuel,' sprak hij vijf minuten later met een stem waaruit vooral opluchting sprak. Voor de eerste maal tijdens de rit grijnsde hij. Zijn rechterwijsvinger tipte tegen de volumeknop, waarna het geluid aanzwol. Gitaarklanken vulden de middenklasser.

Ze willen mij dus geen deel laten uitmaken van het grote geheel. Prima. De grijns op zijn gezicht zwol nu aan tot een brede glimlach. Een grijns die te maken had met het grote geheim omtrent de schat dat hij met zich meedroeg en waarvan hij anderen geen deelgenoot zou maken.

10

Isidro Alarcón draaide met zijn rechterwijsvinger minikolkjes in zijn koffiebekertje. Hij was al negentien jaar bij de *policia nacional*, waarvan de laatste dertien jaar als inspecteur bij de afdeling Ernstige geweldsdelicten. Hoeveel koffie hij de afgelopen jaren tijdens diensttijd had gedronken, was een onzinnige vraag die hem ineens te binnen schoot.

Terwijl getallenreeksen de absurde gedachte nog even in leven hielden, nam hij een slok. Hierbij hield hij bewust zijn ogen gesloten. In de vijf seconden die Alarcón zich van de werkelijkheid afsloot, zat hij op zijn boot. Vers gerolde sigaret tussen zijn vingers, biertje erbij, lichte bries op zijn wangen en een temperatuur van rond de 25 graden. Vanuit de kajuit het knisperende geluid van de door hem gevangen vis die zijn vrouw op de grill bereidde. De geur van zojuist gesneden koflook en uien die als een culinaire deken over de achtersteven gleed, maakte het plaatje compleet.

'*Fantastico,*' fluisterde Alarcón en hij deed zijn ogen weer open. De idylle maakte direct plaats voor de realiteit. Dossiers, kasten om ze in op te bergen, rondslingerende pennen en een telefoon. Na zijn korte droomuitstapje was het uitzicht niet eens meer saai te noemen. 'Bureaucratisch wreed' kwam beter in de buurt.

Het enige positieve aan de administratieve puinhoop om hem heen, was het aan zekerheid grenzende vermoeden dat hij nooit zonder werk zou komen te zitten. Tot aan zijn pensioen kon hij in principe 24 uur per dag aan de slag. Zo veel ellende produceerde Madrid nu eenmaal. En dan had hij het uitsluitend over geweldsdelicten die ook nog eens werden opgesplitst in categorieën. Het huis-, tuin- en keukenwerk zoals echtelijke strubbelingen waarbij klappen vielen en niet al te heftige caféruzies met kneuzingen en bloeduitstortingen, was voor de uniformbrigade. Liquidaties en andere slachtpartijen werden een deurtje verder door de mensen van Moordzaken behandeld. Kreeg hij tijdens een onderzoek het idee dat er drugs in het spel waren, dan schoof hij de zaak direct op het bordje van de narcoticabrigade.

Alarcón zuchtte. Ondanks het afschuifsysteem dat hij in de loop der jaren tot in detail had geperfectioneerd, lagen er stapels dossiers op hem te wachten. Schriftelijke getuigen van een stad die door en door verrot was. Dat met de dag meer werd. Hoe was het toch in godsnaam mogelijk dat zijn ouders hem naar San Isidro, de beschermheilige van dit open riool, hadden vernoemd? Had waarschijnlijk met de tijd te maken. Vroeger was alles beter. Tenminste, dat beweerden mensen die pas écht oud waren.

Hij sloeg het dossier open van een negentienjarig hoertje dat door haar pooier flink was afgeranseld. Geroutineerd vlogen zijn ogen over de verklaring van de jonge vrouw. Op het moment dat hij overwoog de zaak naar Zeden door te spelen, werd er geklopt.

'*Inspector?*' Het pientere gezicht van een jonge man keek hem vanuit de deuropening aan.

'*Pasa.*'

Zonder dralen liep de man naar zijn bureau. In zijn rechterhand hield hij een dunne map.

'Zeg het eens.' Alarcón kon de jonge man niet zo snel plaatsen. Op zich geen schande, aangezien er honderden mensen op het *Dirección general de la policia nacional*, het hoofdbureau, werkzaam waren. Dat hij geen uniform droeg, decimeerde de lijst met mogelijkheden geenszins. Tegenwoordig leek het wel of elke dienst in burger liep.

'Inspecteur Rivero vroeg mij om dit aan u te geven.' Aansluitend legde de jonge man de map op het bureau. Alarcón sloeg het dossier dat hij aan het lezen was dicht. Hij pakte de map op en sloeg deze open.

'Javier Martel,' mompelde hij anderhalve minuut later. 'Dit is verdomme toch niet te geloven.'

Terwijl Alarcón las, was de jonge man geen centimeter van zijn plaats geweken. Zijn strakke blik was gericht op het papier in Alarcóns handen. De inspecteur bij Ernstige geweldsdelicten sloeg de map dicht en gaf deze terug.

'Bedank Rivero voor me, wil je?'

De jonge man knikte. 'Dat zal ik doen.'

Alarcón zag de aarzeling en begreep het. Hij was ook jong en leergierig geweest. Rivero kennende, had hij het groentje van de afdeling deze map zonder verdere informatie in zijn handen geduwd. Op die afdeling bij die persoon afleveren, basta. Blijkbaar had Rivero het druk op zijn afdeling. Vermiste personen was vergelijkbaar met een mierenhoop op een extreem hete dag in augustus. Hoe iemand daar kon en wilde werken, was hem een raadsel.

'*Mierda,*' vloekte hij hardop toen de boodschapper van het slechte nieuws de deur achter zich sloot. Hij zette zich met zijn handen tegen het bureau af en liet de stoel honderdtachtig graden draaien. Het uitzicht bleef wennen. Hoofdzakelijk strakke kantoorpanden met daarachter uitgestorven nieuwbouwwijken voor tweeverdieners, in plaats van de Plaza del Sol waar het hoofdbureau vroeger had gestaan en het wemelde van de mensen. Even verderop daarvan lag Punto cero de España, het middelpunt van Spanjes wegennet. Vanaf daar kon het verkeer naar alle windstreken uitwaaieren. Tja, qua uitzicht waren ze er behoorlijk op achteruit gegaan.

Ergens in de verte, verborgen onder de smog, lag Getafe. De wijk waar hij zijn jeugd had doorgebracht. Althans, een groot gedeelte ervan. Samen met Javier Martel. Kameraden waren ze geweest, geen boezemvrienden. Gewoon vrienden.

Isidro Alarcón glimlachte. Dit gebeurde omdat een mens soms zag wat hij wilde zien. In dit geval een stukje van zijn jeugd waarin hij zichzelf met Javier zag voetballen en kattenkwaad uithalen. Jonge jochies die deden wat andere opgeschoten knapen in andere buurten ook deden. Loltrappen en daar keihard om lachen. Voorportaal van een leven waarin zorgeloosheid even schaars was als onschuld.

Het waren momentopnamen die de uiteindelijke verhouding tussen hen verkeerd weergaven, sprak de realist in hem. Waar hijzelf in zijn tienerjaren besloot om bij de politie te gaan, koos Javier Martel voor het tegenovergestelde. Mede doordat zij beiden vanwege hun beroepskeuze intern gingen, verwaterde hun vriendschap tot nostalgische herinneringen uit een ander leven in een omgeving die contrasteerde met de door hen gekozen levensstijl.

Terwijl hij in uniform zijn diensten draaide, vocht Javier zich een weg omhoog in het criminele milieu. Hij had het slechtste uit zijn jeugd omarmd en exploiteerde dit zonder enige gêne. De gevestigde orde kreeg respect voor deze straatvechter uit Getafe en stond hem toe deel uit te maken van hun vreemdsoortige broederschap.

Toen Alarcóns promotie naar Ernstige geweldsdelicten een feit was, kocht hij een appartement in het centrum. Zijn vrouw Sonia was verguld met hun nieuwe onderkomen. Ook zij was geboren in Getafe, maar hield er niet genoeg van om er daadwerkelijk te leven. Sowieso geen omgeving om hun toekomstige kinderen te laten opgroeien; daar waren ze het allebei roerend over eens. Dat ze kinderloos zouden blijven, was in die tijd nog niet aan de orde. Kinderen krijgen was toen een vanzelfsprekendheid. Hoop, vertwijfeling en desillusie lagen nog in de toekomst verborgen.

Later hoorde hij dat Javier in die periode reeds in een villa met zwembad woonde. Ergens in een buitenwijk tussen advocaten, topambtenaren en meer van dat soort legale criminelen.

Alarcón wreef met de duim en wijsvinger van zijn rechterhand hard in zijn ogen. Een slechte gewoonte die hij maar niet wilde afleren.

'*Puta madre*,' fluisterde hij. Zijn vloek was het gevolg van beelden die nu langs zijn netvlies schoten. De botsing tussen gangster en rechercheur. Twee jongetjes die in dezelfde buurt opgroeiden en als volwassenen lijnrecht tegenover elkaar kwamen te staan. Clichématiger kon haast niet.

Javier stootte door naar de absolute top op zijn vakgebied. Op het hoogtepunt van zijn carrière runden zijn stromannetjes drie nachtclubs en vier grandcafés, stuk voor stuk op A-locaties in Madrid. Martel wilde echter meer. De lucratieve drugshandel lonkte. Hij ging in zee met Argentijnen. De grootste fout van zijn leven.

Na het onvermijdelijke conflict over een transactie, vlogen op één dag vijf van zijn panden in de fik. Met meer geluk dan wijsheid bracht Martel het er levend van af. Het daaropvolgende meningsverschil met de verzekering werd een langslepende affaire die hij uiteindelijk voor de rechtbank verloor. De grote onderwereldjongen devalueerde tot een middenklassegangster die er aardig van kon leven. Het grote spel was over. Hij had gegokt en dik verloren.

'Zelf Rivero bedanken,' krabbelde Alarcón op een papiertje. Zoals alle oudgedienden wist Jorge Rivero van de curieuze band die Alarcón ooit met Martel had gehad. Hoewel er in het korps onderling weinig hechte vriendschappen waren, was er wel sprake van collegialiteit. Dit had hijzelf meerdere malen ondervonden als Javier Martel weer eens binnen werd gebracht voor ondervraging. Toevalligerwijs was een collega hem dan altijd voor.

'Vermist tijdens het sportduiken,' mompelde hij. Het was toch eigenlijk te gek voor woorden dat een penozejongen op deze manier aan zijn einde kwam. Vechtend tegen een plas water, daar waar een kogelregen meer in de lijn der verwachting lag. Hij hoorde in gedachten sommige collega's al gniffelen: 'Haai als haaienvoer'.

Met een venijnig gebaar duwde hij het dossier van het hoertje van zich af. Tijd voor een korte wandeling door Madrid, dat weer een kind had verloren en daar niet om rouwde. Terecht, zei zijn verstand. Zijn gevoel vertelde hem echter iets anders. En dat was belachelijk, wist hij.

11

Hij luisterde graag naar de ademhaling van zijn vrouw Grace. Zo regelmatig, zo vredig. Gold de ademhaling als uiting van de geestestoestand, dan sliep ze vredig. Gelukkig maar, want hij hield zielsveel van haar. Alfonso Silva draaide zijn hoofd schuin naar rechts. De rode, digitale cijfers van de wekker gaven aan dat het halfvier in de ochtend was. Over dit tijdstip had hij een tweeledig gevoel. Aan de ene kant baalde hij stevig omdat hij al zo vroeg wakker was geworden, aan de andere kant was de manier waarop een stevige meevaller.
Hij lag hier met open ogen.
Zijn hoofd was leeg, zijn lichaam droog.
Geen druppeltje angstzweet te bekennen.
Terwijl zijn blik over de vertrouwde contouren van de slaapkamer gleed, begonnen de raderen in zijn hoofd langzaam op gang te komen. Een natuurlijk proces, een mens moest toch ergens aan denken. Voorzichtig strekte zijn rechterarm zich uit naar het nachtkastje. Hij pakte het glas en nam een slok. Appelsap. Altijd lekker, dacht hij met enig cynisme. Vooral 's morgens om halfvier.
De komende uren zouden zich voortslepen, wist hij uit ervaring. Trokken allerlei zaken aan zijn geest voorbij. Het merendeel was gelieerd aan zijn werk. Speerpunten, routineklussen en onbenulligheden. Voor alles was een plekje in zijn brein gereserveerd.
Gemiddeld twee keer per week overkwam hem dit. Al jarenlang. In tegenstelling tot zijn vrouw had hij zich erbij neergelegd. Zij wilde dat hij met een specialist ging praten. Hij niet. Daarom verroerde hij zich nauwelijks. Bleef ze lekker doorslapen en deed hij de volgende morgen alsof hij een heerlijk nachtrust had genoten. Een leugentje om bestwil dat in elk huwelijk voorkwam, loog hij zichzelf voor.
Alfonsa Silva sloot zijn ogen en dacht: misschien val ik wel in slaap. Een verre van realistische veronderstelling, maar aan de andere kant: niet geschoten was altijd mis. Daaropvolgend begon het werkelijke schieten. Een scala aan invallen door Nueve trok aan zijn geest voorbij. Meestal waren deze tegen ETA-cellen gericht, ondanks de opkomst van de islami-

96

tische terreurbewegingen nog steeds de grootste bedreiging voor Spanje. Hoewel hij er zich uit hoofde van zijn functie nooit over kon uitlaten, zag Silva wel degelijk iets in een zelfstandig Baskenland. Niet van de ene op de andere dag, maar stapsgewijs. De in overvloed gehouden referenda gaven aan dat dit de grootste wens van de Basken was. Drie zelfstandige provincies: Alava, Guipuzcoa en Vizcaya. En als je eigenlijk maar één droom had, dan ging je heel ver om die te verwezenlijken.

Spanje zou de oorlog tegen de separatisten nooit winnen, daar was hij van overtuigd. Doctrine en onvoorwaardelijk geloof waren namelijk standvastiger dan overmacht.

Silva realiseerde zich dat deze denkwijze zwaar werd beïnvloed door zijn werk. Zijn politieke kennis was nihil te noemen. Vanaf het moment dat hij door de oprichter van Nueve, César Garincho, werd gerekruteerd, had hij zich in de frontlinie bevonden. In teamverband, als intermediair met de codenaam *lobo* (wolf) onder Garincho's verdorven opvolger Carmelo Rodriquez en later in de functie van chef. Een carrière met een duidelijke rode draad: bloed. De mogelijkheid die hij voor zichzelf opperde betreffende een zelfstandig Baskenland, was wellicht een uitvloeisel hiervan. Hij had te veel bloed gezien. Stromend uit de meest afschuwelijke wonden die een mens zich maar kon voorstellen. In sommige gevallen door toedoen van hemzelf.

Er mochten geen mensen meer sterven vanwege economische belangen en politieke redenen. Klaar. Idealistisch gewauwel van een inlichtingenman die erdoorheen zat? Hoogdravend geklets van een slager die opeens weigerde te slachten omdat hij de geur van bloed niet meer kon verdragen?

Misschien.

Het was echter zijn goed recht om midden in de nacht in zijn eigen nest dit soort denkbeelden te koesteren. Niemand die hem dat kon verbieden, verdomme nog aan toe.

Alfonso Silva opende zijn ogen. Hij had zichzelf een paar minuten voor de gek gehouden, want de slaap zou wegblijven.

Ach, ik heb het geprobeerd, dacht hij laconiek. Onbedoeld glimlachte hij om deze gotspe.

Om even over vier begon het te kriebelen. Vroeger was hij dan steevast uit zijn bed gestapt. Zijn doel lag exact zeven flinke passen van hun tweepersoonsbed verwijderd. In de aangrenzende kamer sliep Carmen: zijn alles, zijn leven. Urenlang kon hij naast haar zitten. Kijkend naar het lieve en knappe gezichtje dat ze van haar moeder had geërfd. Luisterend naar haar regelmatige ademhaling waarvan hij gaandeweg rustig werd.

Dromend over een perfecte wereld waarin zij kon opgroeien. Hopend dat hij er altijd zou zijn om haar te beschermen als dit toch een utopie bleek.

Silva verroerde zich niet. Simpelweg platliggen met in zijn achterhoofd het gegeven dat hij al zijn lichaamsfuncties onder controle had, was al een zegen op zich. Veel te lang had hij wekelijks in het holst van de nacht naast het bed van zijn dochter gezeten. Zwetend als een otter, trillend als een zwerver op een koude winterochtend. In zijn ogen de koortsachtige blik van een met hondsdolheid geïnfecteerde hyena.

Vreemd genoeg had zijn baan er nimmer onder geleden. Hij had de aanvallen bijna gedwee ondergaan, was 's morgens onder de douche gestapt en naar zijn werk gereden. Daar ging de knop om en deed hij waarvoor het ministerie van Binnenlandse Zaken hem had ingehuurd. Dat er een vreemde kronkel in zijn kop zat die ervoor zorgde dat hij gemiddeld twee keer per week nachtrust inleverde, had hij voor lief genomen. Het was een onderdeel van zijn leven geworden.

Grace had deze redenatie niet geaccepteerd, dacht Silva terwijl hij naar de ademhaling van zijn vrouw luisterde. Nadat zij hem had 'betrapt' hadden ze er avondenlang over gediscussieerd. Grace was van mening dat de aanvallen een uitvloeisel van zijn werk waren en drong erop aan psychische hulp te zoeken. Hoewel hij diep in zijn hart wist dat zij gelijk had, wees hij dit resoluut af. Cognitieve gedragstherapie, systematische desensitisatie en angstoproepende stimuli waren aan de chef van Europa's beste veiligheidsdienst niet besteed. Er waren genoeg andere zaken te bedenken om zich onsterfelijk belachelijk mee te maken. Stuk voor stuk te prefereren boven een onderhoud met de psychiater. Een dooddoener waarachter hij zich tot op de dag van vandaag verschool.

Het was toch opmerkelijk dat zowel zijn dochter als de enige vrouw bij Nueve Carmen heette, dacht Silva. Aansluitend verklaarde hij zichzelf voor gek, aangezien dit de meest voorkomende naam in Spanje was. Carmen bij meisjes en Carmelo bij jongens. Of gold voor dat laatste soms José? Of Juan? Hij glimlachte om de maffe manier waarop hij zichzelf bezighield. Nog een dikke twee uur van dit soort flauwekul, meldde zijn ingebouwde klok. Daarna op het bureau dossiers bekijken, beelden van invallen terugzien, gesprekken met…

'Is het weer zover, Alfonso?' vroeg Grace met een stem die verre van slaperig klonk.

Silva's keel voelde plotseling droog aan. Behalve een uitstekend ichtyoloog, was zijn vrouw eveneens een geboren actrice. Hij had zich door haar ademhaling laten foppen. Niemand kon midden in de nacht van het ene op het andere moment zó helder klinken. Silva draaide zijn hoofd een kwartslag naar links en zag dat zijn vrouw hem met wijdopen ogen aankeek.

'Ik voel me prima, schat,' fluisterde hij. 'Ga maar weer lekker slapen.'

Grace tilde haar linkerhand op en aaide hem over zijn wang.

'Lijkt het jou geen goed idee als ik dat lekker zelf uitmaak, liefste?'

Silva slikte en mokte in stilte. Grace was een mondige, moderne vrouw die meestal precies wist wat ze wilde. Mede hierdoor was hun relatie gefundeerd op het basisprincipe van gelijkwaardigheid. Voor de vrijgevochten Zuid-Afrikaanse de normaalste zaak van de wereld. In het huidige Spanje dat zich steeds meer als modern en werelds profileerde, bleef dit echter een heet hangijzer. De wortels van het katholicisme waren nog steeds de pijlers waarop de maatschappij voor een niet-onaanzienlijk deel dreef. Voor de buitenwereld hadden man en vrouw gelijke rechten. Binnenskamers lag dit vaak anders.

Zelf kwam hij uit een conservatief gezin. Zijn ouders waren schatten van mensen die altijd voor hem klaarstonden. Hij had een fantastische jeugd gehad. Toch waren er bepaalde zaken waar hij niet achter stond. De meest prominente daarvan was de dominante rol van zijn vader in hun gezinsleven. In feite werd alles wat zich buiten het huishouden afspeelde door hem bepaald. Niet dat dit met geweld gepaard ging, o nee; zijn vader was een vredelievend man die stapelgek op zijn vrouw was. Het ging meer om de manier waarop. Wat vader zei, was wet. Daar werd verder niet meer over gesproken, laat staan gediscussieerd.

Zonder dat zij hier zichtbaar onder gebukt ging, had zijn moeder ten opzichte van zijn vader een slaafse houding. Hij stond overduidelijk op een voetstuk. Vreemd genoeg had Silva het idee dat zijn moeder hem hier ooit zelf op had geplaatst en geen enkele intentie had hem hiervan af te halen. Voor iedereen om haar heen oogde ze als een gelukkige vrouw. En wellicht was dit ook wel zo. Misschien zag hij het wel helemaal verkeerd. Tenslotte was het bij zijn vriendjes van hetzelfde laken een pak. Ook in die gezinnen maakte vader de dienst uit. En alle moeders waren vriendelijk, lief en onderdanig. Een echtscheiding was even onwaarschijnlijk als het winnen van de voetbaltoto. Dat overkwam altijd iemand anders.

'Ik val zo in slaap,' probeerde Silva nog. Tijdens het uitspreken van de zin wist hij al dat deze poging zinloos was. Grace had zich heus niet al die tijd slapende gehouden om enkele woorden met hem te wisselen en zich daarna om te draaien. Nee, zij ging voor de discussie, wist hij zo goed als zeker.

'Geen zweetaanval,' klonk als een kille omhelzing van klinische bezorgdheid.

'Ik ga vooruit.'

'Als je soms naar Carmen wilt... Ik ben de laatste die je tegenhoudt.'

'Ik lig hier prima.'

Grace zuchtte diep. Uit haar ademtocht spraken ontsteltenis en ongeloof. Vooral dat laatste. In de daaropvolgende stilte dacht Silva aan zijn dochter. En aan zijn eigen onkunde. Want hierdoor lagen ze in het holst van de nacht te soebatten. Die constatering stond als een huis.

'Denk jij nou werkelijk dat je dit alleen kunt oplossen?' Een vaststelling, opzichtig verpakt in een vraag.

'Ja, dat denk ik inderdaad. Het kost wat tijd, maar het gaat me lukken.'

'Ah, de inlichtingenman heeft zich omgeschoold tot praktiserend arts.'

Nu was het zijn beurt om afkeurend te zuchten. Tenminste, dat vond Silva. 'Kom op, Grace. Hier heb ik helemaal geen zin in.'

De stilte duurde twee minuten. In die 120 seconden probeerde hij een aantal zetten vooruit te denken. Een lastige opgaaf, aangezien zijn vrouw in situaties als deze over een fenomenale ondoorgrondelijkheid beschikte. Ze is een ideale parttimer voor Nueve, schoot het door hem heen. Enkel op te roepen bij ondervragingen en *mind games*.

'Alfonso, maak jezelf nu alsjeblieft niet wijs dat het structureel is. Jouw hersens kunnen een goede dag hebben, het lichaam kan zich lekker voelen, weet ik veel. Er zijn zoveel redenen te bedenken waarom jij niet ligt te zweten.'

De toon waarop ze tegen hem sprak, stoorde Silva. Het onderbouwde van de ervaren wetenschapper contra het gevoelsmatige van de alfaleerling. Daar kwam bij dat ze gelijk had.

'Het gaat beter met me, schat. Geloof me.'

'Dat zou ik best willen...'

Silva schudde traag met zijn hoofd. 'Wat is dit nu weer voor onzin. Als er iemand...'

'... weet hoe het in elkaar zit, dan is het Alfonso Silva wel,' interrumpeerde Grace hem geërgerd. 'Laat mij je dan even uit deze droom helpen, lieverd. Jij weet hier namelijk geen ene moer van. Jouw visie op de psychiatrie is die van een Neanderthaler. O zeker, op feestjes ben je uiterst geïnteresseerd als iemand opmerkt dat in de moderne psychiatrie uitstekende resultaten worden geboekt. Terwijl jij meegaand staat te doen, meldt die superconservatieve macho binnen in je dat een bezoek aan de psychiater iets is voor watjes, homo's en huisvrouwen die met zichzelf in de knoop zitten.'

Ze keek hem nu uitdagend aan.

'We gaan nooit naar feestjes, Grace.'

'Jezus!'

Ze draaide zich om en trok venijnig aan het tweepersoonsdekbed, waardoor een gedeelte van Silva's lichaam bloot kwam te liggen. Hij liet het zo. De kou binnen in hem was toch niet met een simpele deken te verdrijven.

'Weet je, Alfonso, ik kan net zo goed tegen de muur kletsen. De kans dat ik dáárvan een normaal antwoord krijg, is groter dan bij jou.'

'Zet 'm op,' zei Silva droog en hij stapte uit bed. Met drie grote passen was hij bij de deur die hun slaapvertrek scheidde van Carmens kamer.

'Ga je je weer afsluiten voor de werkelijkheid? Op de vloer in gedachten de zwetende held uithangen, terwijl je gewoon zou moeten slapen? Is dat soms jouw idee van bezigheidstherapie? Nou, ik weet niet bij welke psychiater jij loopt, maar op mij komt hij over als een prutser.'

Silva opende voorzichtig de deur. Carmen sliep en dat moest zo blijven. Hij dwong zichzelf Graces provocaties te negeren. Wellicht ging hij er morgen op in. Of niet. Was de bui al overgewaaid.

'Alfonso?'

Iets in haar stem raakte hem. Hij sloot de deur en keek naar zijn vrouw. Doordat het schijnsel van de maan tussen de openingen van de lamellen doordrong, kon hij haar contouren zien. Dat hij haar opeens zo mooi vond, was op zijn minst vreemd te noemen.

'Ik heb altijd achter je gestaan en zal dat altijd blijven doen. Je bent een fantastische vader en een geweldige echtgenoot. Ik hou van je, laat dat alsjeblieft duidelijk zijn. Maar daar gaat het nu niet over.'

Silva dacht in een fractie van een seconde te horen dat haar stem brak. Grace kennende was dit echter onwaarschijnlijk. Zelden liet ze haar emoties de vrije loop. In dat opzicht waren ze geen tegenpolen.

'Ik had me voorgenomen het volgende nooit tegen je te zeggen. De situatie dwingt me er echter toe.'

Silva spande onbewust zijn spieren. Een natuurlijke reactie als er onheil op komst was.

'Stop ermee, Alfonso. Word "Hoofd beveiliging" van een multinational of parttimeadviseur bij Binnenlandse Zaken. Het is mij om het even, als je maar weggaat bij Nueve. Besluit je toch in de deze functie te blijven, trek dan je conclusies naar je gezin toe. Ga praten met een daarvoor gekwalificeerd iemand. Dit kan zo niet langer.'

Terwijl het tolde in zijn hoofd, ontspanden zijn spieren zich. Hij dwong zichzelf door zijn neus in te ademen en de lucht door zijn mond lang-

zaam uit te blazen. Het was helemaal mis, wist hij. Zonder het daadwer-
kelijk uit te spreken, had Grace hem een ultimatum gesteld.
'Ik zal erover denken,' fluisterde hij.
Daarna stapte Alfonso Silva de kamer van zijn dochter binnen.

12

'Heb jij er soms lol in je afspraken niet na te komen, *hombre?*' vroeg Romén Sanchez. Hoewel hij de jongeman tegenover hem het liefst een draai om zijn oren had gegeven, produceerde hij een vriendelijke, begripvolle glimlach. Sanchez realiseerde zich terdege dat deze vrijgevochten vogel enkel met een bepaald soort stroop te vangen was. Welke, daar was hij nog niet uit. Tijdens het gesprek zou dit wel duidelijk worden. Daarvan was hij overtuigd. Niemand kon namelijk tegen hem op. Hij was een rasmanipulator. De beste in zijn vak.

'Ik heb het behoorlijk druk gehad, weet je. Daar komt bij dat afspraken nakomen nou niet bepaald mijn sterkste punt is.'

'Geeft niks, joh,' antwoordde Sanchez laconiek. Hij maakte een weids gebaar met zijn linkerhand. 'Kijk eens om je heen. Mooie meiden, 25 graden en een heerlijk sfeertje. Waar zouden we ons eigenlijk druk om maken?'

Ehedey Del Pino grijnsde. '*Coño*, heb jij erover gedacht om bij een touroperator te gaan werken? Bij voorkeur op het vasteland, daar trappen ze vast wel in die lulpraatjes.'

Sanchez deed wat er in deze situatie van hem werd verwacht: hij grijnsde terug. Een beetje kwaadaardig zelfs. Dat kon enkel positief werken. 'Het zou niet best zijn als jij dit voor zoete koek had geslikt, nietwaar Ehedey?'

Del Pino nam een forse slok van zijn bier en liet aansluitend een bescheiden boer. Met een blik waarin ogenschijnlijk volstrekte desinteresse overheerste, liet hij het stadsgedruis van Las Palmas aan zich voorbijtrekken. Het was acht uur 's avonds. Zo'n beetje het enige tijdstip waarop niemand sliep. Het was druk op Mesa y Lopez, de aorta van Las Palmas. Kantoorklerken op weg naar huis, opgeschoten jeugd op zoek naar alcohol, drugs en vertier, huisvrouwen die de laatste benodigdheden voor het avondmaal insloegen, toeterende taxichauffeurs, zojuist ontwaakte hoeren die met hun aankomende klanten sjansten, politieagenten wier gezichten op onweer stonden, bejaarde echtparen die ondanks de drukte toch hun dagelijkse ommetje maakten. Een allegaartje.

'Het is één grote leugen, Rodriquez,' fluisterde hij. 'Niets wat je hier ziet, is wat het lijkt.'

Sanchez bromde instemmend. Hij vond het al heel wat dat Del Pino nog wist onder welke naam hij zich ruim een maand geleden aan hem had voorgesteld. Een redelijke prestatie, aangezien het leven van deze jonge entertainer inhoudelijk weinig verschilde van dat van zijn toehoorders. Het grootste gedeelte van zijn schamele uitkering en bijverdiensten van sporadisch dealen, ging namelijk op aan drank en dope. Het geven van een opzwepende, politiek getinte conference was feitelijk het enige wat hem onderscheidde van het gepeupel waarvan hij deel uitmaakte. Een gave die hij zeker niet had geërfd. Hij had namelijk de antecedenten van de jongen bekeken en die waren nu niet bepaald hoogdravend te noemen. Kind van gescheiden ouders. Vader had zich na het zoveelste drinkgelag doodgereden en moeder hield zich in leven met het uitmesten van obscure bars rondom Calle Molino de Viento, de hoerenbuurt van Las Palmas. Nee, Ehedey Del Pino had zijn gave zeker niet geërfd. Hij had deze gekregen. Van wie wist Sanchez niet. Wellicht van God, hetgeen hem echter onwaarschijnlijk leek. Ehedey geloofde namelijk niet in God. En hijzelf evenmin. Hij geloofde heilig in geld en daar hield het wel zo'n beetje mee op.

'Alles wat je hier ziet is eigendom van de *peninsulares*,' sprak Del Pino op een toon die niets te raden overliet. 'Inclusief de mensen die erin wonen.'

'Vertel eens iets wat ik nog niet weet, amigo,' haakte Sanchez in.

'Dat ik niet voor die klootzakken van PIC werk, bijvoorbeeld.'

Sanchez legde zijn hoofd in zijn nek en lachte hardop. Hij wist dat deze handeling gemaakt oogde. Dat was ook de bedoeling. Spontaniteit strookte niet met zijn uitstraling. Gespeelde ongedwongenheid wel.

'PAINCA,' lispelde hij. 'Partido Independentista Canario, het onafhankelijkheidsclubje van onze advocaat annex politicus Ramon Francisco Díaz Palabre. Hmm, ik dacht toch ergens onderweg te hebben op gevangen dat jij wel enige sympathie voor deze stroming koesterde.'

Del Pino keek hem geringschattend aan. 'Ik heb per definitie een hekel aan politieke partijen, weet je. Iedereen schaart zich achter een bepaald gedachtegoed, wat dus godsonmogelijk is. Ieder mens denkt namelijk anders. De speelruimte wordt te beperkt. Dus steekt hokjesgeest de kop op, waarna machtsspelletjes volgen. Vroeg of laat komt er altijd herrie in de tent.'

Sanchez knikte wijselijk. Dit waren de teksten waarop hij zat te wachten. Del Pino was een geboren onruststoker. Iemand die, mits goed begeleid, een luis in de pels van het politieke establishment kon worden. Een jongen van het volk, onafhankelijk en met een uitgesproken mening. Ja, dit was zijn man. Met de minuut raakte hij hier meer van overtuigd. Het werd nu zaak om hem voor zich te gaan winnen. Een route die uiterst voorzichtig moest worden bewandeld. De jonge man tegenover hem was minstens *streetwise* te noemen en verre van naïef.

'Dus jij ziet jezelf in de komende tien jaar op achterafpleintjes in afbraakwijken de politieke waarheid verkondigen?'

'Misschien wel, ja,' reageerde Del Pino fel. 'Dat is nog altijd beter dan een achterlijke jaknikker van de een of andere debiele politieke partij te worden. Op die "achterafpleintjes" zoals jij ze zo denigrerend noemt, luisteren ze tenminste wél naar me.'

'Alleen bereik je er geen klote mee,' stelde Sanchez droog. 'Het streelt je eigen ego, meer niet.'

Del Pino keek hem vuil aan. Hij opende zijn mond, bedacht zich en nam een slok bier.

'Er bestaat ook nog publiek dat soms wat terugzegt, Ehedey. In de meeste gevallen met kritische ondertoon. Laten we het maar het verschil tussen Jinamar en de rest noemen. Wat simpel gesteld, maar je begrijpt me heus wel.' Sanchez keek hem met een doordringende blik aan. De lichte aanval die hij had ingezet was niet ontbloot van enig risico. Het heetgebakerde straatschoffie in Del Pino kon zomaar opstaan.

'Wie ben jij eigenlijk?' wilde Del Pino weten.

Zowel de vraag als de lichaamstaal van de jonge man beviel Sanchez. Het gesprek ging langzamerhand de kant op waar hij het wilde hebben. Neem je tijd, nam hij zichzelf voor. Rustig aan. Niets afraffelen.

'Als je nu al mijn naam bent vergeten, wordt het hoog tijd dat je mindert met die dope, kerel,' was het voorgeprogrammeerde antwoord dat hij met een olijke grimas gaf.

Del Pino haalde ongeïnteresseerd zijn schouders op. 'Iedereen kan zich Rodriquez noemen. Dat zegt me allemaal zo weinig. Komt bij dat wij elkaar de vorige keer akelig kort hebben gesproken.'

'Juan Antonio Rodriquez-Silvez om precies te zijn.' Aansluitend deed Sanchez een greep in de linkerbinnenzak van zijn crèmekleurige colbert. 'Wellicht dat dit je overtuigt,' zei hij op afgemeten toon. Hij legde een hard plastic kaartje op het tafeltje tussen hen in.

Vanaf het geplastificeerde *Documento Nacional de Intidad* keek het stuurse konterfeitsel van Sanchez de jonge Canario aan. Volgens dit officiële document heette hij inderdaad Juan Antonio Rodriquez-Silvez, geboren in 1952 in Las Palmas. Del Pino draaide het kaartje om. De vingerafdruk op de achterkant maakte het plaatje compleet.

'Nu weet je meteen hoe oud ik ben,' zei Sanchez terwijl hij het vervalste identiteitsbewijs weer opborg.

'Ja, veel te oud.'

'Jij zegt wat je denkt, dat mag ik wel.'

'Veel mensen van jouw leeftijd hebben daar anders problemen mee.'

Sanchez knikte. 'Maar die zitten niet tegenover je.'

Ehedey Del Pino dronk het laatste restje van zijn bier op. Daarna begon hij op de nagelriem van zijn linkerwijsvinger te bijten. Zijn blik leek eerder af- dan aanwezig. Sanchez voelde aan dat hij zat te wikken en te wegen. Het echte spel kon nu beginnen, wist de manipulator.

'Ik werd getipt, Ehedey. Een vriend van me had weer via iemand anders over jou horen praten. Naar aanleiding daarvan heb ik een optreden van jou bezocht. Als die vriend niets had verteld, dan waren wij nimmer met elkaar in contact gekomen. Ik kom nooit in wijken als Jinamar en Polvorin.'

Del Pino keek hem minachtend aan. 'Ben jij daar soms te goed voor?'

'Nee, het is me gewoonweg te link.'

'Zit wat in.'

Sanchez liet zijn glas een paar maal door zijn rechterhand rollen. Hij wist van zichzelf dat hij ontspannen oogde. Een man van de wereld. Iemand die alles minstens tweemaal had gezien of meegemaakt.

'Ik ben een zakenman. Een redelijk succesvolle. Hoewel wij ogenschijnlijk in totaal verschillende werelden leven, zijn er wel degelijk overeenkomsten tussen ons.'

'Noem er eens één,' jende Del Pino.

'Politiek.' Sanchez dwong zichzelf op dezelfde ontspannen manier verder te gaan. De tijd waarin hij zogenaamd reageerde op provocaties of zelf plaagstootjes uitdeelde, lag achter hem. Nu moesten er zaken worden gedaan. 'Politiek gezien liggen wij behoorlijk op één lijn. Ook ik vind de invloed van het vasteland veel te groot. Wij zijn in zekere zin marionetten...'

'In zekere zin?!' reageerde Del Pino fel. 'Wij zijn goddomme halve slaven, man!'

Sanchez keek hem uitdrukkingsloos aan. 'Laat me uitpraten, Ehedey. Verschiet je kruit maar tijdens je optredens, oké?'

Aansluitend bood hij Del Pino een sigaret aan en nam er zelf ook een.

'Even stoom afblazen.'

'Dat is een heel aardige, man. Zelf bedacht?'

Sanchez negeerde de vleug sarcasme. De nicotine deed hem goed. Waarom moest alles wat lekker was tevens slecht voor je zijn? Nou ja, bijna alles dan.

'Jij hebt talent, Ehedey, dat is ontegenzeggelijk waar. Het probleem met talenten is echter hun ontwikkeling. De meeste talenten stagneren, waardoor zij een eeuwige belofte blijven.' Sanchez maakte een hoofdbeweging naar rechts. 'Verderop vind je voorbeelden genoeg, om maar iets te noemen.'

Del Pino begreep direct waarop hij doelde. De jeugdopleiding van Union Deportivo Las Palmas stond erom bekend te bulken van het talent. Het aantal jongeren dat daadwerkelijk doorbrak, was lachwekkend laag te noemen. Het merendeel van deze jongens die heel lang als talent te boek stonden, kwam uit de sloppenwijken. Uiteindelijk zouden zij die nooit verlaten, hoe mooi hun toekomst eens ook had geleken. Een carrière als beroepsvoetballer was niet voor hen weggelegd. Dat stonden de scherprechters van hun sociale omstandigheden gewoonweg niet toe.

Sanchez voelde hoe zijn grip op zijn tafelgenoot toenam. Het spookbeeld dat hij zojuist had geschetst, was dagelijkse koek voor Del Pino. Daar werd hij waarschijnlijk niet warm of koud van. Toch kon elk zetje leiden tot een wankeling, wist de manipulator uit ervaring. Het ging er in principe om hoe en wanneer je de juiste duw gaf.

'Ik herken talent als ik het zie, Ehedey. Met de juiste coach kun jij ver komen.'

De jonge Canario lachte enigszins schamper. 'En wat kwalificeert jou als juiste coach? Ik neem aan dat je daar toch op doelt.'

Sanchez nam zijn tijd. Hij keek Del Pino strak aan en knikte langzaam. 'Onder andere mijn levenservaring, amigo.'

Ehedey Del Pino bediende zichzelf uit het pakje dat op tafel lag. Hij stak een sigaret op en nam er een paar wilde trekken van.

'Mijn voorstel is even simpel als doelgericht. Jij gaat nog harder werken aan jouw stijl, grappen en politieke boodschap. Ruim voordat jij gaat optreden, nemen wij je act samen door; een beetje schrappen, wellicht iets toevoegen. Ik ga een beetje rondbellen en probeer af en toe een optreden voor een groter publiek te regelen.'

Aansluitend stak Sanchez direct zijn rechterwijsvinger op. 'Ik weet het,' zei hij sussend. 'Jij vervreemdt niet van de basis, zeker niet tijdens het begin van onze samenwerking.'

Op het gezicht van Del Pino begon toegeeflijkheid terrein te winnen. Alleen al dat iemand hem openlijk een talent noemde, was vleiend. Dat klonk aantrekkelijker dan: 'Laat ons eens lachen, Edy', of: 'Maak die

Godos af', het gebruikelijke gebral dat hij voor of tijdens een optreden moest aanhoren. Daar kwam bij dat de man tegenover hem als niet geheel onbemiddeld overkwam. Hij besloot aas uit te werpen. Wellicht was de vis groter en hongeriger dan hij dacht.

'Ik kan je financieel niets bieden, Rodriquez. Misschien in de toekomst, als er wat munten uit die optredens komen.'

Sanchez glimlachte meewarig. 'Ondanks het leeftijdsverschil zou ik het prettig vinden als je me Juan zou noemen. En over de financiën... ach, dat is wel zo'n beetje het laatste waar ik me druk over maak.'

Met een kort gebaar van zijn rechterwijsvinger maakte hij de langslopende ober duidelijk dat de lege bierglazen door gevulde moesten worden vervangen. De man knikte routineus.

De daaropvolgende minuten zwegen ze. Ehedey dacht voornamelijk aan de laatst gesproken zin, terwijl Sanchez hoopte dat hij dit deed.

Nadat de ober hun bier had gebracht, knikte Sanchez een paar maal kort met zijn hoofd. Alsof nu het juiste moment was aangebroken om de volledige waarheid aan het licht te brengen.

'Weet je, Ehedey,' sprak hij met een stem die doortrokken was van oprechtheid en warmte, 'ik ben geen goede fee die met een toverstokje alle rottigheid denkt te kunnen oplossen. Bewaar me, zeg. Nee, ik ben een zakenman op leeftijd die meer dan zijn halve leven voor zijn vak heeft geleefd.'

Hij sloot heel even zijn ogen, hiermee de veronderstelling wekkend dat dit gedeelte van zijn leven in enkele seconden aan hem voorbijflitste. Ehedey Del Pino mocht dan op de bühne de mensen aan zijn voeten krijgen, in dit pittoreske theater bespeelde Romén Sanchez zijn eenkoppige publiek met de ingeslepen finesse van een begenadigd kleinkunstenaar.

'Ik heb sterk het gevoel dat er zich nu een unieke kans voordoet. Een grote mogelijkheid om "iets goeds te doen".' Aansluitend haalde hij beide schouders op. 'Het klinkt nogal kinderlijk naïef, maar geef me het voordeel van de twijfel.' Hij priemde met zijn linkerwijsvinger in Ehedeys richting. 'Jij bent het instrument. Jij gaat die stakkers die hun koppen volledig naar Madrid laten hangen eens flink op hun kloten geven. Jij gaat voor politieke beroering zorgen.'

Voordat Del Pino kon reageren maakte Sanchez een gebaar waarmee hij aangaf dat het enkel een opmaat betrof. De finale begon nu. 'Wat zit er voor jou in, Rodriquez? Dat spookt er toch steeds door je hoofd, nietwaar Ehedey? Nou, het antwoord is betrekkelijk eenvoudig, amigo. Voornamelijk roem. Als jij doorbreekt, dan ben ik voor de buitenwereld degene die daarvoor heeft gezorgd. Dan kan ik tijdens oeverloos saaie feestjes ineens de politiek geëngageerde zakenman uithangen die er iets van snapt en daadwerkelijk zijn klauwen heeft uitgestoken, in plaats van de zakenman die overal een mening over heeft en het daar ook bij laat. Mijn halve leven ben ik met dat soort figuren omringd geweest. Was er zelf één van, verdomme.'

Sanchez spuugde de laatste zin uit, waarmee hij leek aan te geven dat dit gedeelte van zijn verleden dieper en pijnlijker lag verankerd dan zijn woorden in eerste instantie deden vermoeden. 'Geen contract en absolute artistieke vrijheid. Ik geef enkel tips en werk achter de schermen.' Tijdens de laatste zin ging zijn rechterhand naar de linkerbinnenzak van zijn colbert. Hij haalde er een witte envelop uit en schoof deze met een nonchalante beweging naar Del Pino toe. 'Ga eens lekker uit, koop wat kleren, verwen jezelf.'

Ehedey Del Pino wierp een vluchtige blik op de inhoud en verstijfde. Het was een aanzienlijk bedrag, voor een kind van de achterstandswijk Polvorin een heus vermogen. Hoewel hij het wilde voorkomen, maakte een brede glimlach zich meester van zijn gezicht.

'Zorg dat je scherp blijft, Ehedey. Zo scherp als het spreekwoordelijke mes waarmee je die politieke gannefen fileert.'

Hierna stond Sanchez op. Achteloos legde hij een briefje van twintig euro op tafel. De laatste handeling van zijn act. Een mazzeltje voor de ober.

'Ik spreek je snel,' zei hij over zijn schouder tegen de jonge Canario, die zonder succes zijn verbouwereerdheid probeerde te verbergen.

'Ja... eh... oké...' antwoordde deze. Drie opgewonden hartslagen later bemerkte hij dat zijn weldoener reeds was verdwenen. De uitdrukking op zijn gezicht behoorde toe aan een intens gelukkig mens.

Toen hij eenmaal deel uitmaakte van de mensenmassa, degradeerde een vileine grijns de gedistingeerde gelaatstrekken van de manipulator tot de attributen die zij in werkelijkheid waren. Op zijn gemak liep Sanchez naar zijn auto. Mijn opdrachtgever zal tevreden zijn, dacht hij.

En daar draaide het tenslotte allemaal om.

13

Kamal Shoukri deed de deur van de Jami'ah-moskee op slot. Hierna groette hij een handvol gelovigen die even verderop nog wat stonden na te praten. Hoewel deze mannen het belangrijke vrijdagmiddaggebed hadden bezocht, was het niet gezegd dat hun conversaties daar betrekking op hadden. Hoewel Kamal Shoukri de rol van imam vervulde, was hij wereldlijk genoeg om te beseffen dat voor velen van zijn volgelingen het geloof niet zo'n grote rol speelde als eigenlijk zou moeten.

Hij liet deze naargeestige gedachte varen en sloeg links af een steegje in. Terwijl hij de heerlijke geuren van specerijen uit zijn thuisland opsnoof, vulde zijn geest zich met religieuze zaken. Geleidelijk maakte een warme gloed zich van hem meester.

Zonder dat zijn ogen daadwerkelijk zagen wat zijn voeten deden, vervolgde Kamal Shoukri zijn weg. Hij liep op zowel gevoel als ervaring. Bij een stenen oneffenheid corrigeerden zijn enkels de lederen sandalen, bij een minikruising of T-splitsing meldde zijn inwendige routeplanner het juiste vervolg.

De wijk Albaicín bevond zich op een heuvel recht tegenover het moorse paleis Alhambra en bestond uit een wirwar van steegjes. Het uitzicht op Granada, smeltkroes van religies en de daaruit voortvloeiende architectonische pracht en praal, was imposant. Voor Kamal Shoukri was het echter een alledaags panorama waarvan de expliciete schoonheid vertrouwd overkwam. Een mix van twee verschillende culturen. Wanneer het daarentegen deelgenoot werd van het dagelijks leven, verwaterde 'hoogst voortreffelijk' al snel tot 'normaal', 'gewoontjes' wellicht.

De imam van de Grote of Jami'ah-moskee maakte zich zorgen. Dit had hoofdzakelijk te maken met de huidige stemming in Granada. Een gemoedsgesteldheid die niet van de ene op de andere dag was ontstaan, wist Shoukri. De aanslagen in New York, Madrid en Londen waren de grootste aanjagers geweest. Een voedingsbodem voor de stelling dat achter het uiterlijk van een vreedzame islamiet zomaar een extremistische terrorist kon schuilgaan. De oorlog in Irak en een scala van aanslagen wereldwijd zorgden voor de ultieme bevestiging van deze volkse polemiek.

Zonder er verder bij na te denken, sloeg Shoukri rechts af. Het steegje waarin hij nu liep was nauwelijks twee meter breed. Om de drie à vier meter onderbrak een houten deur het slordige stucwerk van de lange, vergeelde muren waartussen hij zich bevond. Zoals gewoonlijk was hij op dit tijdstip een van de weinigen op straat. De bevolking van Albaicín maakte zich op voor het middageten, waarna de siësta volgde. Waar in de noordelijke provincies de mensen zich onder een waterig zonnetje of sporadische slagregen een slag in de rondte werken, sloten de Andaluciërs op dit tijdstip zowel hun luiken als ogen. Voor een paar uurtjes wilden zij niets meer met de blakende zon te maken hebben. Werken in ruim dertig graden was verre van slim, wisten zij uit ervaring. De ochtend en vooravond leenden zich daar veel beter voor.

'Verdraagzaamheid,' prevelde Shoukri. Terwijl hij dit woord uitsprak, gleed er een licht desperate uitdrukking over zijn gezicht.

Zoals na het gebed de gewoonte was, had hij de gelovigen toegesproken. Vanmiddag had hij, met als leidraad de koran, geprobeerd de brug die tot verdraagzaamheid leidde te betreden. Vanwege de zorgelijke omstandigheden waarin een groot deel van de wereld verkeerde, was dit een vaak terugkerend item in zijn monologen. De gelovigen hadden geluisterd, sommigen onder hen hadden zijn denkbeeldig uitgestoken hand gepakt om deze route te bewandelen. Het merendeel nam zijn woorden echter gedwee tot zich. Alsof het een verplichting betrof die zij dienden te ondergaan. In het heiligdom van de moskee zouden zij nimmer iets van opstandigheid laten blijken. Of dit eveneens gold voor het moment dat zij zich in de straten van Granada bevonden, betwijfelde Shoukri.

Ook hij las kranten en keek televisie. De toestand was zorgwekkend te noemen. Waar vrede centraal zou moeten staan, nam geweld de overhand. Culturen botsten. 'Allochtonen' en 'autochtonen' waren termen die willekeurig werden rondgestrooid. Daarentegen behoorde het woord 'mensen' tot een vergeelde spraakklank uit een bewust vergeten vocabulaire.

Dat ongedierte ook op schone grond rendeerde, was een waarheid waarmee hij de laatste maanden veelvuldig was geconfronteerd. Granada, het bolwerk van verdraagzaamheid, wankelde. Het serpent van onverdraagzaamheid, onbegrip en onvrede had zijn gif geïnjecteerd, waardoor verschillende culturen elkaar nu wantrouwend bejegenden. De imaginaire wolken boven de stad waren donkerzwart gekleurd. Het was enkel een kwestie van tijd voordat zij hun verderfelijke lading zouden uitstrooien. Vanaf dat ijzingwekkende moment zou men zeven eeuwen terug in de tijd worden geworpen en was een oorlog tussen de islamieten en christenen een voldongen feit.

'*La kaddara, Allah*,' fluisterde Shoukri de woorden die dagelijks zijn gedachtegang beïnvloedden. Woorden die hij strikt voor zichzelf diende te houden. Tegenover zijn gemeenschap zou het uitspreken ervan als te defaitistisch overkomen, waardoor hij wellicht het tegenovergestelde van zijn doel bereikte. Wat hij in de moskee besprak, werd mee naar buiten genomen. En buiten de muren van het heiligdom was de situatie explosief. Elk vlammetje zou de boel in lichterlaaie kunnen zetten.

Terwijl hij gestaag zijn weg vervolgde, haalde Kamal Shoukri zijn linkerhand door zijn baard waarin de kleur zwart overwoekerd werd door grijze en witte tinten. Het was een zwaar jaar geweest. Hoewel het intussen al 13 oktober was, leek het einde van het jaar nog lang niet in zicht.

De ellende had zich al vroeg aangediend. In de avonduren van de tweede januari was het in de binnenstad volledig uit de hand gelopen. Na de jaarlijkse viering van *La Toma* waren jongeren met elkaar in gevecht geraakt. Christenen tegen islamieten. Vier zwaar- en achttien lichtgewonden. Eerlijk verdeeld over beide kampen. Aanleiding van de knokpartij was het gegeven dat in 1492 koningin Isabella de stad Granada van de islam 'bevrijdde', het fundament van *La Toma*.

De daaropvolgende dagen kreeg hij verscheidene versies te horen. Bij de getoonde moed van sommige gelovigen tijdens de veldslag werd door een handvol heethoofden openlijk vraagtekens geplaatst. De wat gematigden onder hen bestreden dit. Vanuit hun optiek had iedereen zich voldoende verweerd. Hoewel er dus verschillend over details werd gedacht, was de kijk op de aanleiding daarentegen unaniem. De Marokkaanse jongeren waren door hun christelijke plaatsgenoten beledigd en uitgedaagd. Racistische kreten als 'Weg met de islam' en 'Granada is van ons, vuile Moren', hadden ten grondslag gelegen aan de escalatie.

Er verscheen een minzame glimlach op het gegroefde gelaat van de imam. Absurd genoeg kende het gros van de christenen de eigen geschiedenis niet. Al in de dertiende eeuw was Granada het laatste Moorse rijk in Spanje. De heerschappij van prins ibn Ahmar werd door Ferdinand de derde van Castilië geduld. Tegenover zoveel immense goedheid stonden echter wel een forse belastingplicht en Moorse hulp bij de herovering van Sevilla. Ondanks deze zware verplichtingen floreerde de handel, landbouw en cultuur binnen de 13.000 vierkante kilometer die het Moorse Granada toen behelsde.

Twee eeuwen later begon na het huwelijk van Isabella met Ferdinand van Aragón de verovering van de steden die Granada omringden. Rond 1490 was de hoofdstad geïsoleerd. Om weerstand te kunnen bieden aan de 150.000 christelijke soldaten, riep vorst Baobdil tevergeefs de hulp in van moslims uit Noord-Afrika en Azië. Op 2 januari 1492 werd de stad ingenomen, waarmee de *Reconquista* was voltooid.

'Granada is van ons,' lispelde Shoukri. 'Jullie hebben het enkel te leen.' Hij sloeg blindelings rechts af en schoot vijf meter verderop linksaf, de volgende steeg in. Vijandigheden kwamen vooral nu volkomen ongelegen, dacht hij terwijl zijn benen er een rustig tempo op na hielden. Er moest rust in alle kampen komen. Dit gold vooral voor zijn eigen volgelingen. Ondanks het heuglijke feit dat al meer dan vijfduizend Andaluciërs zich tot de islam hadden bekeerd, bleven zij toch ruimschoots in de minderheid. Tevens hadden zij de publieke opinie tegen zich.

Na de onverkwikkelijkheden rondom *La Toma* hadden er nog meer rellen plaatsgevonden. In de voormalig Moorse bazaar Alcaceria – die naast de kathedraal van Granada lag – was in maart een Engelse toerist die racistische leuzen riep door twee Marokkaanse jongens neergestoken. En begin juni waren Arabische en westerse studenten in de aula van de universiteit met elkaar op de vuist gegaan. Hij had handenvol werk gehad om de gemoederen te sussen.

In gedachten verzonken liep de imam het smalste steegje op zijn route binnen. Omdat de zon op dit tijdstip schuin ten opzichte van de doorgang stond, drong er weinig licht door. De eerste paar meters rook het muf. Even verderop veroorzaakte een mengeling van vocht en dierlijke urine een penetrante lucht. Voor Kamal Shoukri was de stank iets vanzelfsprekends. Hij betrad het steegje dagelijks, waardoor er van gewenning sprake was.

Terwijl zijn onderbewustzijn wist dat hij nog tien stappen te gaan had voordat de volgende steeg in zijn blikveld zou verschijnen, hield Shoukri stil. De reden hiervoor was de plotselinge aanwezigheid van een persoon die tegenover hem stond.

De onbekende strekte een arm en haalde de trekker van het pistool over. Drie schoten klonken als onbeholpen gekuch van een straffe roker tijdens het ontwaken.

Kamal Shoukri zakte geluidloos in elkaar. De pijn in zijn borst was ondraaglijk. Toen hij op de grond lag, hapte hij naar adem. Daarna sidderde zijn lichaam, waarna een laatste spastische beweging volgde. Het laatste wat hij hoorde waren drie galmende klokslagen vanuit de nabijgelegen katholieke San José-kerk.

14

Alfonso Silva maakte een korte hoofdbeweging. 'Ga zitten.'

Roberto Grimon nam plaats. Zij kenden elkaar al jaren, wat onder meer inhield dat in sommige gevallen triviale beleefdheden achterwege konden blijven. Dit viel onder tijdverspilling, een verkwisting die vandaag niet eens in hun hoofd opkwam.

'Ik heb met de hoofdinspecteur gesproken die het onderzoek leidt,' zei Silva. 'Ze hebben hun persvoorlichter bekend laten maken dat er in Granada een imam is neergeschoten. Kort en bondig, geen details.'

Grimon liet een minachtend gegrom ontsnappen. 'Dat soort lulkoek heb ik net even te veel gehoord, Alfonso. Overal en altijd zit er wel ergens een lek.'

'Niet bij Nueve.'

'Ja, ja, ja, natuurlijk niet bij Nueve, oké?' reageerde Grimon licht geagiteerd. 'Sorry hoor, als ik die indruk wekte.'

Hij trommelde enkele seconden met de vingernagels van zijn rechterhand op het mahoniehouten bureau. Daarna streek hij met het puntje van zijn tong over zijn bovenlip. Een opspelende spier net onder zijn linkeroog maakte het arsenaal nerveuze trekjes aanzienlijk.

'Hoe staan we ervoor, Alfonso?'

'Beroerd,' antwoordde deze geheel naar waarheid. Aansluitend keek hij met een vermoeide blik naar de man tegenover hem. Het eerste wat hem inviel was de gedachte dat Roberto Grimon er nog veel beroerder aan toe was en minstens twee nachten had doorgebracht in het pak dat hij droeg. Dit was hoogstwaarschijnlijk een verkeerde veronderstelling, corrigeerde zijn gezonde verstand hem direct. Zonder op zijn klokje te kijken wist hij dat het rond een uur of elf 's avonds was, wat inhield dat Grimon, net als hijzelf, normaal gesproken pas een uurtje of zestien in touw was. Voor een intermediair die zich tussen verschillende veiligheidsdiensten en het ministerie van Binnenlandse Zaken bewoog, geen onoverkomelijkheid. Dit soort werktijden bracht die functie zo nu en dan met zich mee.

Normaal gesproken... haal die stupide woorden toch eens uit je systeem.

'Geen verdachte of eventuele motieven. Tenminste, niet direct aanwijsbaar,' vervolgde Silva. 'Het lichaam van de geestelijke werd omstreeks tien over drie door een jochie van tien gevonden dat op weg naar huis was. Overstuur rende hij naar zijn moeder die direct de politie belde. Vijf minuten later waren zij ter plekke. Dit is ons enige mazzeltje. Voorzover bekend, heeft enkel dat ventje het lichaam gezien.'
Terwijl hij aandachtig luisterde, beet Grimon op de nagelriem van zijn linkerwijsvinger.
'Het was een liquidatie, daar mogen we van uitgaan. Drie schoten in de borst. Waarschijnlijk een geluiddemper, aangezien niemand in de wijk schoten heeft gehoord. Het werk van een prof, lijkt me.'
'Je houdt wat achter.'
'Laat me dan ook uitpraten, Roberto.'
Hoewel zijn antwoord anders deed vermoeden, waardeerde Silva het reactievermogen van Grimon. Dit hield namelijk in dat de intermediair ondanks zijn doodvermoeide uiterlijk en shabby look, uitermate scherp was. Hij opende zijn bureaula en haalde er drie foto's uit. Ze waren ten opzichte van het dode lichaam alle drie vanuit een andere invalshoek genomen.
'Dit vonden ze op het lijk van de imam.'
Grimon wierp er een doordringende blik op, waarna een grondig 'godverdomme' volgde. Daarna kneedde hij met zijn rechterhand zijn vlezige wangen en de stoppels op zijn kaaklijn. 'Het wapen van de Tempeliersorde... dat kunnen we er nu echt lekker bij hebben, jezus christus nog aan toe.'
'Ja, dat was inderdaad helemaal hun man.'
'Bespaar me je bizarre gevoel voor humor.' Grimon pakte de foto die het dichtst bij hem lag en trok deze naar zich toe. Hij hield het plaatje zo'n twintig centimeter van zijn ogen af en keek met de intensiteit van een belastinginspecteur die een valse aangifte vermoedt.
'Wellicht een morbide grap van een overspannen rechercheur,' sprak hij zonder dat er enige overtuiging in zijn woorden lag.
'Ach kom nou toch, Roberto.'
Grimon haalde zijn schouders op. 'Wishfull thinking.'
Silva tikte met zijn linkerwijsvinger op de foto. In zijn stem was geen spoortje opwinding te bekennen. 'Onze eerste conclusie is inderdaad dat het hier om een afbeelding van het wapen van de Tempeliersorde gaat. Een kopie van tien bij vijf centimeter. Witte stof met daarop het typerende rode kruis.'
Hierna maakte hij een hoofdbeweging naar links. 'Bij Administratie zijn

ze volop aan de gang.'

In het kantoor naast hen bevond zich het logistiek hart van Nueve. Met behulp van de modernste hard- en software bogen analisten zich over bestaande en inkomende informatie. Dit gebeurde in ploegendiensten, wat inhield dat de werkplekken bij Administratie 24 uur per etmaal bezet waren.

'Hadden ze dat verleden week maar gedaan,' zei Grimon ongewoon fel. 'Dan was deze ellende ons bespaard gebleven.'

Alfonso Silva keek hem uitdrukkingsloos aan. 'Je wordt onredelijk, Roberto. Sleep jezelf naar huis, neem een bel whisky en duik je nest in.'

De intermediair schudde ontkennend zijn hoofd en liet zijn rechterhand met een harde klap op het bureau neerkomen. Met zijn linker zwaaide hij dwingend heen en weer. 'Dus nu ben ik onredelijk, Alfonso? Nou, ik dacht het niet. Nueve slokt ongeveer eenderde van het CESID-budget op en jij vertelt mij doodleuk dat jullie over nog geen halve aanwijzing beschikken?'

Hij maakte een theatraal gebaar naar het aangrenzende kantoor. 'Hiernaast zijn ze volop aan de gang,' sprak hij overdreven kalm, waarmee hij een sneer aan Silva uitdeelde. 'Mág het, verdomme nog aan toe? Met de munten die Administratie kost hou ik half Afrika een jaar lang aan het vreten!'

Schijnbaar onaangedaan keek Silva de intermediair aan. Hij werkte al jaren met Roberto Grimon samen en kende daarom het merendeel van zijn nukken. In de basis was Grimon een aardige kerel die zijn vak verstond. Hij was een soort absorberend doorgeefluik van informatie. Het inschatten en schipperen was het lastigste stuk van zijn werk. Mensen voelden zich al gauw tekortgedaan. Budgetbesprekingen met het ministerie van Binnenlandse Zaken en het omgaan met de rivaliteit tussen de verscheidene inlichtingendiensten waren de heetste hangijzers. Tot nu toe dan. Vandaag had de overtreffende trap zich blijkbaar aangediend.

'Roberto,' sprak Silva zonder daarbij zijn stem te verheffen. 'Na de moord is er bij de recherche van Granada eerst intern overleg geweest. Daarna hebben ze CESID pas ingeschakeld, die het rechtstreeks naar ons toespeelde. In feite kregen wij het nieuws van de moord gelijktijdig binnen met de doorsneeburger die naar de radio zat te luisteren.'

Grimon opende zijn mond, maar Silva gaf hem geen kans te antwoorden. 'Wij hebben praktisch niets, enkel vermoedens. De mensen van het lab in Granada maken overuren. Mijn gevoel zegt dat het om 9mm-kogels gaat en dat er nog geen halve vingerafdruk wordt gevonden. Zelfs over bruikbaar DNA, hoe minuscuul ook, heb ik mijn twijfels. Profs van dit kaliber maken zelden fouten.' Hij haalde licht zijn schouders op. 'Sorry voor die kinderlijke woordspeling.'

'Ze vrezen voor escalatie,' zei Grimon terwijl hij wat onwezenlijk voor zich uit keek. 'Kun je nagaan hoe ze reageren als ik die Tempeliersrelikwie ter sprake breng.'

Met 'ze' bedoelde hij de ministerraad die die avond voor een spoedzitting bijeen was gekomen, wist Silva. De uitkomst van dit beraad werd direct na afloop door de staatssecretaris van Binnenlandse Zaken aan Roberto Grimon doorgebriefd, waarna de intermediair aan de slag kon.

'Je begrijpt dat ze alles willen doen om het Hollandse scenario te vermijden. Helemaal als ze over die relikwie horen.' Daarna lachte hij gortdroog en trok een vies gezicht. Alsof een zwerm wespen tikkertje met verlos in zijn keel speelde. 'Tja, het Holland-scenario. Maar dan omgekeerd.'

Silva schudde zijn hoofd. Om zijn mondhoeken speelde een dunne, afkeurende glimlach.

De parallel die nu werd getrokken tussen de vermoorde imam en de Nederlandse cineast Theo van Gogh, die in november 2004 op straat werd afgeslacht, raakte kant noch wal. Net voordat hij wilde protesteren tegen deze gedachtegang, kwam zijn eigen denkfout bovendrijven en hield hij zich in. Je denkt sec als een inlichtingenman. Dat is te beperkt.

'Ik kan me voorstellen dat de regering zich zorgen maakt over eventuele onrust onder de bevolking,' was het meest correcte en wellicht beste antwoord dat hij kon bedenken. 'Ik wil daarentegen wel duidelijk stellen dat de gevolgen van beide zaken misschien raakvlakken kunnen hebben, de moorden op zich hebben dit dus absoluut niet. In Holland ging het om een radicale islamiet die voor zijn daad reeds afscheid van het leven had genomen. Nadat hij Van Gogh had vermoord, schoot hij als een wildeman om zich heen in de hoop zelf doodgeschoten te worden en zo als martelaar te sterven.'

Hierna maakte hij een stopgebaar met zijn rechterhand. Een volledig overbodige actie, realiseerde hij zich aansluitend. Grimon bevond zich ogenschijnlijk op een andere planeet en was dus geenszins van plan hem te interrumperen. 'Deze moslimextremist maakte deel uit van een organisatie waar de Nederlandse veiligheidsdienst allang een vinger achter had. De zogenaamde Hofstadgroep. Ondanks alle informatie die zij hadden vergaard, lukte het hen niet deze moord te voorkomen.'

Silva ademde diep door zijn neus en ging verder. 'Ook wij kennen het gros van de radicale organisaties die in Spanje opereren. Geloofsfanaten, links- en rechtsradicalen, ETA-cellen en meer van dat soort lekkere clubjes. En dan zijn dit veiligheidstechnisch gezien nog de meest voor de hand liggende organisaties. Want wat gebeurt er als een dolgedraaide slager op zaterdagmiddag in het centrum van Madrid met zijn messen om zich heen gaat hakken? Hadden wij dit dan kunnen voorkomen door alle leden van vrijetijdsclubjes die op vrijdagavond gezellig gehakt draaien een week eerder in voorarrest te plaatsen?'

Hij liet bewust een stilte van enkele seconden vallen. Hij was er zich volledig van bewust dat hij zwaar chargeerde. Voor deze keer mocht dat. Het ging tenslotte wel om zijn eigen winkel plus personeel. 'Begrijp je waar ik naartoe wil, Roberto? Verleden week was het een ETA-bom in een slaperig voorstadje van Sociedad, vandaag een moord op een imam gesigneerd met een symbool dat hoogstwaarschijnlijk aan de Tempeliersorde toebehoort. En morgen steekt de achterbuurvrouw met haar breinaalden de ogen van een vooraanstaand politicus uit.' Hij zuchtte. 'Het is bijna niet te voorkomen. Pakken doen we ze, maar dat is achteraf. Voorkomen is in veruit de meeste gevallen een utopie.'

Roberto Grimon staarde Silva aan alsof diens woorden volledig langs hem heen waren gegaan. Een vreemdsoortige houding die de intermediair zich wel vaker aanmat. Op die momenten ging het in zijn bovenkamer als een razende tekeer. Reduceren leidde uiteindelijk tot deduceren, was dan zijn motto.

'Dat lapje stof,' zei hij al peinzend, 'daar heb je toch een duidelijke aanwijzing te pakken, lijkt me. Daar moeten die supercomputers van je toch iets mee kunnen?'

Mede door dit antwoord begreep Silva dat de man tegenover hem onder enorme druk stond. Het was een ongeschreven wet dat iedereen zich bij zijn eigen bedrijfje hield. Zelfs als je, zoals in Grimons geval, medeverantwoordelijk was voor de financiering ervan. Hij concludeerde hieruit dat de regering erger met deze zaak in haar maag zat dan hij in eerste instantie had vermoed. Sterker nog, ze waren doodsbang dat het uit de hand zou lopen. Dus moest Nueve aan het werk. Dezelfde dienst waarvoor Roberto Grimon zich tegenover de geldschieters op Binnenlandse Zaken altijd sterk had gemaakt...

'Hoeveel personen denk jij dat er zich in Spanje beroepsmatig of uit hobbyisme met de Orde der Tempeliers bezighouden, Roberto? En dan heb ik het over geregistreerde personen, verenigingen en vriendenclubjes.'

'Geen idee. Een stuk of honderd?'

'De laatste stand die ik doorkreeg was 762 hits. Dit zijn de oppakkers van internet. Het echte lokaliseren moet nog beginnen.'

'De beroemde speld...'

'Precies. Als je echter goed genoeg zoekt, wil je jezelf wel eens prikken.'
Silva zag dat er ondanks de aangename temperatuur in zijn kantoor zweetdruppels op Grimons hoofd stonden. Het was hem een compleet raadsel dat iemand met de motoriek van een beroepsneuroot zomaar twintig kilo overgewicht met zich meetorste. Extra bagage waar hij zichtbaar last van had.

'Wat is jouw advies?' Terwijl hij dit vroeg, keek Grimon op het horloge om zijn linkerpols. Blijkbaar was dit niet zijn laatste afspraak.

'Niet in paniek raken en gestaag doorzoeken,' was de bijna gênante dooddoener waarmee Silva probeerde een beetje druk van de ketel te halen. Dit had onder meer te maken met de houding die Grimon tentoonspreidde. De intermediair had het punt van scherp-zijn allang gepasseerd en bevond zich in het schemergebied waar hartaanvallen en beroertes stiekem rondwaarden. 'Over dat Tempeliersteken heeft de moordenaar of zijn opdrachtgever lang genoeg kunnen nadenken. Dit is duidelijk met een bedoeling op het lichaam achtergelaten. Over het werkelijke motief hiervan kunnen wij nu enkel speculeren. Het meest voor de hand ligt echter dat hier publicitaire redenen achter zitten. Hij of zij wil dat het door de media wordt opgepikt. Het laatste wat wij dus moeten doen, is deze informatie vrijgeven.'

Grimon keek hem bedenkelijk aan. Op zich vond Silva dit een pluspunt, aangezien de vreemde mix van zowel gejaagd- als afwezigheid uit zijn blik was weggevloeid. '*Hombre*, dit klinkt logisch. Maar wat als het slechts een opmaat betreft voor nog meer lijken met daarop een Tempelierssymbool? Dan knopen ze ons aan de hoogste boom op. En ik zeg nadrukkelijk "ons", Alfonso. Want reken erop dat jij dan ook de lul bent.'

Silva trok zijn linkermondhoek op. In zijn linkerwang verscheen een kuiltje, waardoor het gezicht van de chef van Nueve heel even iets jongensachtigs kreeg. 'Mijn vrouw wil toch dat ik ermee stop,' zei hij. In zijn ogen verscheen een twinkeling die geenszins met zijn antwoord correspondeerde.

Voor de eerste maal tijdens het gesprek gleed er een vluchtige glimlach over het gezicht van de intermediair. 'Wat ben je toch een eigengereide kerel,' sprak hij met de nodige scepsis.

'Dat beschouw ik als een compliment.'

Grimon maakte aanstalten op te staan, maar leek zich ineens te bedenken. Met zijn rechterhand graaide hij in de linkerbinnenzak van zijn donkerblauwe colbert. Tussen zijn worstvingers verscheen een zilverkleurige mobiele telefoon. Hij klapte deze open en drukte aansluitend op een van de vele knopjes die het minitoetsenbord rijk was. 'Dit is een fragment van een lokale omroep in Zaragosa, TVZ of iets dergelijks. Gaat in feite nergens over. Provinciaals geneuzel, er zijn honderden soortgelijke zendgemachtigden.'

Alfonso Silva pakte de mobiele telefoon aan en keek op het scherm dat vier bij vijf centimeter mat. Hij zag een ontspannen ogende man in een typisch studiodecor. Hij was vrij lang en had zwart haar. Het donkere pak dat hij droeg was maatwerk en zat als gegoten.

'Zijn naam is Miquel Felippe Medina-Campo,' ging Grimon verder. 'Een rechtse politicus die bezig is om in het middensegment zieltjes te winnen. Een zo op het oog keurige advocaat met politieke ambities. Niks mis mee.'

Terwijl Silva naar de beelden keek, signaleerde hij het onmiskenbare ondertoontje in Grimons stem.

'Maar?'

'Ergens klopt er iets niet. Tenminste, dat is wat kamerlid Pablo Elche van de *Partido Popular* mij wil wijsmaken.' Direct na deze woorden hief hij verontschuldigend beide handen. 'Ik weet wat je denkt, links verwijt rechts. Politiek konkelen van het zuiverste water. Hé, schiet alsjeblieft de boodschapper niet neer, wil je?'

'Nueve schiet alleen wanneer een code rood van kracht is, Roberto.'

Grimon staarde hem enkele momenten aan. Daarna schudde hij vol ongeloof met hoofd. 'Jezus, Silva. Wat kun jij je af en toe toch als een onwaarschijnlijke klootzak gedragen.'

Er viel een stilte die voor de chef van Nueve vier hartslagen duurde. Voor de intermediair gold bijna het dubbele. 'Ik maakte een grapje.'

De zucht die Grimon daarop slaakte, klonk zowel hard als welgemeend. 'Zoals je weet betalen beginnende politici om in dit soort programma's te mogen verschijnen,' zei hij, terwijl de mobiele telefoon weer in zijn colbertzakje verdween. 'Kleine bedragen die door hun partij of sympathisanten worden opgehoest. In veruit de meeste gevallen gaat het om *local heroes* die het helemaal geweldig vinden om eenmalig op de lokale televisie te komen. Prachtig. Ook voor hun achterban, die smult ervan.'

Silva speelde het spelletje mee. Hij wist dat Grimon bewust uitweidde om hem een aansporende opmerking te ontlokken. De intermediair was wellicht een beetje pissig om zijn geintje van daarnet en hield zijn troefkaart langer vast dan nodig was.

Ik hap toch niet, nam Silva zichzelf voor. Neem gerust je tijd, kerel.

'Miquel Medina is een Madrileen die hier woont en werkt. Zijn partij heet TU en heeft nauwelijks leden. Nu doet het merkwaardige feit zich voor dat Medina's portet sinds enkele weken elke dag op de televisie te bewonderen valt. Hij struint alle provincies af. Van Andalucia tot Catalunya. 's Morgens bij de lokale omroep van Valencia en 's avonds zit ie bij een soort talkshow in, godbetert, Extremadura.'

Dit laatste was inderdaad opmerkelijk, wist Silva. Extremadura was een van armste provincies van West-Europa. De bewoners waren hoofdzakelijk agrariërs die niet bepaald bekendstonden om hun toegankelijkheid en politieke interesse. Een beetje stadsmens wilde daar nog niet dood gevonden worden.

'Daar komt bij dat Medina zijn optredens steevast een vervolg geeft door een forse reclamecampagne in het plaatselijke nieuwsblad.'

Grimon stond op. Hij trok gelijktijdig aan beide revers van zijn colbert, waardoor het kledingstuk weer enigszins fatsoenlijk om zijn vadsige bovenlijf zat. Terwijl hij deze beweging maakte, viel Silva's blik op de twee ferme zweetplekken die het lichtblauwe overhemd onder zijn armen in donkerblauw veranderden.

'Is er iets bekend over zijn achtergronden? Misschien heeft hij van huis uit wel geld, of loopt zijn praktijk als een tierelier.'

De intermediair schudde van nee. 'Van huis uit geen gevulde jongen, gewoon iemand die voor zijn centen moet bikkelen. Verder weet ik niets. Deze informatie is, zoals ik al zei, aan mij doorgespeeld door Pablo Elche, die ik ken als een uiterst aimabel en correct mens. Hij heeft dit verhaal ook weer ergens onderweg opgepikt. Je weet dat ik maar bar weinig politici hoog heb zitten. Elche is dus die bekende uitzondering. Een uiterst integere kerel die zijn handen nooit aan ongegronde zwartmakerij zou branden. Daar komt bij dat Elche zorgelijk overkwam. Een gemoedstoestand die hem vreemd is. Normaal is hij de vrolijkheid zelve die bijna alles op waarde weet te schatten en meesterlijk kan relativeren. Hij zat er echt mee, Alfonso. Volgens hem is die Medina een wolf in schaapskleren. Een gevaarlijk sujet met extreem-rechtse trekjes die over bepaalde, onbekende geldbronnen schijnt te beschikken.'

Ook Silva stond op. Hij had al een paar uur achter elkaar achter zijn bureau doorgebracht en vond het de hoogste tijd om even zijn benen te strekken.

'Luister Alfonso, normaal gesproken heeft dit niets om het lijf. Is er een plausibele verklaring voor. Ik heb Elche echter moeten beloven dit door te spelen. Mocht je tijd vinden om er iemand op te zetten, prima. Zo niet, ook goed. Ik begrijp dat jij nu wel wat anders aan je kop hebt... net als ik.' Hij beende lomp naar de deur. 'Sterkte, vannacht. Ik spreek je morgen.'

Silva bromde iets soortgelijks terug en nam weer plaats achter zijn bureau. Daarna keek hij naar de wandklok. Nog een goed halfuur was het vrijdag 13 oktober. Een datum van historische betekenis, die zijn oorsprong zeven eeuwen geleden vond. Op vrijdag 13 oktober werd Grootmeester der Tempeliers Jacques de Molay door de troepen van Filips de vierde gearresteerd. Hij zou het gevang nooit meer verlaten en na gruwelijke martelingen sterven.

Sindsdien stond vrijdag de dertiende onder andere in Frankrijk als ongeluksdatum te boek. In Spanje gold dinsdag de dertiende als een ongeluksdag.

'Wie en waar,' fluisterde Silva. Het 'hoe' dacht hij wel te weten.

Er was via Administratie namelijk meer informatie binnengekomen dan hij aan Grimon had gemeld. Geschiedkundige weetjes – dat van vrijdag de dertiende was daar veruit het belangrijkste van – waren rechtstreeks van internet geplukt.

Deze liquidatie was zorgvuldig gepland, wist hij. En de relikwie speelde een belangrijk rol erbij. De moord en het lapje stof waren onlosmakelijk met elkaar verbonden. Ook de media dienden een rol te spelen. Wellicht die van ophitser. Dit was de reden dat hij om radiostilte vroeg.

Er zouden meer liquidaties volgen, daarvan was hij overtuigd. Het minste wat hij nu kon doen was weigeren het spel mee te spelen. Proberen een zorgvuldig, ziek plan te dwarsbomen. Geen publieke aandacht dus voor het detail dat misschien wel het hoofditem was. Dan maar strijdend ten onder.

Silva stond op. Een korte wandeling kon nu geen kwaad, dacht hij. Een kwartiertje weg uit de werkomgeving. Daarna even zijn neus bij Administratie laten zien. Terwijl hij op de lift stond te wachten, dook de naam Miquel Medina in zijn geest op.

Als iemand ergens een gaatje kan vinden laat ik die vogel checken, nam Alfonso Silva zich voor. Met een hoofd dat door een overvloed aan theorieën uit elkaar dreigde te barsten, stapte hij de lift in.

15

Zondagavond tien uur op La Rambla. Javier Martel vroeg zich af waar ter wereld het op dit tijdstip nog zo druk kon zijn. Een provinciaalse veronderstelling, realiseerde hij zich aansluitend. En dat voor iemand uit Madrid, waarvan de bewoners overtuigd waren – hijzelf incluis – dat de stad het middelpunt van het universum was. Belachelijk en amusant tegelijk.

Tientallen steden bruisten op zondagavond van het leven. Plekken waarvan hij wel had gehoord, maar die hij uitsluitend in gedachten had bezocht. Hierin zou dus verandering komen. Van de nood een deugd maken, daar draaide het wel zo'n beetje om.

Hij nam een forse teug van het bier waarvoor de uitbater van het café de mensonterende prijs van acht euro rekende. Als consument voelde Martel zich ronduit genaaid, de ondernemer in hem kon de legale oplichting daarentegen hooglijk waarderen. La Rambla in het centrum van Barcelona was dé hotspot, *the place to be*. Wilde je daar deel van uitmaken, dan moest je je beurs trekken.

Martel genoot ervan om te denken als de kruising van een halflabiele toerist en een zelfingenomen betweter. Dit voelde aan als voorpret van de lange vakantie die in het verschiet lag. Gevoelsmatig was hij klaar. Natuurlijk, hij moest zijn kop erbij houden en geen fouten maken. Vooral geen stomme. Dit was echter een missie met een grote kans van slagen. Hij had in zijn leven één onwaarschijnlijke misrekening gemaakt, een gigantische misstap die hem bijna letterlijk zijn kop had gekost en voor deze kolossale blunder was leergeld betaald. Zo veel, dat hij gewoonweg geen fouten meer maakte. In elk geval niet op die schaal. Tering-Argentijnen, ging het door hem heen. Even snel als deze gedachte was opgekomen, transporteerde hij het stukje pijnlijke geschiedenis naar een denkbeeldige prullenbak. Weg ermee, een florissante toekomst lag in het verschiet.

Hij boerde met een tevreden gezicht een aanzienlijke hoeveelheid koolzuur op. Een vrouw van middelbare leeftijd die aan het tafeltje rechts van hem zat, keek ontstemd zijn richting uit. Martel lachte haar vriendelijk toe, waarna de dame stuurs haar gezicht wegdraaide om de conversatie met haar tafelgenoot weer op te pakken.

Aan het tafeltje schuin links van hem zaten twee mannen. Grote, stevige kerels met verweerde gezichten en dito handen. Ze droegen allebei vrijetijdskleding die ergens eind jaren tachtig aan verpieterde uitverkooprekken had gehangen. Doordat ze nogal luid spraken, kon Martel hun gesprek gemakkelijk volgen. Het enige obstakel was hun taalgebruik: boers met een noordelijk dialect. Hieruit concludeerde de geboren en getogen Madrileen dat hij met bergmensen te maken had. Oorspronkelijk volk dat zich in *no name*-gehuchten in de Pyreneeën ophield en daar agrarische dingen uitspookte waarover de stedelingen enkel in geschiedenisboekjes hadden gelezen. Eens in de zoveel jaren daalden zij af voor een bezoek aan de grote stad. Daar keken zij hun pummellogen uit en verlekkerden zich aan de enorme welvaart, de immense drukte, de charmante vrouwen en de levensechte hoeren.

'Die kamelenneukers hier schijnen er niet echt bang voor te wezen,' hoorde Martel de man brommen die het verst van hem vandaan zat. Hij zag het grote hoofd van de bergbewoner in de richting van een groepje jongeren van Arabische afkomst knikken. In gedachten noemde hij hem Boerenlul nummer één.

'Moet je eens kijken als iemand even een schieter trekt,' antwoordde zijn kompaan, die door Martel prompt tot Boerenlul nummer twee werd gedoopt. 'Dan hebben wij bijkans de hele straat voor ons eigen.'

Boerenlul nummer één scheen hier de humor wel van in te zien. 'Temet zou je het nog hopen. Dan bent het hier in ene bruutrustig.'

Zijn maat deed een lachwekkende poging om ernstig te kijken. Hierbij kweekte hij een gelaatsuitdrukking die deed vermoeden dat hij diep in psychische problemen verkeerde. 'Blijven er enkel wijven over,' concludeerde hij enige seconden later. 'En echte zwartjes.'

Boerenlul nummer één grijnsde ziekelijk. Een vergeelde ruïne werd getoond. Vanuit zijn linkerooghoek zag Martel de misselijkmakende resten van wat eens voor een gebit had moeten doorgaan. Direct draaide hij zijn hoofd een kwartslag naar rechts, waardoor de lelijke, noeste kop uit zijn blikveld verdween. Ik ben een onverbeterlijke crimineel die een boel narigheid heeft gezien, dacht Martel aansluitend, maar er zijn grenzen.

Het plaatje dat hij nu voor ogen kreeg, beviel hem stukken beter. Drie meiden van in de twintig met veel te korte rokjes paradeerden voorbij het terras. Hij wierp een onverholen geile blik op de schommelende achterwerken en floot zachtjes tussen zijn tanden. Naast hem gromde het tragische duo een aantal bestiale obsceniteiten. Zogenaamd onbewust van de belangstelling liep het drietal door.

Martel wist uit jarenlange ervaring dat het nu tijd was om op te staan. Hij begon zich te ergeren aan de twee randdebielen uit de bush-bush. Om escalatie te voorkomen, legde hij een briefje van tien euro neer en stond op. Beter, dacht hij. Jij wilt geen nacht in een politiecel doorbrengen vanwege het in elkaar rossen van een inteeltvariant van Knabbel en Babbel.

De drukte waarin hij zich mengde voelde aan als de thuiskomst in een onbekende woning. Het was heerlijk om volstrekt anoniem in een andere stad dan de zijne te lopen. Met de seconde werd hij meer ontspannen. Een prettige constatering, want dit was in feite een voorproefje van zijn nieuwe levenswijze. Een nieuwe kans voor een man die er al jaren van uitging dat zijn toekomst reeds ver achter hem lag.

'*Buenas noches,*' zei hij in een opwelling tegen een vrouw die hem rakelings passeerde. De vrouw deed precies wat hij verwachtte. Ze keek niet op of om.

De marktkramen in het midden van La Rambla lagen volgestouwd met allerhande spullen. De variëteit was duizelingwekkend. Van scheermesjes tot vegetarische kaviaar. Tussen de kraampjes door bewogen zich muzikanten uit bootvluchtelingenlanden die hun uiterste best deden een zakcentje te vergaren. Vlak tegen de stoeprand zaten de straatartiesten. Het gros van hen deed, verkleed als cowboy, indiaan of ridder, de standbeeldact. Pas op het moment dat een voorbijganger een geldstuk in het potje aan hun voeten deponeerde, kwam een uitgestoken hand schokkend tot leven. Hun geijkte manier van bedanken.

Wat Martel het meest opviel, was de gemiddelde leeftijd van de langstrekkende massa. Het waren niet de jongeren, maar de ouderen die hier de boventoon voerden. Bejaarden die met een uitgesproken zelfverzekerdheid langs de uitgestalde waren schuifelden alsof ze de rest van hun leven nooit iets anders hadden gedaan. Wat zomaar de waarheid kon zijn, dacht hij.

Door de toenemende drukte ontstond er filevorming. Het tempo werd gedrukt, waardoor er veel ongewild, hetzij licht, lichamelijk contact was. Als jongen van de wereld was Martel in dit soort omstandigheden direct op zijn hoede. Het walhalla voor zakkenrollers. Hij hield zijn handen vlak bij de plekken waar hij brutale vingervlugheid kon verwachten.

Het stalletje waartegen hij aangedrukt stond, glom van de kitscherigheid. Uit China gehaald machinaal borduurwerk en blinkende prullaria die schreeuwden om een langdurig importverbod. Om nog meer aandacht te genereren, had de standhouder een handvol spiegels achter zijn kraam geplaatst. Evenals het overgrote deel van het langslopende publiek, wierp ook Martel er een blik in.

Wat hij zag, beviel hem. De stoppelbaard die al jarenlang zijn handelsmerk was, had plaatsgemaakt voor een gladgeschoren gelaat. Zijn zwarte haar was door een gedegen kleurspoeling in lichtblond veranderd. Ook was hij de afgelopen weken zeven kilo kwijtgeraakt, waardoor hij er afgetraind uitzag. Ja, met een beetje verbeelding kon hij voor de oudere broer van Santiago Cañizares doorgaan, de extravagante doelman die voor een groot gedeelte de successen van Valencia op zijn conto mocht schrijven.

'Juan Grande,' lispelde hij zacht de naam die op zijn nieuwe paspoort stond. Een naam die hem tijdens het douchen zomaar te binnen was geschoten. Juan Grande, het klonk wel aardig. Een beetje neutraal zelfs. De naam van een man die dagelijks hard voor zijn brood moest werken. Martel grijnsde. Want werken was het laatste wat hij in de toekomst nog zou doen. Na deze klus kon hij het zich veroorloven om tot in lengte van dagen op zijn reet te zitten. Ergens in Zuid-Amerika, dat wel. Een onderdeel van de deal. Zodra de laatste klus erop zat, zou hij zich ergens ver weg van de 'bewoonde' wereld vestigen. Te zijner tijd kon hij zich bezondigen aan stedentripjes in andere continenten. De eerstkomende jaren zou dit echter uit den boze zijn.

Terwijl er weer wat schot in het bewegingsritme van de mensenmassa kwam, dacht Javier Martel aan de man die hem voor deze klus had geronseld. Een ex-militair, dat was het enige wat hij zo goed als zeker over hem kon zeggen. De rest interesseerde hem ook weinig tot niets. Het geld dat deze man op tafel legde, sprak voor zich. Het bedrag voor de eerste klus had hij reeds binnen. Evenals het voorschot voor de tweede. Al met al een aanzienlijke hoeveelheid poen, zelfs na aftrek van zijn onkosten.

Hoewel het nimmer een gespreksonderwerp was, had hij zichzelf logischerwijze vaak afgevraagd waarom de keuze op hem was gevallen. Inmiddels wist hij het antwoord hierop. Tenminste, hij dacht het te weten. Voordat de samenwerking met de Argentijnen op een catastrofe uitliep, was hij de kroonprins van crimineel Madrid geweest. Een man met een onwaarschijnlijke hoeveelheid contacten. Iemand die, zolang het maar tegen het rechtssysteem indruiste, overal voor kon zorgen.

De gevolgen van de branden en de daaropvolgende verloren verzekeringszaak waren crimineeltechnisch gezien desastreus. Doordat hij zo goed als bankroet was, verloor hij onmiddellijk zijn status van kroonprins. De regels die golden waren hard en bijzonder duidelijk. De teloorgang naar het middenklassegilde was dus onvermijdelijk. Hij bevond zich weer tussen de boeven die hun mouwen moesten opstropen om een redelijk salaris te verdienen. Het enige wat hem van zijn mede-kompanen onderscheidde, was de ervaring op hoger niveau en de daar-aan gekoppelde contacten.

Als de ronselaar inderdaad een ex-militair was, dan kon hij via de kana-len die hij ongetwijfeld in de loop van zijn carrière had opgebouwd de hand op deze informatie leggen. Daaruit had hij ongetwijfeld geconclu-deerd dat de voormalige kroonprins wellicht nog één keer wilde schitte-ren om daarna voorgoed de benen te nemen. Het sprak eveneens in zijn voordeel dat hij nog nooit van moord was verdacht. Bij zware mishande-ling hield het op. Maar iemand met verstand van zaken die zijn dossier las, zou direct tot de slotsom komen dat hij ook voor een goedbetaalde moord in de markt was. Als ik mijn eigen dossier had gelezen, dacht Martel, dan zou ik eveneens voor mezelf hebben gekozen. Hierna ver-scheen een sluw lachje rond zijn mondhoeken. De subtiele uiting van een man die het tot in detail had uitgedacht.

Martel liet zich meevoeren met de stroom. Recht voor hem liep een echtpaar. De vrouw had de onhebbelijke gewoonte om tijdens het lopen standaard met haar handen aan uitgestalde hebbedingetjes te zitten. Ze deed dit met een routine die levenslange ervaring verraadde. Door haar obsessieve gedrag zorgde ze ervoor dat haar man zich nooit aan haar zij-de bevond. Doordat zij veelvuldig heel even inhield, liep hij het grootste gedeelte van de avond zeker anderhalve meter voor haar uit. Vreemd genoeg lukte het niemand om tussen het echtpaar in te komen. Elke keer als iemand een poging waagde, schoven zij ineens als een menselijke harmonica naar elkaar toe en sloten hiermee de ontstane ruimte weer af. Zeker Turks bloed, grapte Martel in zichzelf. Hij bleef keurig achter het echtpaar lopen. Dit was een veilige positie waarin hij zijn gedachten de vrije loop kon laten gaan. Morgen is Barcelona dus aan de beurt, ging het door hem heen. Kijken of het er hier de komende dagen ook zo relaxed aan toe gaat. Naar aanleiding van de eerste moord waren de tele-visieschermen gevuld met actualiteitenprogramma's waarin over vrijwel niets anders werd gesproken. Een bonte stoet aan gasten trok aan de kij-ker voorbij. Politici, geestelijken, prominente kunstenaars en sporthel-den hadden allemaal hun woordje klaar. Ondanks de verschillen in uiterlijk, de manier van spreken en geloofsovertuiging, spreidden ze alle-maal dezelfde mening ten toon. Wat er in Granada had plaatsgevonden was afschuwelijk, wauwelden ze stuk voor stuk. Iedereen in Spanje en de wereld moest hier lering uit trekken. Dit mocht nooit meer gebeuren.

Daar moesten we met zijn allen voor zorgen.

'Het is onbelangrijk wat voor een kleur of geloof je hebt,' mompelde Martel binnensmonds. 'Alles draait om respect. Behandel een naaste zoals je zelf behandeld zou willen worden.'

Hij grijnsde vervaarlijk. Het was een grote show geweest die van a tot z was geregisseerd. De acteurs hadden er gedwee en belangeloos aan meegewerkt. Voor de goede lieve vrede, voor het landsbelang, dat soort benamingen lag gevoelig en deed het altijd goed. Een scenario dat met een achterliggende gedachte was geschreven. In Holland was het na de moord op die filmmaker bijna misgegaan. Allochtonen en autochtonen stonden vijandig tegenover elkaar. Een burgeroorlog leek in die tijd een serieuze optie. De Spaanse regering had dit aanstormende gevaar onderkend en maatregelen getroffen. In welke context hij het ontbrekende nieuws over de Tempeliersorde moest zien, wist Martel niet. Dat was puur speculatie. Wisten ze ervan, of had de geheime dienst ingegrepen voordat het nieuws hierover op straat lag? De woordspeling was goedkoop, hetgeen hem er niet van weerhield schaapachtig te glimlachen.

Het einde van de voormalige rivierbedding die La Rambla in feite was, naderde. In de verte stond het vijftig meter hoge standbeeld van Columbus die naar de Nieuwe Wereld wees. Martel zwaaide met zijn linkerhand, waarna een zwart-gele taxi direct op zijn remmen ging staan. Over kolossale fouten gesproken, dacht hij. Als je een denkbeeldige lijn trok in de richting waarin de rechterhand van Columbus wees, kwam je in Italië uit...

Hij opende het portier, ging op de achterbank zitten en gaf de naam van zijn hotel op. Tijdens de rit dacht hij aan de klus van morgen en de gigantische consequenties ervan. Ditmaal moesten de instanties met hun billen bloot. De relikwie zou door te veel mensen gezien worden. Van een doofpot kon na morgen geen sprake meer zijn.

Hij staarde wat voor zich uit en negeerde het gewauwel van de taxichauffeur. Neonlicht, morrend verkeer en schimmen van Gaudi's werk. Martel vond het allemaal wel best. Hij was ingehuurd om een paar klussen tot een goed einde te brengen. De gevolgen die daaruit voortvloeiden waren niet zijn pakkie-an. Zonder dat zijn opdrachtgever er expliciet over had gesproken, wist hij precies waar deze man op uit was. Ontwrichting van de maatschappij. Ellende onder de bevolking. Groeperingen die elkaar naar het leven stonden. Politieke instabiliteit. Het was glashelder. Spanje ging donkere tijden tegemoet en hij vond het prima. Wat hem betrof kon het hele zooitje de vliegende tering krijgen.

16

Hij genoot van de betrekkelijke stilte. Hoewel deze metropool nooit echt sliep, wilde het wel eens gebeuren dat Barcelona soesde. Halfzes 's morgens was een van die momenten. Het nachtleven kreeg behoefte aan slaap, terwijl de rest langzaam ontwaakte. In deze luwte was het goed toeven. De stem van de zee kwam eindelijk eens boven het gebral van het verkeer uit en de thermiek was de smog voor even de baas waardoor de lucht zomaar authentiek smaakte en rook.

Abderrahman Ben Mussa snoof de frisheid van de zee op. Het briesje dat langs zijn bebaarde wangen gleed, was matig. Ook de Middellandse Zee maakte zich op voor een nieuwe dag en wilde blijkbaar niet te hard van stapel lopen.

Hij stak La Rambla over en ontweek ternauwernood een plakkaat braaksel. De voormalige eigenaar ervan zat twee meter verderop op een bankje ziek, zwak en misselijk te zijn. Ben Mussa gunde de blonde toerist geen blik, laat staan een waardige. Hij verafschuwde dit soort proleten die geen enkele vorm van respect aan het leven zelf schonken. Ongelovige honden wier visie niet verder reikte dan het zo veel mogelijk consumeren van alcohol en drugs. De verkregen roes was hun religie. Het onbarmhartige geloof van de duivel.

De daaropvolgende minuten kruisten nog allerlei satanskinderen van verschillende pluimage zijn weg. De imam negeerde hen. Contact met het kwaad kon leiden tot besmetting. Een onvergeeflijke zonde voor een vrome en voorname geestelijke die puur was tot op het bot.

In de moskee waarschuwde hij Allahs volgelingen dagelijks voor de aardse verleidingen waarmee Satan probeerde hun ziel te ontnemen. Alcohol, drugs, vrouwen en geld waren de verfoeilijke hoofdbestanddelen waarop de westerse wereld was gestoeld. Materiële zaken, aangereikt door de duivel zelf, voor wie deze onstabiele fundamenten een voedzame bodem voor zijn verontreinigde zaad waren. Het westen werd hierdoor in recordtempo zwanger en baarde talrijke ongelovige nazaten.

Buiten de moskee was hij eveneens actief. Doordat de klauwen van het kwaad ver strekten, werd hij hiertoe min of meer gedwongen. Gesprekken met de ouders van jongeren die op het punt stonden om in de ban van ongelovigen te geraken, waren noodzakelijk. Urenlang citeerde hij tijdens deze gesprekken uit de koran. Na afloop waren de ouders hem dankbaar en verklaarden met de hand op hun hart dat ze hun kind weer op het ware pad zouden brengen. Goedschiks of op een andere manier. Hun toewijding aan de profeet Mohammed was nog nooit zo groot geweest als op die momenten.

De afgelopen dagen hadden in het teken van diepe rouw gestaan. De moord op Kamal Shoukri had voor een ware schokgolf in de Arabische gemeenschap gezorgd. Zijn mensen waren bang, ontsteld en agressief tegelijk. Hijzelf kende de imam uit Granada niet persoonlijk. Hij had van hem gehoord en wist dat Shoukri als een gematigde imam bekendstond. Iemand die te allen tijde vrede predikte.

Er verscheen een grimmige trek op het gelaat van Abderrahman Ben Mussa. Zijn lippen werden veredelde strepen en het aantal groeven in zijn verweerde gelaat leek ontelbaar. Een onverschrokken Berber wiens leven zich een groot gedeelte op de ruige vlakten van het Rifgebergte had afgespeeld. Een ruw bestaan, wars van luxe. Elke dag was een bezoeking die enkel door het onvoorwaardelijke geloof draaglijk werd.

Kamal Shoukri was een vreedzaam man geweest, dacht Ben Mussa. Hijzelf had een andere reputatie, althans, als je het gespuis van de Binnenlandse Veiligheidsdienst mocht geloven. Een paar dagen na de explosie op het Atocha-station bij Madrid stonden deze kwaadaardige sujetten voor de deur van zijn woning. Over de ware reden van hun bezoek waren ze vrij onduidelijk geweest. Wel hadden ze hem gemeld dat zijn naam op een lijstje van radicale imams stond, waardoor het voor hen een koud kunstje was om hem het land uit te laten zetten. Het woord 'staatsgevaarlijk' was meerdere malen gevallen.

'Gek dat jullie nu niet bij mij op de stoep staan,' gromde hij in zijn baard. 'Of ben ik ineens staatsgevaarlijk af?'

Doordat hij zijn bovenlip optrok, ontstond de grijns van een predator. Een oude, maar nog verre van versleten jager.

'Tuig.'

Hij rochelde en spoog het slijm op de grond. Een betere manier om duidelijk te maken hoe hij over hen dacht, was er niet. Aansluitend sloeg hij rechts af een steeg in die twee straten van zijn bestemming vandaan lag. Op zijn gemak liep hij naar de lantaarn aan het eind van de doorgang. Toen hij deze bereikte, stak Ben Mussa direct de brede straat over. Er was weinig verkeer, hooguit een paar taxi's die zich op bevel spoedden naar een van de hotels waarvan het hier wemelde.

Toen hij de contouren van de Mercat Broqueria zag, klaarde zijn gemoed op. De grootste markthal van Barcelona was een uitstekende gastheer die hij op gezette tijden met een bezoek vereerde. Op maandag-, woensdag- en vrijdagmorgen deed hij hier zijn inkopen. Voor dag en dauw als alle waren werden uitgestald. Een privilege waar hij jaren over had gedaan om het te verkrijgen. Uiteindelijk hadden twee Marokkaanse handelaren hem geïntroduceerd bij een tot moslim bekeerde gemeenteambtenaar die een pasje voor hem had uitgeschreven. Dit was zijn vrijbrief om in alle vroegte verse waren in te kopen.

Hij likte met het puntje van zijn tong over zijn lippen die schraal aanvoelden. Hierna keek hij ietwat schichtig om zich heen. Gedrag dat duidelijk aangaf dat hij zich stond te verlekkeren was ongepast. Helemaal wanneer dit in het openbaar gebeurde. Gelukkig bevond zich niemand in zijn directe omgeving, constateerde hij. Enkel een dronkaard die een meter of twintig voor hem tegen een winkelgevel zijn roes zat uit te slapen.

Het surplus aan kakelverse waren verscheen weer op zijn netvlies. Broodjes die warm en zacht aanvoelden, geurende specerijen, nog naspartelende vis, prachtige stukken vlees en mierzoet snoep waar Arabische kinderen zo dol op waren. Hij versnelde onbewust. Ook bij hem toonde het vlees bij tijd en wijle zwakheden.

Zijn rechteroog nam waar dat de dronkaard bewoog. Het waren de trage bewegingen van iemand die op de scheidslijn van twee werelden vertoefde. Dronken van de slaap of gewoonweg bezopen vanwege een opzettelijk gebrek hieraan.

Ben Mussa verlegde zijn koers enigszins naar links. Het laatste wat hij nu wilde, was voeling met deze onreine ongelovige. Zelfs geen oogcontact. Door deze starre gedachtegang dwong hij zichzelf recht vooruit te kijken. Alsof de straat een tunnel was waarvan alleen het einde telde; aan de zijkanten lagen uitwerpselen, afval en doodgereden dieren. De moeite niet waard om er een blik op te werpen.

Met de explosiviteit van een sprinter kwam de dronkaard omhoog. Volledig verrast door deze onverwachte actie, stond Ben Mussa als aan de grond genageld. In de tunnel die hij voor zichzelf had gecreëerd kwam nu een zwarte locomotief op volle snelheid op hem af. Het was onmogelijk het onding te ontwijken. Het laatste wat hij opmerkte, was de kleur van de kleding en de bivakmuts van de dronkaard.

Zo zwart als de nacht.

Daarna zakte hij door zijn knieën en sloeg achterover. De angel van de engel des doods stond rechtop in zijn borst. Aan het gevest ervan bungelde een relikwie.

17

Toen hij de voordeur van zijn appartement opende, wist Alfonso Silva dat er van slapen voorlopig niets zou komen. De televisie stond aan. Het geluid ervan klonk in de gang als het zachte gemor van volslagen onbekenden. Grace was dus wakker. Zij viel nooit voor de televisie in slaap. Volgens haar was dit exclusief voorbehouden aan mannen. Bij voorkeur na een maaltijd, terwijl de vrouw afruimde of de vaatwasser vulde.

Silva kende haar klassiekers.

Hij wierp een snelle blik op zijn horloge en constateerde dat de dinsdag reeds anderhalf uur oud was. Wat een rottijd om van je werk te komen, ging het door hem heen. Hij stapte de woonkamer binnen en wist er een grijns uit te persen. Weliswaar een vermoeide, maar alle kleine beetjes hielpen. Op dit tijdstip zat zijn vrouw ongetwijfeld niet op een chagrijnig porem te wachten.

'Dag schat,' zei hij gemaakt monter. 'Beetje leuke avond gehad?'

Grace keek hem met een schuin oog aan.

'Ik heb me rot gelachen. Vooral om het onderwerp dat in elke talkshow centraal stond.'

Het cynisme droop van elke lettergreep af.

'En wat wisten onze tv-experts allemaal te vertellen?' vroeg Silva vermoeid.

'Dat de Tempeliers de eerste Europese bankiers waren, de uitvinders van de cheque. Slimme zakenjongens die op verschillende plekken flink cash hadden liggen. De vermogende reiziger ontving bij zijn vertrek een waardepapier dat hij op zijn eindbestemming kon omruilen voor baar geld. Voor die tijd een geniaal plan. Nooit meer gesleep met muntstukken, wat de kans op een overval of erger stevig verminderde.'

Ze stak haar rechterwijsvinger op een schoolmeesterachtige manier in de lucht. 'Daar stond natuurlijk wel een pittige commissie tegenover. En ik maar denken dat ze in die tijd enkel zopen als Tempeliers.'

Silva lachte droog. Dit was dus typisch Grace, dacht hij. Vaak een grote mond, maar in evenzoveel gevallen een klein hartje. Tenslotte had ze hier wel de hele avond op hem zitten wachten. Ze wist donders goed dat

Nueve zich in zwaar weer bevond, wat inhield dat het water de kapitein aan zijn lippen stond. Vandaar haar luchtige benadering en nonchalante houding. Hij kuste zijn vrouw op haar mond en pakte haar glas dat op een bijzettafeltje stond.

'Jij nog een wijntje?'

'Doe maar. Nadat ik over die ellende in Barcelona hoorde, heb ik een fles whisky gekocht. Het leek me dat je wel behoefte aan een borrel zou hebben.'

'Whisky? Daar zou ik inderdaad momenteel een moord voor doen.'

Hij liep naar de keuken en schonk Graces glas tot aan de rand toe vol. Zelf nam hij drie vingers van het hoogwaardige Schotse product. Geen ijs. Het daarmee gepaard gaande protocol was goed te doen om, pak 'm beet, tien uur 's avonds. Nu was elke beweging er één te veel.

'Wat een woordkeuze,' sprak Grace op een licht afkeurende toon. 'Dat noemen ze toch beroepsdeformatie?'

Silva trok zijn linkermondhoek op. Een flauwe reactie op een rasechte inkopper. Hij liet zich in de fauteuil vallen die naast de bank stond. Terwijl hij dit deed, blies hij luidruchtig zijn longen voor een groot gedeelte leeg.

'Jezus, Grace. Wat een martelgang.'

Grace knikte begripvol. 'Dat kan ik me goed voorstellen.'

Ze strekte haar linkerhand en pakte het glas wijn. Twee slokken later kneep ze haar oogleden toe. Alsof ze een flashback had en deze voor de volle honderd procent tot zich wilde nemen. 'Nu je er toch over begint... Jezus werd er vanavond vaak bij gehaald. Een soort van imaginaire edelfigurant. Die Tempeliers waren nogal vrome kerels die in naam van het geloof behoorlijk om zich heen hebben lopen hakken.'

Silva stelde zijn reactie uit. Hij genoot van zijn eerste slok. Deze was altijd de heftigste, wist hij uit jarenlange ervaring. Het scherpe aroma dat maar langzaam aan kracht inboette en de onmiskenbare smaak van het vat waarmee een substantieel deel van het procédé werd blootgelegd. Hoewel hij al jaren geleden gestopt was met roken, hoorde bij die eerste slok de verstikkende walm van een sigaret. Of liever gezegd, vlak erna.

'Was het zo erg?' wilde hij weten. Vandaag had hij slechts vanuit zijn ooghoeken wat beelden opgevangen. Bij Administratie, waar altijd een handvol televisies aanstond. Verschillende kanalen, enkel om te kijken wat de actualiteitenrubrieken voor onderwerpen brachten. Vrije nieuwsgaring. Bij Nueve wisten ze wel beter.

'Niet zo erg als het belachelijke gegeven dat jij honderd kilometer bij mij vandaan zit,' antwoordde Grace stoïcijns. Aansluitend trok ze een verongelijkt gezicht.

'Sorry,' stamelde Silva. Hij kwam omhoog en had het gevoel zojuist door een stoomwals te zijn overreden. Eentje met extra brede wielen. Na twee moeizame stappen plofte hij naast zijn vrouw op de bank neer. 'Je bent gek dat je zo laat bent opgebleven. Maar... eh... het is wel zo prettig thuiskomen.'

Grace haalde haar schouders op. 'Nadat ik Carmen morgen naar school heb gebracht, duik ik er gewoon nog een paar uurtjes in,' zei ze alsof het de normaalste zaak van de wereld betrof. 'Dat is het grote voordeel van internet. Je bepaalt je eigen tijden.'

'Ichtyoloog bij de universiteit van Madrid is een luizenbaan,' constateerde Silva.

Aansluitend gaf hij haar een knipoog.

Demonstratief sloeg Grace haar armen over elkaar. Met haar groene ogen schonk ze hem een blik waarin emoties rondzwommen. Welke dat waren, wist ze perfect te camoufleren. Dat mocht Silva uitvissen.

'Hoe is het vandaag met Carmen gegaan?' wilde Silva weten. Hij was nog niet toe aan flirten of iets wat daarvoor kon doorgaan. Zijn hersens waren een brij van onsamenhangende gedachten waarin elke cel zijn eigen leven leidde. Hij wilde het nu over zijn dochter en zijn vrouw hebben. Hoe hun dag eruit had gezien. Het betere huis-, tuin- en keukenwerk. Dingen waaraan hijzelf veel te weinig toekwam.

'Naar school, huiswerk maken en daarna wat televisiekijken. Het dagelijkse programma.'

Ze nam een slok van haar wijn en trok een tevreden gezicht. Of dit met de wijn of de voorbije dag te maken had, was Silva onduidelijk. 'Pas nadat zij in bed lag, heb ik me op de actualiteitenrubrieken gestort. Daarvoor waren het enkel tekenfilms en talentenjachtellende.'

Silva knikte begrijpend. Ze hadden na ellenlange discussies besloten om hun dochter beschermd op te voeden. Dit hield niet in dat ze Carmen wereldvreemd wilden houden, integendeel. Ze betrokken hun dochter regelmatig bij gesprekken waarin het milieu, omgangsnormen, school of sport de thema's waren. Op hun manier probeerden ze Carmen dan dingen bij te brengen.

'En daarna begon de pret,' zei ze met een glimlach die met haar oogopslag contrasteerde. 'Via internet en de radio wist ik natuurlijk allang wat er zich inmiddels afspeelde. Die programma's waren eigenlijk een soort van vervolg.'

'Heeft die kleine er nog iets van meegekregen? Vanuit school, bedoel ik.'

'Niet dat ik weet. Ze heeft het in elk geval nergens over gehad. Het was weer als vanouds Jaime voor en Jaime na.'

Silva's mondhoeken schoten een fractie omhoog. Zijn gezichtsuitdrukking correspondeerde volledig met de blik in zijn ogen. 'Ze heeft het behoorlijk van dat ventje te pakken, nietwaar?'

'Hou op, schei uit,' zuchtte Grace. 'Jaime is de bink van de klas. Alle zesjarige meiden schijnen als een blok voor hem te vallen.'

Silva lachte hardop. Gelijktijdig vroeg hij zich af wanneer hij dat voor het laatst had gedaan. Hij wist het niet. In elk geval veel te lang geleden. Dat wist hij wel.

Hij dronk zijn glas leeg en stond op. 'Een beetje opschieten, joh. Je weet waar een dronken vrouw in een engel verandert.'

Grace grijnsde en zette het glas aan haar lippen. Drie slokken later strekte zij haar rechterarm. 'Alsjeblieft, vunzig mannetje. Gooi dat glas maar vol. Daar slaap ik lekker op.'

'Ik maak het je te gemakkelijk.'

'Inderdaad, verbaal ben je een leeg doel waarin het makkelijk scoren is.'

Terwijl hij naar de keuken liep, klikte Silva een paar maal met zijn tong. 'Een mooie vrouw die ook nog eens sjoege van voetbal heeft. Ik ben diep onder de indruk.' Hij pakte de fles rode wijn en schonk het glas van Grace vol. 'Ik dien me dan ook te realiseren dat ik met de natte droom van iedere man getrouwd ben.'

'Als je dat maar weet,' klonk het licht triomfantelijk vanuit de woonkamer.

Toen hij met de volle glazen naar haar toe liep, zag Silva dat het speelse uit de blik van zijn vrouw was verdwenen. Hij wist wat er nu ging komen en begreep het volkomen. Dat Grace zich zo lang had weten in te houden, vond hij knap. Dit bevestigde eens te meer wat een mazzelaar hij was dat zij ooit zijn pad had gekruist.

'Ze hebben ook al een bijnaam voor de moordenaar verzonnen,' zei Grace kalm. 'De Tempelridder.'

Silva grijnsde vals.

'Hoe origineel. Wie heeft dat verzonnen? Jaime de kleine meisjesversierder soms?' Hij schudde zijn hoofd over zoveel onbenulligheid. 'Wellicht toen ma-lief zijn poepbillen stond af te vegen.'

'Doe eens rustig aan, Alfonso.'

Hij maakte een afwerend gebaar.

'Sorry.'

De daaropvolgende twee minuten verliepen in betrekkelijke stilte. Enkel vanuit de achtergrond drong het gewauwel van een homeshoppingprogramma door. In zijn ooghoek zag hij een absurd drukke presentator die het thuispubliek ten koste van alles wilde overtuigen van het nut van zijn fitnessproducten. Als er nu werd besteld, kon men rekenen op extreem hoge kortingen, meldde hij tot vervelens toe.

Met 'Toch zou ik liegen als ik zou zeggen dat ik me uitsluitend heb zitten ergeren,' doorsneed Grace de beloftes van de presentator. 'Ik heb eigenlijk nooit veel geweten over de Tempeliers of dergelijke organisaties. Onze geschiedenisles beperkte zich over het algemeen tot Engeland en Holland. Daar kwamen tenslotte onze voorvaderen vandaan.'

De raderen in zijn hoofd begonnen weer te draaien. De ommegang die tot dusver tot niets had geleid, kwam op gang. Vannacht, als hij helemaal alleen met zijn gedachten was, zouden er momenten zijn dat hij ze als het voorportaal van de teloorgang bestempelde, wist Silva. Hij kon het woord 'Tempeliers' niet meer horen.

'Tot voor kort wist ik er eveneens weinig over, moet ik bekennen,' antwoordde hij vlak. 'En zoals ik er nu over denk, waren dat gouden tijden.'

Een cynische ondertoon ontbrak, wat zijn gezichtsuitdrukking toevoegde was voldoende.

'Op mij komt het allemaal een beetje belachelijk over,' stelde Grace. 'Ik weet natuurlijk niet wat jij weet, maar volgens mij worden die Tempeliers bewust in een kwaad daglicht geplaatst.'

Hierna keek ze Silva vragend aan.

'Ik weet net zoveel als jij,' antwoordde deze. 'Ook wij staan voor een compleet raadsel.'

'Ah, gaan we zo beginnen. Nou, dan drink ik in alle rust mijn wijntje op en zeg verder niets meer. Prima, wat jij wilt.'

Alfonso Silva keek zijn vrouw doordringend aan. Ze had zojuist een heikel punt in hun relatie aangesneden. Waar het zijn werk betrof, bestond er namelijk een onzichtbare lijn in hun huwelijk. Het was een ongeschreven wet dat zij die grens probeerde te mijden. Een lastige opgave, omdat man en vrouw vaak met elkaar over hun bezigheden spraken. Hun dochter Carmen wist niet beter of haar vader werkte op een kantoor voor de regering, hetgeen nauwelijks een leugen te noemen was. Hoogstens een iets andere voorstelling van zaken.

Logischerwijs was Grace volledig op de hoogte van zijn werkzaamheden. De tijd dat moeder de vrouw een pakje brood aan haar kantoorklerk meegaf die in werkelijkheid spioneerde voor de overheid, was over. Natuurlijk hingen de medewerkers van Nueve hun beroep niet aan de grote klok. Tegenover hun partners was er daarentegen wel een groot stuk openheid. Op deze manier was er onderling begrip en bleven de huwelijken goed. Verbintenissen die overigens pas gesloten werden nadat iemand al lid van Nueve was. Het selectiebeleid van de elite-eenheid was daar vroeger duidelijk over geweest. Er werden enkel vrijgezellen aangenomen. Pas anderhalf jaar geleden had Silva hier met veel pijn en moeite verandering in kunnen laten aanbrengen. Ongezien zijn of haar burgerlijke staat, kreeg vanaf dat moment iedere geschikte kandidaat een kans.

'Ik meen wat ik zeg, Grace,' sprak hij op rustige toon. Hij was een beetje geïrriteerd over de defensieve houding die Grace zich had aangemeten. Haar jarenlange ervaring had haar moeten vertellen dat ze met haar vragen de grens van het toelaatbare nog lang niet had bereikt. Maar hij had ook met haar te doen. Ze was doodop en hield zich enkel groot omdat ze wist dat haar man een heel lastige periode op zijn werk doormaakte.

Hij legde voorzichtig zijn linkerhand op haar rechterbovenbeen. Zijn donkere ogen weerstonden het front aan kleine verwijtjes die de verongelijkte blik hem toezond. 'Wij zitten volledig met onze handen in het haar. Ik kan me niet herinneren ooit een zaak met zo weinig aanknopingspunten te hebben gehad. Vanwege het belang ervan, werkt Administratie met dubbele bezetting. Aangezien wij hiervoor zelf de mankracht ontberen, heb ik honderden mensen van CESID de weg op gestuurd. Zij trekken allerlei namen en adressen na die hun door Administratie zijn aangereikt. Dit zijn overigens geen verdachten, maar mensen die op de een of andere manier iets met de Tempeliers van doen hebben. Gewoon probeersels die voortkomen uit wanhoop.'

Grace keek hem vol verbazing aan. 'Dus een van de meest gerespecteerde veiligheidsdiensten ter wereld weet evenveel als pakweg de bakker op de hoek van de straat?!'

Silva nam een slok van zijn whisky. Daarna trok hij een zuinig gezicht. 'Niet helemaal. Ik kan je bijvoorbeeld vertellen dat de Tempeliersorde omstreeks januari 1119 in Jeruzalem werd opgericht door Hugo van Payns en Godfried van Sint-Amcars. In de Middeleeuwen begon de jaartelling met Pasen, dus in hun beleving was het nog 1118. De leden ervan legden hun geloften van kuisheid, gehoorzaamheid en armoede af.'

Hij haalde diep adem en ging direct verder met het oplepelen van informatie die de leden van Administratie rechtstreeks van internet hadden geplukt. 'De Tempeliers waren verdeeld in vier klassen: ridders, kapelaans, voetknechten, ook wel wapendragende broeders genoemd, en broeders van de huishoudelijke dienst. De ridders vormden de hoogste klasse. De ongetrouwden onder hen droegen het karakteristieke witte gewaad. Dit was een uiting van hun kuisheid. De overige leden droegen bruine of zwarte gewaden.'

Grace luisterde geboeid. 'Als je ooit bij Nueve weggaat, kun je altijd nog geschiedenis gaan doceren,' sprak ze met een serieuze gezichtsuitdrukking. Silva negeerde haar opmerking. Ze had hem op een speelse manier uitgedaagd, dus liet hij zich niet kennen en speelde hij het spelletje zo serieus mogelijk mee.

'De Orde der Tempeliers werd in 1128 tijdens het Concilie van Troyes erkend. Hieraan ontleenden zij hun officiële naam: *Pauperes Commilitones Christi Templique Salomonica*. Het huidige *troy ounce* is trouwens afgeleid van de standaardgewichten die op de markten van het Tempeliersbolwerk Troyes gevoerd werden. Interessant is ook dat na de arrestatie van Grootmeester Jacques de Molay en tweeduizend andere Tempeliers op vrijdag 13 oktober 1307, vrijdag de dertiende als een ongeluksdag te boek staat.'

Een voorzichtige grijns volgde. 'Ik durf er een maandsalaris onder te verwedden dat de bakker op de hoek deze feiten niet uit zijn blote hoofd kan oplepelen. Die kan jou hoogstens vertellen over de Heilige Graal en de schatten van de Orde die nog steeds ergens verborgen schijnen te liggen. Dit verhaal zou overigens best eens kunnen kloppen. Aangezien de Tempeliers de gelofte van armoede hadden afgelegd, vervielen al hun bezittingen automatisch aan de Orde.'

Grace knikte. 'Ik was ervan overtuigd dat je een geintje maakte toen je stelde dat jullie weinig aanknopingspunten hadden. Jammer genoeg zat ik er volledig naast.' De beknopte historische opsomming van haar man impliceerde tevens zijn onmacht, wist ze.

Silva haalde zijn schouders op. 'Ik chargeerde een beetje, maar ruwweg klopte het zo ongeveer wel. In dit geval schieten we met historische weetjes vrij weinig op.'

'En van die relikwie zijn jullie ook niets wijzer geworden, neem ik aan?'

'Degene die in Granada werd gevonden was brandschoon, om het maar even populair te zeggen. Morgenochtend krijg ik eventuele details te horen over het lapje stof dat op het lijk van de imam in Barcelona lag. Daar verwacht ik overigens weinig tot niets van. Dit geldt ook voor eventuele getuigen. Een paar mensen, onder wie twee taxichauffeurs, hebben iemand in zwarte kleding weg zien rennen. Dat is eigenlijk alles wat we weten. Op de een of andere manier heeft de moordenaar kans gezien om zomaar in hartje Barcelona te verdwijnen. Een professional dus, dat kan bijna niet anders.'

'Ik neem aan dat jullie van een bepaalde theorie uitgaan. Liggen de Tempeliers dan niet erg voor de hand? Ik bedoel, het is duidelijk dat er onrust onder de bevolking wordt gezaaid. Wat wil die zogenaamde Tempelridder hier nu mee bereiken?'

Ze schudde met haar hoofd om haar stelling blijkbaar van meer cachet te voorzien. 'Het lijkt mij typisch een geval van een zondebok zoeken. Een vooropgezet plan om de Tempeliersorde in een kwaad daglicht te plaatsen. Helemaal als jij zeker weet dat het hier om een beroepsmoordenaar gaat.'

'Dat is heel goed mogelijk,' reageerde Silva. 'Toch kun je eenvoudigweg je ogen niet sluiten voor de keiharde feiten die op tafel liggen.' Met de vingers van zijn linkerhand telde hij af. 'Op beide lijken is het symbool van de Tempeliersorde gevonden. De slachtoffers waren moslims, van oudsher vijanden van de Orde. De eerste aanslag was op vrijdag 13 oktober, een historische datum vanuit het oogpunt van de Tempeliers. Ik stel het bewust op deze manier, want in Spanje staat eigenlijk dinsdag de dertiende als ongeluksdatum te boek. Dit is dus een expliciete verwijzing naar de Tempeliersorde.'

Hij ademde stevig in om zijn laatste punt van brandstof te voorzien. 'Ten slotte, de maatschappelijke situatie. De laatste jaren is er veel wrevel ontstaan tussen autochtonen en allochtonen, en nu druk ik mezelf heel voorzichtig uit. Ineens zijn daar twee aanslagen op vooraanstaande vertegenwoordigers van de islamitische cultuur. Executies, uitgevoerd met de precisie van een Zwitsers uurwerk. De omgekeerde wereld dus. Geen bloederige taferelen door exploderende bommen, maar kille, persoonsgerichte aanslagen met een achterliggende gedachte die iedereen kan invullen.'

Grace schudde nog heftiger met haar hoofd. Hierdoor morste ze enkele druppels wijn op haar broek. 'Onzin, Alfonso. Je gaat veel te kort door de bocht. Niets is zo simpel als het lijkt.'

'Luister nu heel goed naar wat ik ga zeggen, Grace,' klonk het opvallend dwingend. 'Dit is het enige concrete dat we hebben. Mocht jij over aanvullende informatie beschikken... graag.'

De vijf hele seconden die daarop volgden, leken een veelvoud ervan te duren. Twee mensen die van elkaar hielden, zaten zwijgend op de bank en dachten gezamenlijk dat het leven zo veel eenvoudiger zou zijn als een van beiden simpelweg een andere job had.

'Mijn fout, ik ging op jouw stoel zitten.'

'Wat je heel aardig deed. Jij kon ook niet weten dat je met een half overspannen idioot te maken kreeg.'

Dit was het moment waarop ze met haar hand op tafel zou kunnen slaan, wist Grace. Hem er nogmaals van proberen te doordringen dat zijn baan een crime voor hun gezinsleven was. En dat als hij zonodig wilde doorgaan er een psychiater aan te pas moest komen. Nu waren het nog zweetaanvallen, misschien overmorgen wel een hartaanval of beroerte. In een fractie van een seconde ging dit door haar heen. En daar bleef het bij. Wat haar betrof was het niet eens een optie. Niet vannacht. 'Laat ik nou verliefd op die idioot zijn.' Ze pakte zijn hand stevig vast. 'Hoe groot is de druk?' was een vraag waarvan ze al bij voorbaat wist dat die eigenlijk helemaal nergens op sloeg. Natuurlijk was de druk op haar man groot. 'Gigantisch' was waarschijnlijk waarheidsgetrouwer. Toch stelde ze hem. Ze had gewoonweg het gevoel dat hierdoor de onderhuidse spanning hier en nu zou afnemen.

'Vreemd genoeg valt het wel mee. Natuurlijk loopt Grimon als een zwaar ADHD-geval in en uit. Hij slaakt zijn gebruikelijke terminologieën en is weer verdwenen.'

Grace lachte hardop. Zij kende Roberto Grimon zijdelings. Had hem een keertje op een van de zeldzame feestjes van het ministerie van Binnenlandse Zaken ontmoet. In de gemoedelijke sfeer die er toen heerste, viel hij op door zijn nerveuze gedrag.

'Ik vind het een aardige man. Hij komt een tikje zenuwachtig over, maar ja, niemand is perfect.'

'Roberto is best een geschikte kerel,' beaamde Silva. 'Wij werken al jarenlang samen en ik heb nog nooit een nare ervaring met hem gehad. Logischerwijs zijn er zo nu en dan botsingen, maar dat gebeurt in elk bedrijf, toch?'

'Behalve aan de universiteit van Madrid,' zei Grace met een schalkse uitdrukking op haar gezicht. 'Daar is het altijd pais en vree.'

Met een ferme teug sloeg hij de whisky naar binnen en zette het glas weer op tafel. Zijn linkerhand gleed door naar de bovenkant van haar dijen.

'Ik vraag me wel eens af wat er allemaal op die universiteit gebeurt.'

'Niets wat het daglicht niet kan verdragen.' Haar stem klonk nu hees, uitdagend. De seksuele lading die al een tijdje in de lucht hing, begon tastbaar te worden.

'Als jij het zegt...' Zijn hand verdween onder haar shirt.

'Laat me schaduwen. Overtuig jezelf.'

18

Alfonso Silva stapte zijn kantoor binnen. Zijn bureau zag er precies zo uit als hij het de nacht ervoor had achtergelaten. De teleurstelling voelde aan als een korte steek in zijn binnenste. De wond herstelde zich echter razendsnel, waardoor er niet meer dan het zoveelste stukje littekenweefsel op de ziel van de inlichtingenman pur sang achterbleef.
De doorbraak waarop hij had gehoopt, was uitgebleven. De ongeschreven wet dat tijdens zijn afwezigheid zijn kantoor niet door anderen werd betreden, was vannacht letterlijk van kracht geweest. Er lag geen nieuw dossier op zijn bureau. Zelfs geen kattebelletje met daarop een haastig gekrabbelde aantekening. De hinderlijke leegte gaf automatisch aan dat Administratie vannacht geen aansprekend succes had geboekt. Was dit wel het geval geweest, dan had het tastbare resultaat van hun inspanningen op zijn bureau gelegen. Ook dat was een ongeschreven wet.
Hij vloekte binnensmonds en nam plaats achter zijn bureau. Voordat zijn hersens de switch naar de dagelijkse kantoorbeslommeringen konden maken, werd er op de deur geklopt. Staccato, twee keer. Alsof de boodschapper popelde om binnen te komen.
'*Buenas dias, jefe,*' sprak Alberto Magno gehaast. Hij had niet op een knorrig woord van toestemming gewacht en had direct na de twee klopjes de deur geopend.
'*Buenas dias*, Alberto. *Que paso?*'
Het viel Silva meteen op dat de medewerker van Administratie energiek uit zijn ogen keek. Dat was knap, aangezien hij er een slopende nachtdienst op had zitten. Alberto Magno was de chef van de nachtploeg en een ambitieuze vent. In zijn rechterhand hield hij twee dossiers. Het bovenste legde hij op Silva's bureau.
'We hebben beet, *jefe,*' sprak hij met ingehouden geestdrift. Het was overduidelijk dat hij de ongeschreven wet aan zijn laars had gelapt om zodoende als persoonlijk boodschapper te kunnen fungeren. 'Een vingerafdruk op de Tempeliersrelikwie van gisteren.'
Een tinteling die sensationeel aanvoelde gierde door Silva's lichaam. Hij pakte het dossier en sloeg het open.

'Als dit een geintje is, dan wordt het assisteren van ambtenaren bij een snelheidscontrole verreweg de leukste bezigheid in jouw verdere carrière.' Zijn ogen vlogen over het papier. 'Dat begrijp je toch wel, hè Alberto?' sprak hij op afwezige toon.

De zogenaamd dreigende taal leek niet eens tot Magno door te dringen. Hij was opgewonden als een schooljochie dat op het punt stond zijn juffrouw te vertellen dat hij de dag ervoor van zijn vader een heus konijntje had gekregen. Geen knuffel, maar een springlevende.

'De vingerafdruk behoort toe aan Javier Martel,' zei Magno. Hoewel hij blaakte van enthousiasme, formuleerde hij formeel en deed dit op bijpassende toon. 'Om precies te zijn gaat het hier om een afdruk van zijn rechterwijsvinger.'

Silva las wat Magno zei, maar hield zijn mond. Er was hard gewerkt door de mensen van Administratie. Dit was ook hun succes.

'Javier Martel is na een avondduik op 4 september in Javea door de duikinstructeur aldaar als vermist opgegeven. Die rapportage is achter in het dossier bijgevoegd.'

De korte knik van zijn chef interpreteerde Magno als een teken dat hij moest doorgaan met het melden van wetenswaardigheden. 'Javier Martel is een notoire crimineel. Geboren en getogen in Madrid. We hebben zijn dossier opgevraagd, ook dit is toegevoegd.'

Terwijl hij bleef lezen, hief Silva zijn rechterhand. Het moest een stopteken voorstellen en ditmaal schatte Magno het gebaar op de juiste waarde in.

'Wanneer is het binnengekomen?'

'Vannacht om tien over drie.'

'Via de recherche van Barcelona?'

'Ja, *jefe*. Ze hadden het lab opdracht gegeven over te werken. De kosten zijn door hen betaald.'

'Dat pakken wij over. Die gasten hebben nauwelijks een budget om een fatsoenlijk korps draaiende te houden. Regel dat straks met iemand van de boekhouding, wil je?'

Wat Silva betrof was het onderhoud afgelopen. Zijn mensen hadden uitstekend werk verricht nadat de informatie was binnengekomen. Het dossier en de toevoegingen zagen er nauwgezet en helder uit. Nu was het zijn beurt om in actie te komen. Eerst zou hij het dossier zorgvuldig doorlezen, waarna het hoofd van de recherche in Barcelona hoogstwaarschijnlijk zijn eerste gesprekspartner zou worden.

'Puik werk, Alberto. Eindelijk hebben we iets om mee te werken. Feliciteer de groep van me.' Hierna maakte hij een hoofdbeweging waarmee hij wilde zeggen: 'Nu moet ik door.' Magno zag het, begreep het, maar bleef toch staan. Na een lichte aarzeling legde hij het tweede dossier dat hij gedurende de afgelopen minuten half achter zijn rug had gehouden op Silva's bureau.

'Ik... eh... u vroeg laatst of wij die politicus Medina wilden checken.' Hij glimlachte verlegen, als iemand die iets had geflikt wat eigenlijk niet door de beugel kon maar er toch om kon lachen. 'Alleen als we een gaatje konden vinden, zei u nogal nadrukkelijk.'

De nagels van Silva's linkerhand roffelden een neurotisch deuntje op het bureaublad. 'Ik kan me goed voorstellen dat jullie overactieve mannetjes denken dat ik het stadium van dementie allang heb bereikt. Gelukkig zijn er goede medicijnen verkrijgbaar en weet ik dus nog precies wat ik jullie heb gevraagd.'

'Sorry, *jefe*,' stamelde Magno. 'Zo bedoelde ik het echt niet, hoor.'

'Ik ook niet.'

Aansluitend bladerde hij door het dossier. Tien seconden later schoot zijn rechterwenkbrauw omhoog. Voor de chef van Nueve een onalledaags gebaar. Magno zag het en besloot daarom zijn kans te wagen. Hij sprak snel en articuleerde duidelijk.

'Wij zijn de computer van de bank binnengedrongen waar Medina's partij een rekening heeft lopen.' Hij grijnsde nu opzichtig. Hoewel Administratie onder Nueve viel, wilden de leden van de buitendienst nog wel eens lacherig doen over de 'pacifistische tak' van de inlichtingendienst. Daar werkten de watjes.

Conform de regels diende hij Magno en zijn collega's te berispen, wist Silva. Inbraak in een bankcomputer was een misdrijf. Zijn ervaring leerde hem daarentegen dat in zijn beroep flexibel met de wetgeving moest worden omgesprongen. Wat inhield dat hijzelf hoofdzakelijk de grens bepaalde. Anders konden ze de tent wel sluiten.

'Er staan 923 verschillende banknummers vermeld. Allemaal van personen, bedrijven of instellingen die een donatie aan Medina's partij TU hebben gedaan. Op zich weinig spraakmakend. De grote partijen hebben tienduizenden private gelddonoren.'

Lijsten met rekeningnummers trokken aan Silva's blik voorbij. Rode strepen zorgden voor wat fleur in de saaie brij. Administratie was op iets merkwaardigs gestuit, concludeerde hij in stilte. En Magno wilde niets liever dan het aan hem uitleggen.

'Vanaf 668 nummerrekeningen is een eenmalige bijdrage gestort. Bij 20 andere was dit meerdere malen het geval, variërend van twee tot acht maal. Geen schrikbarende bedragen. Van 25 tot 250 euro. Waarschijnlijk giften van politieke medestanders.'

Silva knikte beheerst. Dit was Magno's *minute of fame* en daar hoorde een degelijke inleiding bij. Het echte spektakel zou aanstonds volgen. Hij had het aan zekerheid grenzende vermoeden dat de kleur rood er een hoofdrol in vertolkte.

'Blijven er nog 235 rekeningnummers over,' ging Magno monter verder. 'Deze zijn door ons met rood aangestreept. Dit zijn de repeterende nummers.'

Magno keek als een man die een groot geheim met zich meetorste en op het punt stond dit te onthullen. Als een rechtschapen officier die bij zijn meerdere op rapport komt, rechtte hij zijn rug en vulde zijn longen. 'De bedragen die door deze rekeninghouders op de bankrekening van Medina werden gestort, verschilden weinig met die van de eenmalige giften: 50, 100 en 150 euro, dat werk. Het draait bij deze nummers echter om een frequentie die absurd is te noemen.'

'Waar praten we over?'

'Sommige dagelijks, andere om de drie dagen of wekelijks. Wisselende, kleine bedragen.'

Met de vingers van zijn rechterhand masseerde Silva zijn rechterslaap waarvan de degelijkheid door een onzichtbare voorhamer werd getest. 'Om welke banken gaat het? Ik neem aan dat het Spaanse banken zijn.'

Magno schudde ontkennend met zijn hoofd. 'Spaanstalige, *jefe*. We hebben het hier over Zuid-Amerika: Colombia, Argentinië, Chili, Bolivia.'

'Namen?'

De medewerker van Administratie hief beide handen ter hoogte van zijn borstkas. 'Zover zijn we nog niet. We hebben een spoor, dat is alles.'

'Hoe lang hebben jullie nog nodig?'

Magno zuchtte en wreef daarna in zijn ooghoeken. De eerste maal dat hij tijdens het gesprek vermoeidheidsverschijnselen vertoonde. 'Dit is opgezet door mensen met verstand van bankzaken en computers, *jefe*. Enkel vanwege onze apparatuur, mankracht en bevoegdheden hebben we iets aan de haak kunnen slaan. Naar wie, wat, of de grootte ervan kunnen we nu nog enkel gissen.'

'Jullie krijgen 24 uur.'

'Maar...'

'Vanaf nu geniet het onderzoek naar die donaties dezelfde prioriteit als de jacht op de moordenaar van die imams. Mocht onze technologische expertise tekortschieten, dan huur je direct topjongens uit het bedrijfsleven in. Geheimhoudingspapieren laten tekenen en klaar. Omdat het hier om staatsveiligheid gaat, geef ik je min of meer alle vrijheid van handelen. Waar die grens ligt, weet je donders goed.'

Magno rechtte zijn schouders die gedurende het gesprek geleidelijk aan tot anatomisch onverantwoorde rondingen waren gevormd. Een zweem onverholen trots voorzag zijn bruine ogen van een gepolijste glans.

'Bedankt, *jefe*.' Hierna draaide hij zich om en liep naar de deur. Toen hij deze opende, schraapte Silva zijn keel. 'Zeg tegen die gasten dat ze prima werk leveren, Alberto. Mocht er tussendoor iets interessants jullie pad kruisen, dan wil ik het direct weten, oké?'

'Komt in orde, *jefe*.'

De daaropvolgende dertig seconden sloot Alfonso Silva zijn ogen. Een oude gewoonte die hij onbewust in ere hield. Een enkele maal lukte het om zijn gedachten daadwerkelijk te visualiseren. Meestal bleef het echter bij zwart met daarin dansende, gouden lichtpuntjes zonder enige betekenis.

Ook vandaag lukte het niet. De duisternis plus de spikkeltjes erin verdrongen het filmische waar hij om vroeg. Toen hij zijn ogen opende, wist Silva waarom.

Spanje werd aangevallen en was kwetsbaar.

Hij hoefde zijn ogen niet te sluiten om het te zien.

19

De lichten op de bühne leken op de ogen van een roofdier. Van een kat of tijger, een slang, wellicht. In elk geval van zo'n gluiperd die 's nachts jaagde en eerst met de prooi speelde voordat vlijmscherpe tanden het vlees openreten.

'Rustig nou, zeikerd,' fluisterde Ehedey Del Pino zo zacht dat hij het zelf nauwelijks hoorde.

Hij keek door een kiertje van de gordijnen en zag een glimp van de massa. Hierna draaide hij zijn hoofd weg en onderdrukte een kotsneiging. Hij slikte krachtig en snoof de avondlucht op.

'Kut, kut, kut en kut nog aan toe.'

Het dubbele gevoel vrat en streelde. Diep in zijn maag vochten euforie en angst een stevig robbertje. De volgende oprisping kondigde zich aan, waardoor het pijnlijk duidelijk werd welke gemoedstoestand aan de winnende hand was.

'Over vijf minuten moet je op, Edy,' sprak een broodmagere vent van in de dertig tijdens het langslopen. Hij had de man nog nooit eerder gezien. Blijkbaar iemand van de organisatie. Vanuit zijn rechterooghoek zag Del Pino dat de man een gesprek met Rodriquez aanknoopte, hetgeen zijn veronderstelling staafde. Zijn manager, zoals Rodriquez inmiddels door het leven ging, oogde als de kalmte zelve. Hij beantwoordde de vraag van de wandelende tak met een uiterst aimabele glimlach op zijn gezicht. Aansluitend gaf hij hem een vriendschappelijk klopje op zijn schouder, waarna de man zijn rechterduim opstak en wegliep.

Voelde ik me maar zo ontspannen, dacht Del Pino. Aan de andere kant, ik moet zo op en hij niet. Dus is het verdomd logisch dat hij daar de relaxte jongen staat uit te hangen en ik op mijn poten sta te trillen.

De spieren van zijn linkerhand hadden maling aan de signalen die zijn hersenen probeerden door te geven. Door het spleetje dat zijn vingers creëerden zag hij het podium dat zomaar voor zijn Waterloo kon doorgaan. Tenslotte verschilde hij qua lengte niet eens zoveel van Napoleon. Del Pino schudde mat zijn hoofd om de twijfeldemonen uit te bannen. Een nutteloze actie die hem enkel een duizelig gevoel bezorgde.

Zijn blik werd getrokken naar het publiek dat zich langzaam maar uiterst zeker begon te roeren. Het waren duizenden mensen. Het merendeel uit de wijk Polvorin, zijn geboortegrond. Hij speelde vanavond een thuiswedstrijd. Het vervelende van dat soort potjes was dat er met verlies geen genoegen werd genomen, ging het door hem heen. Dan braken ze de boel af. Er moest dus gewonnen worden. Het liefst met mooi spel. Er kwamen hakkelend een paar ziektes over zijn lippen die in geen enkele medische encyclopedie beschreven stonden. De hele atmosfeer greep hem bij de keel, snoerde die dicht en liet hem als een astmalijder naar adem happen.

Resoluut draaide hij zich om en liep in Rodriquez' richting.

'Nerveus, kerel?' vroeg de manipulator.

'Ik moet pissen.'

'Je hebt vier minuten.'

Binnen een halve minuut bevond hij zich in het provisorisch in elkaar geknutselde hokje waar een chemisch toilet stond. Hij ging op de bril zitten, trok het gewaad dat hij speciaal voor vanavond droeg omhoog en haalde een klein glazen flesje uit zijn sok. Dit hulpstuk dat onder gebruikers beter bekendstond als *bullit*, had hij bij zich gestoken voor het geval de nood aan de man kwam.

De *bullit*, gemaakt van onbreekbaar glas, was vijf centimeter hoog en had een diameter van twee centimeter. De frêle hals bezat een draaimechanisme dat van buitenaf bediend kon worden. Binnenin zat een minuscuul bekertje waarmee de inhoud naar de halsopening kon worden getransporteerd.

Met een korte haal snoof hij de inhoud van het bekertje door zijn linkerneusgat naarbinnen. Hij hield het flesje op zijn kop en draaide aan het hendeltje. Daarna kwam zijn hand weer in de normale positie. Een nieuwe portie wit poeder diende zich aan. Hiermee vulde hij zijn rechterneusgat.

'Ooohhh, tering, wat lekker,' sprak hij vergenoegd. De wereld zag er opeens stukken beter uit.

Hij herhaalde het ritueel en stopte daarna de *bullit* weg. Dit gebeurde uiterst zorgvuldig. Het flesje werd precies tussen de rand van zijn linkergymschoen en de binnenkant van zijn enkel geplaatst. Aansluitend drukte hij de hals naar beneden, zodat de *bullit* geen kant meer op kon.

'Alles oké, Ehedey?' vroeg Romén Sanchez alias Juan Rodriquez toen de jonge entertainer hem passeerde.

Del Pino negeerde hem. Hij was volkomen gefocust op zijn aanstaande performance. Het podium was nu het absolute middelpunt van zijn leven. Het publiek voorzag hem van de noodzakelijke zuurstof, terwijl het doorslaande succes de begerenswaardige status van onaantastbaar zou opleveren.

Hij stond achter de coulissen en hoorde hoe hij werd aangekondigd.

'Dames en heren, het is zover. In samenwerking met TV Canarias en bouwonderneming Tiara brengen wij u topamusement.'

De speaker viel even stil om de eerste juichkreten in ontvangst te nemen.

'Mag ik uw aandacht voor de man met de grootste mond van Las Palmas. Hier is Ehedey Del Pino!'

De orkaan van geluid verstomde op het moment dat hij het podium betrad. Exact zoals hij verwachtte. Hij droeg een zwarte mantel met kap, zodat niemand kon zien wie er op het toneel stond. Ze dachten dat het Ehedey Del Pino was, maar niemand kon dit met zekerheid stellen. Vier beheerste stappen brachten hem in het midden van de bühne. Slechts een enkeling meende iets mafs te moeten schreeuwen. De rest stond gebiologeerd en verwachtingsvol te kijken. Hij bleef stokstijf staan en telde af.

Plotseling stak hij zijn rechterhand in de zwarte mantel en haalde een pistool tevoorschijn. Aansluitend deed hij drie stappen voorwaarts, richtte het pistool op de menigte en haalde de trekker over. Drie schoten werden vergezeld door een schrikreactie van het publiek dat vooraan stond.

Hij liet het pistool vallen en begon er met zijn linkervoet op te stampen. Stukken zwart plastic vlogen in het rond. Toen het speelgoedpistool meer weg had van een legpuzzel waarvan de meeste deeltjes ontbraken, hield hij zijn voet stil. Daarna legde hij zijn hoofd in zijn nek, waardoor de kap afgleed.

'Daar schrokken jullie van, hè schorem?' zei hij met een schuine glimlach.

De reactie van het publiek was voorspelbaar. Een muur van geluid volgde.

'Eens kijken wat jullie hiervan vinden.'

Zonder een reactie af te wachten, scheurde Ehedey de zwarte mantel open. Hij deed dit op de hiervoor geprepareerde naad die exact in het midden zat. Ter hoogte van zijn borstkas spleet de mantel in tweeën, wat direct voor hilariteit zorgde. Onder de mantel droeg hij het gewaad van de Tempeliers. Om het geheel wat lullig over te laten komen, hadden ze met opzet voor een wit laken gekozen en daar handmatig een rood kruis op gekliederd. Rond zijn middel hing een touw met daaraan een speelgoedzwaard.

Zijn rechterhand pakte het gevest en trok eraan. Hij wees met de punt van het getrokken zwaard naar het publiek. In zijn ogen stond een vervaarlijke blik. Zijn borstkas ging wild op en neer.

Het publiek vond het prachtig. Ze begrepen wel zo'n beetje wat hij bedoelde, maar dit was compleet ondergeschikt aan de lol die zij eraan beleefden. Educatieve expressie was weggelegd voor schouwburgkakkers, zij wilden lachen om hun held die de Tempelridder nadeed.

Ehedey begon als een wilde in het luchtruim te hakken. Hierbij liet hij heel demonstratief zijn tong uit zijn mond hangen. Onder een mix van applaus en aanmoedigingen stapte hij achteruit. Terwijl hij bleef stoten, zwaaien en steken, hield hij zijn positie in de gaten. Toen hij het blauwe krijtstreepje zag dat op de planken was getrokken, draaide hij zich abrupt om. Precies op de juiste plek waren de contouren zichtbaar. Een verder onzichtbare man stond tegen de donkerblauwe gordijnen aan de achterkant van het toneel geleund. Ehedey aarzelde geen moment en stak toe.

'*Aaaaaaaaaggggggghhhhhhh.*'

De ijzingwekkende kreet, versterkt door een microfoon backstage, ging door merg en been. Het publiek reageerde direct en viel stil.

'Zo,' zei Ehedey monter. 'Weer zo'n kutimam minder.'

Het lawaai deed weinig onder voor de hysterie die ontstond nadat UD Las Palmas het winnende doelpunt had gescoord. Romén Sanchez grijnsde. Zijn protégé presteerde naar behoren. De opening was lastig voor de jongen, aangezien hij altijd stijf stond van de zenuwen. De coke had hem blijkbaar goed gedaan. Hij oogde zowel ontspannen als goed bij de les. Dat hij op het toilet een paar snuifjes had genomen, maakte Sanchez niets uit. Zolang Del Pino een gelegenheidsgebruiker was, kon het geen kwaad. Het werd anders als hij neusgeil gedrag ging vertonen, dan zou hij rigoureus ingrijpen.

Sanchez stond inmiddels schuin achter de coulissen en had goed zicht op het podium. Het publiek was een zwarte vlek voor hem. Dit was min of meer onbelangrijk, omdat hun reactie toch voorspelbaar zou zijn. Voor hen was het optreden aansprekend genoeg. Nee, het publiek was vanavond in principe van ondergeschikt belang, Del Pino had ze toch wel in zijn zak. Als hij bij wijze van spreken de bijbel zou gaan zitten voorlezen, dan was de kans vrij groot dat het stelletje halve en hele randdebielen zich bescheurde van de lach.

Vanavond ging het hoofdzakelijk om de balans van zijn act. Met een beetje geluk zaten er honderdduizend man te kijken. En het gros daarvan was van een ander kaliber dan het simpele volk dat hier vanavond aanwezig was. Het tussenstuk dat nu op de rol stond, was voornamelijk geënt op de mensen die voor de buis zaten.

Ehedey Del Pino was naar het uiterste puntje van de bühne gelopen en ging plompverloren zitten. Met een uitdrukkingsloos gezicht scheurde hij het gewaad vanaf zijn hals kapot. Toen hij het vod omhooghield en bekeek, stond er op zijn gelaat pure minachting te lezen. Zijn toehoorders reageerden verschillend. Dit had te maken met het markante shirt dat hij droeg. Rood, ter hoogte van de borstkast een vijfpuntige, groene ster.

Het voetbalshirt van het Marokkaanse elftal.

'Maar stel je nou eens voor,' zei Del Pino op kalme toon. 'Stel je nou toch eens voor dat een priester door een kogelregen werd geveld? Vlak in de buurt van de kerk waar hij net vandaan kwam. En op zijn ontzielde lichaam werd een relikwie gevonden die aan een sekte toebehoorde die in de oudheid christenen afslachtte?'

Hij keek strak voor zich uit. De coke deed zijn werk voortreffelijk. Hij voelde zich rustig, opgewonden en onverslaanbaar tegelijk. 'Hoe zouden jullie dan reageren?'

Het publiek pakte het op. Iets waarover zij van tevoren hun twijfels hadden gehad. Het waren tenslotte rouwdouwers van de eerste orde. Gevoeligheid was over het algemeen een luxe die zij zich niet konden permitteren. Zijn zelfvertrouwen groeide tot onwezenlijke proporties. Vanavond behoorde dit stuk van de wereld hem toe.

'Stel je nou eens voor dat een priester voor dag en dauw naar de markt loopt om er verse waren te kopen. Onderweg wordt hij afgeslacht met een kromzwaard en op zijn lichaam vindt men hetzelfde symbool als wat bij de eerste moord werd achtergelaten.'

Het volume van zijn stem was gedaald tot een gefluister dat door de zachte zeebries werd gedragen. Zijn gezicht was een masker van onmacht en afgrijzen. 'Hoe zouden jullie dan reageren?'

Sanchez beet op zijn onderlip. Dit was een essentieel moment in de conference. Het ging nu om timing. Alleen Ehedey kon dit aanvoelen. Ging hij te snel naar het volgende onderwerp, dan bleef het sentimentele gedeelte te kort hangen. Als hij daarentegen te lang wachtte werd het item besmet met een parodistische toplaag.

Del Pino stond langzaam op. Hoewel het voor hem de eerste keer was dat hij met stagemicrofoons en camera's werkte, voelde hij zich geheel op zijn gemak. Het was alsof hij nooit met een haperende microfoon op een wankel podium had gestaan. Heel rustig nam hij zijn rechtergymschoen in zijn linkerhand, zakte door beide knieën en sloeg driemaal keihard op het plankier. Daarna trok hij de schoen op zijn dooie gemakje weer aan.

'Zo, daar heeft zelfs minister-president Zapatero geen antwoord op.'
De woordgrap kon net. Zapatero betekende 'schoenmaker' en het drieste gebaar met de gymp was een Arabische uiting van woede. Het was op het randje van aardig en oubollig. Toch hadden ze ervoor gekozen. Het merendeel van de kijkers zweefde ergens op dat niveau.
Ineens begon hij als een dolle te rennen. Terwijl hij rondjes liep, maakte hij met zijn rechtervoet een schopbeweging en begon hartstochtelijk te juichen. Daarna trok hij de voorkant van zijn shirt over zijn hoofd.
Vanuit het publiek kwamen er twee soorten reacties. Er klonk gejuich en boegeroep. Dit had alles te maken met het shirt dat hij droeg.
'*España, España, España,*' juichte Del Pino gemaakt. Aansluitend bracht hij het symbool dat zich ter hoogte van zijn hart bevond met zijn rechterhand naar zijn lippen en kuste Spanjes trots teder. Ook deze actie riep gemengde gevoelens op bij zijn toehoorders. Del Pino liet hen bewust uitrazen. Toen de eerste golf van verontwaardiging over hem heen was gespoeld, sloeg hij toe. Met zijn handen achteloos op zijn rug liep hij als een verdwaalde toerist over het podium.
'Omdat wij in een democratie leven, zal ik eerst op de oerwoudgeluiden van de meerderheid reageren,' zei hij bijzonder meegaand, hetgeen bij veel mensen in het publiek argwaan opwekte. Je kon namelijk veel van de conferencier zeggen, behalve dat hij inschikkelijk was. 'De redenen waarom jullie het Spanje van nu uitjoelen zijn niet de mijne, laten we daar duidelijk over zijn. Jullie zijn niets meer dan wezenloos vee, meelopers die kiezen voor de gemakkelijkste weg. Omdat jullie in de basis te beroerd zijn om ook maar een halve slag te werken.'
Hij hield op met achteloos over de bühne te slenteren. Zijn beide armen hield hij nu kruislings voor zijn borst en hij keek het publiek rechtstreeks en uitdagend aan. Daarbij focuste hij zich op het middengedeelte van de massa, zodat praktisch iedere aanwezige het idee kreeg dat hij hem persoonlijk aankeek. Een trucje dat werkte, zo wist hij uit ervaring.
'Het is zo simpel om te stellen dat de regering jullie tot kanslozen maakt. De economie is slecht, de laagopgeleiden krijgen geen kans, de baantjes gaan naar buitenlanders, bla, bla, bla.'
Hierna stak hij zijn tong uit. Een handvol bescheiden lachsalvo's klonk.
'Maar dat steekt mij eigenlijk nog het minst,' ging Del Pino verder. 'Waar ik helemaal schijtberoerd van word is de mentaliteit van de juichenden onder ons. Jullie bewonderen namelijk de *peninsulares*. Nee, ik druk me verkeerd uit; jullie adoreren ze.'
Hij negeerde het gemor dat na deze woorden ontstond.
'Erg hè, als iemand recht in je bek de waarheid zegt! Want wat ik beweer,

klopt als een bus: Canario's zijn mensen met een minderwaardigheids-complex van hier tot Madrid. Letterlijk.'

Zijn rechterwijsvinger priemde in de richting van iemand in het publiek. Behalve Del Pino scheen niemand exact te weten om wie het ging. Dit was zijn bedoeling.

'Ach, het mannetje dat daarnet als een rasidioot stond te schreeuwen wil ook wat zeggen. Vertel het eens, jongen. Wilde jij soms beweren dat jouw vriendin niet met een tas waarop CORTE INGLÈS MADRID staat over de Triana in Las Palmas loopt te paraderen? Of dat jouw kamertje niet vol hangt met posters van Real Madrid? Of wil je liever dat ik zeg "De Koninklijke", dat smelt bijna op de tong, nietwaar? Zoveel toewijding aan het moederland.'

Del Pino bracht zijn hand naar zijn linkeroor en boog iets voorover. Hij deed alsof hij aandachtig luisterde en knikte daarna begrijpend.

'*Coño, joder puta*, en ik ben de zoon van een hoer. Helemaal duidelijk. Het is prettig te constateren dat jij het vocabulaire hebt van een onvol-groeide foetus met hersenbeschadiging. Precies het type mens waarmee dit eiland dus geen ene fuck opschiet. Doe trouwens de groeten aan je broer, Juan. Of was het nou Ramon die drie handen en twee lullen had? Ik haal jouw familieleden altijd door elkaar. Logisch, jij hebt toch negen broers en dertien zussen, of was het andersom?'

Hij boog weer iets naar voren en speelde het luisterend oor. Daarna hield hij zogenaamd zijn lachen in.

'Er zijn scheldwoorden die zelfs ik niet over mijn lippen kan krijgen, amigo.' Hij stak zijn duim op en grijnsde vals. 'Nu verder je gore waffel houden, mafkees. Ik ben graag de enige die praat. Dat spaart namelijk tijd en voorkomt argumenten, weet je.'

Aansluitend schudde Del Pino zijn hoofd. Hij had de lachers weer op zijn hand, maar dit scheen nauwelijks tot hem door te dringen. Hij haal-de zichtbaar adem door zijn neus en ademde met het nodige rumoer uit.

'Moet ik juichen voor een land dat als een schoothondje achter de Ver-enigde Staten aan loopt? Moet ik juichen voor een land dat in de hoeda-nigheid van bezetter zomaar een soevereine staat in het Midden-Oosten binnentrekt? Moet ik juichen voor een land dat zijn onderdanen nog steeds wijsmaakt dat het onder Franco allemaal wel meeviel? En moet ik juichen voor een regering die doodsbang is om toe te geven dat veel van haar vooraanstaande leden Opus Dei-aanhangers zijn en deswege sym-pathieën koesteren voor de Tempeliersorde?'

Aansluitend liet hij theatraal zijn kin op zijn borst zakken.

Achter de coulissen knikte Romén Sanchez beleefd tegen een medewerker van TV Canarias die hem met een kort handgebaar duidelijk wilde maken dat het optreden van Del Pino een groot succes was. Er kwam nu weer een kort tussenstuk waarin Ehedey uitsluitend bij het televisiepubliek moest scoren. Daarna volgde de eindsprint.

Heel langzaam kwam zijn hoofd weer omhoog. Zijn ogen waren halfgesloten. De gezichtuitdrukking die hij zich nu aanmat, hield het midden tussen verdrietig en vol afgrijzen.

'Evenals die jongen in het publiek en zijn incestueuze familieleden zou ook ik graag voor de Spaanse vlag juichen. Hoewel de afstand groot is, voel ik een bepaalde band met het moederland. Ieder mens wil tenslotte ergens bijhoren en de geschiedenis heeft bepaald dat wij Spanjaarden zijn.' Hierna lachte hij meewarig voor zich uit. 'Ik zou zo graag voor Spanje willen juichen... maar ik doe het niet!'

Vliegensvlug trok hij het shirt uit en werd bijna bedolven onder het lawaai dat hierna volgde. Het tricot dat om zijn magere bovenlijf zat, droeg de kleuren van de Canarische vlag. Drie verticale strepen, wit geel en blauw, zorgden voor grote gevoelens van affiniteit bij het publiek, dat de kelen schor schreeuwde. Del Pino's lichaamstaal liet niets te raden over. Hij was klaar voor de grote explosie.

'Ik juich voor een land dat als een provincie wordt afgeschilderd. Ik verzet me tegen het klimaat van rechtsongelijkheid waaronder wij lijden. Ik vecht tegen de onderdrukking van een usurpator die 1.500 kilometer van ons vandaan over de eilanden regeert.'

Del Pino balde zijn rechterhand tot een vuist. Door de rijen voor hem ging een zucht van verlichting als opmaat voor de enorme ontlading die aanstonds zou volgen. Hij strekte zijn rechterarm.

'*Nosotros, nosotros, nosotros!*'

'Ik verdom het nog langer te dansen naar de pijpen van een regering die ons niet als volwaardige onderdanen ziet.'

'*Nosotros, nosotros, nosotros!*'

'De geografische logica vertelt ons dat de Canarische eilanden onderdeel uitmaken van Afrika. Wij worden gezien als inferieure bewoners van een kolonie. Een toeristisch eiland waaruit Spanje miljoenen euro's per jaar trekt. Wij mogen als aapjes opdraven, terwijl de mooie mijnheren de centen in hun stak stoppen. Wij zijn verdomme de laatste kolonie van de westerse wereld!'

Terwijl hij wederom zijn arm in de lucht stak, wist Ehedey Del Pino dat zijn teksten demagogisch waren. Opgesteld in samenwerking met zijn nieuwbakken manager Rodriquez. Er zaten hiaten in, wisten zij beiden. Rodriquez had echter gesteld dat het volk het op dit punt van zijn optreden zou slikken. Zowel de mensen hier als thuis. En hij vond het eigenlijk wel best. Succes was als een drug en high zijn was heerlijk.

'*Nosotros, nosotros, nosotros!*'

Hij hield zijn gebalde vuist ter hoogte van zijn hart.

'Dit is mijn land, hier wil ik voor vechten. Weg met de *Godos*, weg met dat tuig dat zijn islamitische medemens straffeloos laat vermoorden. Canarias voor de Canario's. Desnoods met hulp van onze Afrikaanse vrienden.'

Hij hield zijn handen voor zijn mond, kuste deze en maakte een weids gebaar. 'Wij zijn allemaal Canario's. Schud het juk van je af. Kom op voor je rechten. Pak terug wat ze ons hebben afgenomen.'

'*Nosotros, nosotros, nosotros!*'

Del Pino boog diep en liet de ovatie tot zich komen. Het was een explosie van geluid. Zowel een eerbetoon als dankbetuiging. Twee volle minuten genoot hij van de vocale eruptie, daarna draaide hij zich abrupt om en verdween uit de spotlights.

Romén Sanchez ving hem als eerste op. Hij pakte de jonge Canario bij zijn schouders en drukte hem tegen zich aan. 'Klasse, Ehedey. Las Palmas ligt aan jouw voeten.'

Del Pino lachte schuchter. Hier, in de schemering van het decor was de wereld ineens zo anders. Bij gebrek aan extatische toejuichingen verdween de rush. Zelfs de euforie was verbleekt tot een stukje geschiedenis; hierop teren leek een bezigheid voor oude, grijze mannen.

'Kleed je om, dan gaan we het vieren,' zei Sanchez met een brede glimlach. 'Als de handtekeningenjagers je tenminste met rust laten.'

Ehedey knikte en liep naar het hokje waarin zijn kleren lagen. Bij elke stap die hij zette, kreeg de twijfel meer grip op hem. Het optreden was goed verlopen, het publiek was razend enthousiast geweest. Ondanks het feit dat er stukjes tekst door zijn manager Rodriquez waren ingelast. Juist de stukjes waarover hij zijn twijfels had.

Terwijl hij zich omkleedde, liep hij in gedachten zijn optreden na. In plaats van opluchting, groeide de onzekerheid. Kleine hobbeltjes ontpopten zich langzaam tot kwaadaardige gezwellen die aan zijn ingewanden begonnen te knagen.

Toen hij eenmaal in Rodriquez' auto op weg naar het centrum was, had de twijfel plaatsgemaakt voor een schuldgevoel.

In gedachten vroeg hij aan een hogere macht of deze alsjeblieft Pandora's doos gesloten wilde houden.

20

Voor de verandering regent het, dacht Manuel Albelda. Het was niet cynisch bedoeld. Daarvoor regende het te veel in de provincie Galicië. Als de bewoners zich aan het vallende water zouden storen, dan hadden ze geen leven meer. Volgens de meteorologen regende het tussen de 250 en 300 dagen per jaar in dit gebied. De lokale bevolking hield het op dat laatste of meer.

Hij keek door het raam van zijn appartement naar de groene heuvels. Ontelbare druppels vervormden het uitzicht licht. Niet dat dit er iets toe deed, hij kon het wel dromen en net zo goed niet meer zien. Al jaren was dit het geval en sinds zijn vondst in de Dordogne was de afkeer ervan alleen maar sterker geworden.

Het natuurschoon, de panorama's, de variëteit aan vlees en vis in betaalbare restaurants waren sleutelwoorden van toeristen die hier vooral 's zomers hun vertier kwamen zoeken. Type rugzakreiziger met bovenal een milieubewuste instelling. Ook bij ouderen was de streek in trek. Dit had te maken met de temperatuur die 's zomers meestal ver achterbleef bij die van de omliggende landen. In de overige jaargetijden zag je hier zelden vreemdelingen. Wat hem betrof hadden ze groot gelijk.

De rotsvaste overtuiging dat zijn geboortegrond eveneens zijn beenderen tot zich zou nemen, was inmiddels een achterhaalde stelling. Hij wilde de rest van zijn leven slijten in een land waar regen een schaars goed was. Waar de zon met harde hand regeerde en de mensen enkel in korte broek en T-shirt over straat liepen. Een land waarvan de bewoners een regenbui begroetten als een vrolijke verre vriend, in plaats van een knorrige buurman met een treurig porem waarvan het dagelijks aanschouwen ervan een terugkerend ritueel was geworden.

'Pokkenkou, pokkenregen, pokkenland, pokkenalles.'

Het weer trok zich geen zier van zijn gemopper aan. Met bakken viel de regen uit de hemel. Manuel Albelda liep naar de keuken, opende de koelkast en pakte een koud biertje. Hij liet een 'Brrrr' over zijn lippen rollen, glimlachte flauw om de ironie ervan en trok het blikje open.

Hij liep terug naar de woonkamer en installeerde zich op de bank. Voeten op de tafel, biertje erbij. De ultieme vrijetijdsbesteding van een verstokte vrijgezel. Zijn rechterhand vond de afstandsbediening. Vijf uur, de eerste uitzending van de actualiteitenrubriek van TLC (Television La Coruña) stond op het punt te beginnen. Provinciaals geneuzel over het wel en wee van de bevolking, oubolligheid ten top. Ach, alles was beter dan staren naar de dieptriestheid daarbuiten.

Terwijl een stuitend mooie presentatrice het eerste item aankondigde, ging de telefoon. Albelda's eerste reactie was een gevoel van ergernis. Het aankomende item was hem een rotzorg, het doordringende geluid verstoorde echter het zojuist opgebouwde beeld van de schoonheid in een weinig verhullend lingeriesetje.

'*Sí?*'

'*Bonjour, monsieur Albelda. Ici madame Manne. La mère de Julien.*'

De omschakeling van de kanjer op televisie naar Julien Mannes moeder was fors. Daar kwam bij dat zijn Frans in een meer dan roestig stadium verkeerde.

'*Bonjour*, madame Manne,' hakkelde hij.

'Het spijt me dat ik u lastigval, meneer Albelda. U weet dat ik dit normaal gesproken nooit zou doen.'

Albelda knikte, zag direct de stompzinnigheid ervan in en hield zijn hoofd weer stil. De mensen uit de Dordogne waren erg op zichzelf, wist hij. Die dopten hun eigen boontjes. Dat Juliens moeder hem opbelde was daarom uitzonderlijk te noemen.

'Wat kan ik voor u doen, mevrouw Manne?' Hij articuleerde zorgvuldig. Allerlei Franse woorden schoten door zijn hoofd. Wat was het toch een uitgesproken rottaal.

'Julien is verdwenen,' zei de vrouw op vlakke toon.

Albelda bezat de tegenwoordigheid van geest om niet instinctief te reageren op de drie woorden waarin een grenzeloos leed school. Hij haalde diep adem door zijn neus en sloot heel even zijn oogleden.

'Hoe lang?' vroeg hij oprecht bezorgd.

'Een maand,' was het weinig hoopgevende antwoord.

Hij onderdrukte een vloek. Voorzover hij wist, was Julien nog nooit langer dan een week weggebleven. Verwilderd en uitgehongerd was hij dan weer thuisgekomen. Juliens vader had hem dit ooit eens verteld.

'Hebt u misschien de laatste weken contact met hem gehad?' In de stem van de vrouw klonk nu het desperate van een moeder die haar kind kwijt was.

Albelda schudde van nee. Ditmaal berispte hij zichzelf niet. 'Het spijt me, mevrouw Manne. Ik heb Julien in het voorjaar gezien. Daarna heb ik niets meer van hem gehoord.'

Het bleef stil aan de andere kant van de lijn. Zonder dat er woorden aan te pas kwamen, kon Albelda de teleurstelling zowel horen als voelen. Hij schraapte zijn keel om er een passende tekst aan toe te voegen. Iets in de trant van 'Hij komt wel terug' of 'Sterkte'. Nietszeggende prietpraat. Bestemd voor de gemoedsrust van de persoon die ze uitsprak. Een blijk van medeleven waarmee de ontvanger helemaal niets kon.

'Het spijt me dat ik u gestoord heb, meneer Albelda.'

'U hebt mij niet gestoord,' reageerde hij direct. 'Ik vind het jammer dat ik u niet verder kan helpen. Mocht u iets horen of als er nog vragen zijn, wilt u mij dan meteen bellen? Julien is een vriend van me, weet u?'

Hoewel haar stem monotoon klonk, dacht hij er heel even een trilling in te horen.

'Dat zal ik zeker doen, meneer Albelda. Dank u wel en tot ziens.'

'Tot ziens, mevrouw Manne.'

Hij legde de hoorn op de haak en keek star voor zich uit. De televisiebeelden vervaagden tot een kleurenspel waarin hij geen enkele interesse had. Het tikken van de regen op de ramen was als het onheilspellende tromgeroffel bij een militaire begrafenis.

Julien Manne was verdwenen.

Julien Manne was dood.

Omdat hij zich in een trance bevond, reageerde zijn lichaam te laat op het bevel van boven. Het toilet was opeens erg ver weg. Na drie ongecoördineerde stappen kromde hij zijn rug en gaf over. Albelda strompelde verder naar de wc en leegde daar de rest van de inhoud van zijn maag in de toiletpot. Nadat hij de troep in zijn woonkamer had opgeruimd, ruilde hij het bier om voor een glas mineraalwater.

Ruim een kwartier had hij nodig om de zaken weer een beetje in perspectief te zien. Gedurende deze tijd leek het alsof hij zich in een achtbaan bevond. Hij tolde en tolde, elke logica was ver te zoeken. Waanvoorstellingen werden aangestuurd door waanideeën. Tijdens die krankzinnige vijftien minuten was hij er meermalen van overtuigd dat hij elk moment door een moordenaarshand kon sterven. Uiteindelijk kreeg hij zijn gedachten weer onder controle door het fatalistische en destructieve eruit te bannen.

'Julien is dood,' sprak hij zo beheerst mogelijk. Hiermee wilde hij aangeven de materie te beheersen. Een broze stelling, die hij zo snel mogelijk moest onderbouwen met feiten. Dan kon hij weer terugkeren naar zijn oude niveau van vóór het rampzalige telefoontje.

Hij telde op de vingers van zijn rechterhand de feiten af. 'Julien is officieel vermist, er worden in een kort tijdsbestek twee imams geliquideerd wat voor grote onrust onder de bevolking zorgt, en de ster van Miquel Medina stijgt met de dag.'

Albelda zuchtte diep en luidruchtig. De waanzin in zijn hoofd schikte zich naar de geplande gedachtegang en begon in hoog tempo plaats te maken voor logica. Zijn logica. Beredeneerd vanuit een op de werkelijkheid gebaseerde visie. 'Julien was de enige buitenstaander die de vindplaats van de schat kende,' lispelde hij. 'Hoewel hij geen flauw idee had dat er iets was gevonden, was dit toch voldoende om hem te vermoorden.'

Albelda knikte bedachtzaam. Stukjes van een door de duivel zelf ontworpen puzzel begonnen hun plek te vinden. 'Tijdens mijn gesprek met Betancor en Doramas werd mij duidelijk gemaakt dat er grote dingen op stapel stonden. Zaken waarvan ik maar beter niets af kon weten. En dat Medina de grote politieke meneer zou worden. Door toedoen van hun activiteiten, al zeiden ze dat in andere bewoordingen.'

Hij nam een slok. Het water zorgde voor een branderig gevoel in zijn maag. Dit kon ook verbeelding zijn, dacht hij cynisch. Paste helemaal in de huidige beeldvorming. 'Op de twee vermoorde imams wordt een Tempeliersrelikwie gevonden. Allochtonen en autochtonen vliegen elkaar in de haren. Met zijn aansprekende, conservatieve gedachtegoed wint Medina in recordtempo zieltjes.'

De waarheid diende zich met verbluffende simpelheid aan. Hij zag het gewoon voor zich. Een remake van Dantes hel.

Het zaad voor een burgeroorlog was gezaaid. Medina moest oogsten. 'De verlosser. De man die Spanje voor een burgeroorlog behoedde. Hij is de schoppenaas in een spel met maar één troefkleur. Op het moment dat de zaak echt escaleert, kiest de bevolking voor de conservatieve, charismatische politicus die je om een boodschap kunt sturen. Gesteund door de meerderheid van de bevolking grijpt hij keihard in, waarna de rust wederkeert. Het begin van een imperium. Wie in werkelijkheid de regie in handen heeft, doet er voor de massa nauwelijks toe. Na het tijdperk van slapjanussen koestert Spanje een nieuw boegbeeld waarmee de man op straat zich weer kan identificeren.'

De regen bleef op zijn raam tikken. Droefgeestig, aritmisch en onverzoenlijk. Zeiden de druppels 'Dit is jouw thuis,' of 'Rot hier zo snel mogelijk op'? Zo snel als de waarheid kwam, was de twijfel weer terug. Was zijn waarheid een vermeende, voortgekomen uit teleurstelling? Zag hij de dingen in de juiste proporties, of vanuit een volslagen verkeerd perspectief?

Mocht dit laatste inderdaad het geval zijn, dan maakte hij zichzelf onsterfelijk belachelijk. Dan kon hij elke ambitie die hij nog ten opzichte van de Raad koesterde direct in de dichtstbijzijnde prullenbak flikkeren. Bleken zijn hersenspinsels echter reëel, dan kon slechts één conclusie de juiste zijn.

Hij was de volgende op de dodenlijst.

21

Zijn vierde bak koffie smaakte even beroerd als de vorige drie. Wat de oorzaak daarvan was, liet hij in het midden. Een slecht afgestelde machine, een andere soort koffie of afwijkend gedrag van zijn smaakpupillen. Vanwege het hondse uur neigde hij naar het laatste. Waarschijnlijk was zijn lichaam van slag. Wat de oorzaak ook mocht zijn, dacht Alfonso Silva, de koffie bleef niet te zuipen.

Omdat een mens toch een paar uurtjes slaap per dag moest pakken, had hij de wekker vannacht op drie uur gezet. Dit naar aanleiding van de chaos in Las Palmas. Onder geen beding zou hij voor een rel in ongeacht welke stad van Spanje vroeger zijn nest zijn uit gekropen. De gebeurtenissen in Gran Canaria's hoofdstad vielen echter niet onder deze noemer.

Het was een ware volksopstand geweest. Een hel voor de inderhaast opgetrommelde manschappen. *Policia local, guardia civil* en de *policia nacional* hadden schouder aan schouder gestaan, een zeldzame gebeurtenis. Rammend met hun wapenstokken dwongen ze een groot gedeelte van de massa tot vluchten. Verscheidene groepen diehards lieten zich hierdoor niet intimideren. Onverminderd gingen zij door met hun sloop- en plunderwerkzaamheden van panden die toebehoorden aan mensen van het vasteland. De beelden hiervan, gemaakt door cameramensen van de *policia nacional,* stonden nog vers in zijn geheugen. Evenals het aantal burgerslachtoffers: 59 licht- en 14 zwaargewonden. Tot overmaat van ramp ook nog twee doden. Opgeschoten knapen van respectievelijk zeventien en negentien jaar oud. Cijfermatig gezien kwamen de wetsdienaren met hun zestien gewonden, van wie vier zwaar, nog redelijk goed weg.

'*Nosotros, nosotros, nosotros!*' De strijdkreet die half Las Palmas de hele nacht had wakker gehouden, galmde na in zijn hoofd. Het '*Godos, fuera, godos fuera!*' kwam op een goede tweede plek.

Ook de opnames van het optreden van *local hero* Ehedey Del Pino waren opgeslagen in zijn bovenkamer en direct oproepbaar. Hij had de show van de jonge Canario een halfuur geleden bekeken en was behoorlijk onder de indruk geweest. De jongen was een pure volksmenner.

Getalenteerd, dat wel. Jammer dat hij voor de verkeerde zaak streed. Althans, daar ging hij gemakshalve maar van uit. Kon het later altijd nog meevallen.

In de twee uur die hij zich nu in zijn kantoor bevond, was hij continu bezig geweest. Vanuit Las Palmas was de informatie binnengestroomd. De autoriteiten waren bijzonder pessimistisch over de komende periode. Vooral in de achterstandswijken hing een grimmige sfeer. Vanwege hun beperkt inzetbare mankracht, was het onmogelijk om de boel onder controle te houden. De situatie was zelfs zó dreigend dat er een verzoek om assistentie was gedaan aan de naburige eilanden Lanzarote en Fuer-taventura. Tenerife werd erbuiten gehouden. Bewust, wist Silva. Tussen Gran Canaria en Tenerife heerste een grote mate van rivaliteit, een soort Madrid contra Barcelona in miniformaat. Het was zo goed als ondenk-baar dat het ene eiland hulp aan het andere zou vragen. Ze lieten hun eigen eiland bij wijze van spreken liever in de golven van de Atlantische oceaan ten onder gaan.

Naast de onverkwikkelijke gebeurtenissen op Gran Canaria, hadden de overal over Spanje verspreide Tempelieraanhangers en de vreemde geld-transacties rond Miquel Medina zijn aandacht nodig. Zijn onverdeelde belangstelling, in principe. Dat zat er echter niet in. Ondanks de bela-chelijke werktijden, moest hij nog steeds schipperen.

Zijn linkerhand gleed over een stapel dossiers. Het werk van honderden CESID-mensen. Door Administratie gescreend, waarna enkel de meest interessante op zijn bureau verschenen. Een doekje voor het bloeden. Leden van Tempeliersclubjes die ooit in aanraking met justitie waren geweest of een wapenvergunning bezaten. Kruimelwerk. Op geen enkel dossier zat een rode sticker die aangaf dat *el jefe* het dringend diende te lezen. Het was een stapel wetenswaardigheidjes waarvan hij geen ene donder wijzer werd.

Terwijl hij overdacht of zijn beslissing ten aanzien van het Canarische probleem wel de juiste was, werd er geklopt.

'*Pasa.*'

Chef van de nachtploeg Alberto Magno kwam binnen. Het energieke dat hij gisteren nog zo duidelijk etaleerde, was voor een overgroot deel verdwenen. Half verslagen door het idiote werkschema en de daarbijbe-horende stress, sjokte hij naar Silva's bureau. Toen hij echter recht voor hem stond, zag Silvia de mysterieuze glimlach op het gezicht van zijn medewerker.

'Je ziet eruit als een bejaarde die net uit een bordeel komt sjokken, Alberto.'

'Was het maar waar, *jefe*. Dat laatste dan, bedoel ik.' Aansluitend legde hij plompverloren een dossier op Silva's bureau. 'We hebben die klootzak, baas.'

Silva wilde vragen: 'De Tempelridder?' maar wist deze bijna-stommiteit in een kuch om te buigen. De wens mocht dan de vader van de gedachte zijn, een bepaalde redelijkheid was altijd geboden. Het was nagenoeg onmogelijk dat Administratie vanuit haar kantoor de boeien om Javier Martels polsen zou klikken. Als deze crimineel überhaupt de dader was, iets waar hij zo zijn twijfels over had.

'Zijn naam is Rubén Betancor, een bankdirecteur uit La Coruña. Dat verklaart meteen de knappe opzet.'

Silva's ogen schoten over het papier. Vanwege zijn jarenlange ervaring met het doorlezen van dossiers kon hij razendsnel screenen en de informatie direct opslaan. Een korte blik bleek vaak voldoende voor een kordate synopsis van het geschrevene.

'Ik moet wel duidelijk stellen dat wij hem zonder hulp van buitenaf niet zo snel hadden kunnen lokaliseren.'

'Dat is inherent aan ons vak,' bromde Silva afwezig. 'Ah, Bolivia. Ja, nu zie ik het.'

Magno knikte. 'Daar is hij de fout in gegaan. Banco Confiansa, een bankdirecteur die naast een onleesbare krabbel ook een legitimatie wilde zien. Waarschijnlijk had Betancor het rekeningenstelsel bij die bank al opgezet en kon hij niet meer terug. Hij nam de gok.'

'De enige rechtschapen bankdirecteur van Zuid-Amerika,' gromde Silva. 'Wat een pech...'

'Op ons verzoek waren de jongens van SIB al bij verschillende banken aan het rondneuzen. Na een goed gesprek met bankdirecteur Perez kwam het zaakje aan het licht.'

Silva grijnsde. 'Reken er maar op dat meneer Perez heel snel over de brug kwam. Ik ken een paar van die jongens van Servicio Inversible Bolivia nog van vroeger. Geloof me, hun ondervragingstechnieken zijn weinig geciviliseerd.'

Hierna stak hij luttele seconden zijn linkerduim op. 'Perfect werk. Niet te lang bij stilstaan, want de volgende klus staat voor de deur.'

'U wilt alles weten over zijn familie, waar hij werkt, wie zijn vrienden zijn, of hij hobby's heeft en in welke auto zijn rechterbuurman rijdt,' zei Magno met een stalen gezicht.

'En of zijn golden retriever stiekem de koningspoedel van zijn linkerbuurvrouw dekt,' antwoordde Silva even stoïcijns.

'Komt in orde, *jefe*.'

Magno draaide zich om en liep naar de deur. Toen hij de kruk vastpakte, hield hij even in. Zijn chef stond erom bekend op het laatste moment nog een oneliner in de strijd te gooien. Eentje die de druk altijd opschroefde. Twee hartslagen later bewees Alfonso Silva dat oude gewoontes nimmer roesten.

'Zet er nogmaals het gas op, Alberto. Ik stel een team samen dat vanavond het veld in gaat. In de namiddag moeten die gasten een beetje fatsoenlijk worden gebrieft. Relevante informatie wordt dan op prijs gesteld.'

De diepe zucht van Magno was een gespeelde vorm van rebellie. Iedereen bij Nueve ging voor *el jefe* door het vuur. Hij stond aan het hoofd van een familie waar zij allen deel van uitmaakten. Een familie met een simpel levensmotto: goed tegen kwaad. Ondanks de moordende werkdruk voelde het meer dan oké om aan de juiste zijde te staan.

'Ja, zucht maar, joh,' zei Silva gespeeld verveeld op het moment dat Magno naar buiten stapte. 'Kijk uit dat je niet in de ziektewet belandt. Kun je de hele dag met moeder de vrouw in het park doorbrengen. Gezellig de eendjes voeren en potentiële kinderlokkers in kaart brengen.'

Magno beet op zijn lip om zijn chef de lol te ontnemen die hem eigenlijk wel toekwam. Dit hoorde ook bij het spel, wist hij. Geven en nemen, op zijn tijd een dolletje. Tja, om een betere *jefe* dan Alfonso Silva te vinden moest je met een vergrootglas zoeken. Een bij voorbaat kansloze missie, volgens het overgrote deel van de werknemers van Nueve. Hij keek op zijn horloge en zag dat zijn dienst er over een halfuur op zat. Ter plekke besloot Alberto Magno dat van een paar uurtjes extra werken nog nooit iemand was doodgegaan.

Terwijl de eerste leden van de dagploeg zich bij Administratie meldden, nam Silva informatie tot zich. Hij sloeg de wetenswaardigheden over Ehedey Del Pino op, maakte klakgeluiden met zijn tong toen het dossier over Rubén Betancors blunder in Bolivia aan zijn ogen voorbijtrok en dacht na over de te volgen strategie. Voornamelijk over de zwakke plekken ervan.

Twee korte kloppen joegen hem uit zijn werktrance.

'*Pasa.*'

Carmen Marrero kwam binnen. Ze droeg een spijkerbroek en een denim blouse. Daaroverheen een zwartleren jack dat haar stoer stond. Voor dit uur van de dag zag ze er onwaarschijnlijk fit en onwankelbaar uit.

'*Buenas dias, jefe.*'

'Goedemorgen, Carmen.' Een gebiedend gebaar met zijn rechterhand volgde. 'Ga zitten.'

Marrero nam plaats en wachtte af. Ruim een halfuur geleden was ze door haar chef uit bed gebeld met de mededeling dat ze direct op het bureau diende te verschijnen. Tijdens het douchen en onderweg in haar auto was ze aan het speculeren geslagen. Las Palmas scoorde hoog.

'Wij denken dat de rellen van vannacht in Las Palmas onderdeel zijn van een vooropgezet plan.' Silva sprak bewust in de wij-vorm, tevens ging hij ervan uit dat Marrero wist waarover hij sprak. Het volgen van het laatste nieuws was een onderdeel van het vak.

'Vanavond vlieg je met een team naar Gran Canaria. Jullie opereren vanuit een safehouse van CESID in Ciudad Jardin, de villawijk van Las Palmas. Vanmiddag rond een uur of twee komt Administratie met de benodigde informatie, zodat je je alvast kunt inlezen.'

Hij opende een bureaula en haalde er een lijst uit. Met een rode viltstift streepte hij acht namen aan. Hierna pakte hij een groene viltstift en deed hetzelfde met acht andere namen. Aansluitend schoof hij het papier naar het enige vrouwelijke lid van Nueve.

'De rode groep gaat vanavond onder leiding van Castro op pad. De groengekleurde namen gaan naar Gran Canaria. Je kunt zelf je plaatsvervanger kiezen. Zo ben ik ook weer.'

De laatste woorden die bedoeld waren om de spanning iets af te zwakken, werden niet als zodanig opgepikt, bemerkte Silva. Hij begreep dat Carmen nu probeerde om alles in haar bovenkamer op orde te krijgen. Dit was tenslotte haar eerste opdracht als teamleider.

'Dat betekent...' lispelde ze, terwijl haar ogen strak op het papier gericht waren.

'Dat jij teamleider bent, ja. Heb je daar soms een probleem mee, Marrero? In dat geval moet je het nu melden, zodat ik alsnog iemand anders kan kiezen.'

'Nee!' Ze schaamde zich direct voor haar veel te felle reactie. 'Ik bedoel... hartelijk bedankt voor het vertrouwen, *jefe*,' meldde ze daarna zonder dat haar stem hierbij hinderlijk oversloeg. Ze had zichzelf weer onder controle.

'Ga aan je strategie werken, Carmen. Mankracht dient enkel ter ondersteuning van intelligentie. Het beste plan wint.'

Silva wist dat hij eigenlijk het woord 'meestal' had moeten toevoegen. Hier en nu leek dit echter niet passend.

Marrero knikte en stond op. Met een zelfverzekerde tred liep ze naar de deur.

'Zorg dat een kogel niet kan worden afgevuurd, Carmen. Dan hoef je hem ook niet te vrezen.'

Terwijl haar rechterhand de deurknop al omklemde, draaide ze zich een kwartslag om en keek Silva aan. 'Dat zal ik onthouden, baas.'

Ofschoon het de meest ridicule dooddoener was die ze sinds tijden had gehoord, meende ze elk woord dat ze zei. Ze sloot de deur achter zich en liep naar de lift.

Teamleider.

Ze wilde het woord het liefst uitschreeuwen.

Teamleider.

De eerste vrouwelijke teamleider bij Nueve was een feit. Carmen Marrero was deze eer te beurt gevallen. Ik, dacht ze. Ik ben het geworden. Niet Anna Maria Santana of Dolores Baena, maar Carmen Marrero mocht de prijs in ontvangst nemen.

Terwijl ze op de lift stond te wachten, moest ze zichzelf in toom houden. Ze wilde zingen, dansen, juichen. Het euforische gevoel was een warme, tintelende stroom die het diepste van haar ziel kietelde, streelde en omarmde. Ze was gelukkig. Gelukkiger dan ze ooit was geweest. In elk geval de laatste jaren, temperde het beetje realisme dat aan haar innerlijke vreugdevuur was ontsnapt haar euforie.

De deuren openden zich, waarna ze direct de lift in stapte. Ze veroorloofde zich een brede glimlach, aangezien ze de enige in de kleine ruimte was.

Teamleider.

Hoe zouden die andere meiden op dit fantastische nieuws hebben gereageerd? Uitgelaten? Afwachtend? Jaloers?

Ze had hier wel een idee over. De hartelijke Anna Maria Santana zou haar om de hals vliegen en haar daarna met complimenten en felicitaties overladen. Ja, Anna had daar wel de persoonlijkheid naar. Een oprechte meid die haar het succes gunde.

Bij Dolores Baena lag dit anders, dat wist ze zeker. Die zou haar op een onderkoelde wijze feliciteren. Teleurgesteld vanwege het feit dat het timide grijze muisje zich had ontplooid tot een kat die je niet zonder handschoenen moest aanpakken. Een leiderstype dat wist wat ze wilde. Precies zoals Dolores zich altijd had voorgedaan. Maar dan anders.

Terwijl Carmen naar haar auto liep, begon de onzekerheid langzaam aan haar bastion van welbehagen te knagen. Hoewel ze de laatste tijd stevige progressie had geboekt, bleef twijfel een onwelkome en vaste reiziger op de trajecten die haar geest aflegde. Ineens leek de opdracht een last met valkuilen die veel te diep voor haar waren. Obstakels waar het groentje dat zij nog was, gegarandeerd frontaal tegenop zou knallen. Hindernissen die de poema Dolores met het grootste gemak zou nemen...

Vlak voor haar auto hield ze stil en ze schudde haar hoofd. Een onorthodoxe manier om de spookbeelden van faalangst te verdrijven. Gek genoeg wilde het wel eens werken. Als tegengif siste ze de groeiende onzekerheid toe: 'Dolores heeft gefaald. Ik nog niet.'

Ze opende het portier en stapte in. Hierna keek ze direct in de achteruitkijkspiegel. De onzekerheid lag nog steeds in haar blik, maar was gereduceerd tot een bijproduct dat op de nominatie stond om te verdwijnen. Ik maak vorderingen, dacht ze opgelucht.

'Leven is het meervoud van lef,' fluisterde ze. Een mooie zin die ze ooit eens ergens op een vlugschrift had gelezen.

'Leven is het meervoud van lef,' klonk het nu stukken zelfverzekerder.

Ergens in haar achterhoofd sprak een naargeestige stem: je keert het om, trut. Lef is namelijk het enkelvoud van leven.

Ze negeerde het.

Innerlijke kracht was namelijk superieur aan gebral.

22

Binnen tien seconden had hij het slot open. Met de vingertoppen van zijn linkerhand duwde inspecteur Isidro Alarcón tegen de deur. Een zwoegend gepiep dat vele dienstjaren verried, volgde. Hij stapte de kamer binnen. Het donkerbruine tapijt onder zijn voeten had te veel bezoekers toegang verleend. Het was afgetrapt en op sommige plekken versleten tot op de draad.

Met zijn armen langs zijn zij liep Alarcón bedachtzaam verder. Hij droeg een dienstwapen, maar liet dat in de holster. Hopelijk bleef dat zo. Hij had een uitgesproken aversie tegen wapens. De paar keer dat hij in al die jaren naar zijn pistool had moeten grijpen, waren absolute dieptepunten in zijn carrière geweest.

De woonkamer was even sjofel als de buitenkant van het pension suggereerde. In het midden stond een houten tafel met daarin diepe krassen en forse brandplekken. Een jaren-tachtigbank met een donkerblauwe overtrek hoorde zonder twijfel thuis op de vuilnisbelt. In deze omgeving profileerde het meubelstuk zich echter als een essentieel onderdeel van de droefgeestige harmonie. Op de vloer lag een achteloos uitgetrapte linkerschoen. Zwart leer, topkwaliteit, dat kon een leek zelfs zien.

Een huivering gleed langs Alarcóns ruggengraat. Het was precies het soort schoen dat zijn voormalige vriend zou dragen. Stijlvol, maar bovenal duur. Twee korte oogopslagen verder was het bouwtechnische gedeelte van het appartement hem geheel duidelijk. Woon-, slaap- en badkamer. Aan zijn linkerhand een parodie op een keuken. Het voormalige onderdeel van het woonvertrek was door een goedwillende amateur omgetoverd tot een kookgelegenheid. Men hoefde geen timmermansoog te hebben om te constateren dat de kasten boven het aanrecht uit het lood hingen. Tevens ontbraken er onontbeerlijke zaken als knoppen op het gammel ogende fornuis en oogde de spoelbak in het aanrecht als een lekkend zwembad voor ratten. Op wat omgespoelde glazen na, was er niets wat erop wees dat er ook daadwerkelijk gebruik van de keuken was gemaakt. Geen afgewassen pannen, uitdruipend bestek of zwervende etensresten.

Alarcón liep naar de badkamer. In de slaapkamer zou hij een onopge-
maakt bed aantreffen, zei zijn gevoel hem. Op de vloer naast het voeten-
eind gedragen sokken en een vuile onderbroek. In de kledingkasten dure
merkkleding. Modieuze Tommy Hilfiger-shirts netjes opgevouwen,
Armani-pakken keurig op een hanger.

Hij stapte de badkamer binnen en verstijfde. De schrik verlamde zijn
zenuwcentrum, zodat hij gevoelsmatig stopte met functioneren. Hij
stond en keek, beide ogen wijd opengesperd. Zijn hartslag sloeg op hol
richting de tweehonderd. De lucht die hij paniekerig door zijn neus
inhaleerde, was geïnfecteerd met het virus van de dood.

Javier Martel lag naakt in bad. Het rode water kwam exact tot aan zijn
kin die half op zijn borst was gevallen. Zijn ogen waren gesloten. Hij zag
er vredig uit. Iemand die balans in het leven had gevonden. Als zijn beide polsen niet waren doorgesneden, was de veronderstelling dat hij sliep
niet eens zo gek geweest.

Op de marmeren vloer stond een geopende fles champagne met daar-
naast een plastic bekertje. Het galgenmaal van een zelfmoordenaar. Martels laatste nip was een weinig flamboyante van aardse decadentie
geweest, dacht Alarcón toen hij weer een beetje bij zijn positieven
kwam. Dit strookte wel met de levenswijze van de crimineel. Het
afscheid deed dat echter niet.

Twee lange minuten lette hij op details die zo vaak van doorslaggevend
belang konden zijn. Daarna sloeg hij alle informatie op de harde schijf
in zijn hoofd op en liep terug de woonkamer in.

Isidro Alarcón realiseerde zich dat de beslissing die hij nu ging nemen,
zomaar de belangrijkste uit zijn loopbaan kon zijn.

Alfonso Silva stak zijn hand uit. 'Fijn dat u ons direct heeft gebeld,' zei
hij tegen Alarcón, die de begroeting met een handdruk bezegelde.

'Met het oog op de voorgeschiedenis leek mij dit het beste.'

'U had het ook anders kunnen spelen,' antwoordde Silva, terwijl hij zijn
legitimatie weer in de binnenzak van zijn jack stak.

'Waarom moeilijk doen als wij elkaar kunnen helpen?' sprak Alarcón
met gemaakte achteloosheid. De beslissing die hij in zijn eentje had
genomen, was namelijk van behoorlijke importantie. Niet dat hij van de
standaardsituatie was afgeweken; nee, hij keek wel uit. Het ging om de
invulling van het justitiële plaatje. Daarbij was hij enigszins creatief te
werk gegaan. Of het binnen de regels was, wist hij niet precies. Waarschijnlijk wel. Een gecalculeerde gok, in de hoop de jackpot binnen te
slepen.

'Binnenlandse Zaken waardeert dit, inspecteur. Mocht er alsnog wrevel ontstaan, dan kunt u op ons rekenen.'

'Bedankt, dat is een hele geruststelling.'

Silva wierp een eerste blik in de badkamer waar twee mannen van de technische recherche bezig waren met sporenonderzoek. Een camera flitste.

'Vanmorgen zat er bij mijn post een afscheidsbrief van Martel,' begon Alarcón uit zichzelf. 'Compleet met het adres van dit stinkhol.'

'Waarom u?' Terwijl hij dit zei, nam Silva de details van het bloederige tafereel in zich op.

'Martel en ik zijn in dezelfde buurt opgegroeid. We waren jeugdvrienden. Daarna scheidden onze wegen zich. Beroepsmatig zijn wij elkaar later nog wel eens tegengekomen. Privé was er geen contact.'

'Nog iets merkwaardigs? In die brief, bedoel ik.'

'Zo standaard als het maar zijn kan. "Ik heb spijt van mijn daden. Kan er niet meer tegen. Zie je in Getafe. Javier." Onderaan stond het adres geschreven.'

'Zodat u de eerste was die hem zou vinden.'

'Daar lijkt het wel op, ja.'

Silva draaide zich om en liep de woonkamer in. Alarcón volgde hem. Naast het aanrecht, net buiten het gehoor van de kerels van de technische recherche, bleef Silva staan.

'Eerste indruk?'

'Lariekoek,' antwoordde de inspecteur direct. Hij voelde feilloos aan dat je er bij deze man geen doekjes om moest winden. Enkel het feit dat de persoon tegenover hem alleen was gekomen, sprak voor zich. Geen machtsvertoon, ondersteund door lange jassen, donkere zonnebrillen en afgebeten zinnen. Gewoon iemand van Binnenlandse Zaken die de medewerking waardeerde. Ook dit was geenszins wat het leek, wist hij. De vriendelijk ogende man met de ondoorgrondelijke blik was lid van de Spaanse geheime dienst CESID. Wellicht behoorde hij zelfs tot de eenheid die boven alle partijen stond en waarvan niemand eigenlijk het fijne wist. Ooit had hij eens een naam in de wandelgangen opgevangen. *Oficina numero Nueve*, te belachelijk voor woorden, eigenlijk.

'Javier Martel was een boef van de oude stempel. Een crimineel die zich letterlijk naar boven heeft gevochten. Iemand die van alle mensen op de wereld het meest om zichzelf gaf. Dat soort jongens schrijft geen afscheidsbrief om zich daarna de polsen door te snijden. Dit kan er bij mij dus niet in, meneer... eh... hoe was uw naam ook alweer?'

'Gomez,' zei Silva conform de naam die op zijn legitimatie stond. Hij nam de inspecteur de oertruc niet kwalijk. Iedereen probeerde op zijn of haar manier slim te zijn.

'Iemand vond dus dat Martel langs deze opzichtige weg moest verdwijnen. Eind goed, al goed, om het maar even cru te stellen.'

'Dat is een theorie,' stelde Alarcón.

'Op het eerste gezicht is het daarentegen zelfmoord. Blanke man rond de veertig, identiteit onbekend. Kunt u daar voorlopig mee leven, inspecteur?'

'Tot het moment dat het lab met andere gegevens komt, ga ik hiervan uit, meneer Gomez.'

'Wij zullen elkaar ongetwijfeld in de toekomst nogmaals spreken,' zei Silva toen hij de inspecteur van Ernstige geweldsdelicten de hand schudde.

Alarcón knikte. Het was goed om in een jungle als Madrid over een invloedrijke connectie te beschikken, wist hij. Helemaal als die bij je in het krijt stond.

De Tempelridder kan zijn tombe in, dacht Silva. Beroepscrimineel Javier Martel heeft de hemelse oneindigheid boven een aardse straf verkozen. Een definitieve uitweg die uiteindelijk voor iedereen te pruimen is. Zelfs voor Martel, zoals hij in zijn afscheidsbrief vermeldde.

Het verkeer kroop weer ouderwets traag over de wegen. Voor Silva was dit in de regel een legitiem excuus om constant binnensmonds te vloeken. Deze gedenkwaardige middag liet de drukte hem hoegenaamd koud. Hij was geconcentreerd op wat men in inlichtingenkringen 'het spel' noemde. Het moment dat de oppositie besloot om opzichtig pionnen te verplaatsen. Geconfronteerd met nieuwe feiten, werd hij geacht een zet te doen. Een daadwerkelijke move of een bewuste stilte. De keus was nu geheel aan hem.

'Wat jij wilt,' bromde hij afwezig tegen de bestuurder van een Mercedes die zijn logge voertuig handig in het gaatje manoeuvreerde dat Silva had laten vallen. De woorden 'patjepeeër' en 'rasproleet' bleven onuitgesproken. De dood van de vermeende Tempelridder beheerste voor het overgrote deel zijn gedachten.

'Omdat het zo klopt, klopt er dus geen ene moer van,' fluisterde Silva. De zaak was te mooi om waar te zijn. De Tempelridder blijkt een notoire crimineel die spijt heeft van zijn daden en zelfmoord pleegt. De zaak die heel Spanje in een wurggreep heeft, is in één klap opgelost. Iedereen blij. De regering, omdat de rust wederkeert. Het volk, vanwege min of meer dezelfde reden en de opsporingsdiensten, omdat er een grote druk van de schouders valt.

En om de sceptici de wind uit de zeilen te nemen, klopt op het eerste gezicht alles. De vingerafdruk van Martel staat op de relikwie die in Barcelona op het lijk van de vermoorde imam wordt gevonden. Tevens geeft de crimineel in zijn afscheidsbrief aan spijt te hebben van zijn daden. Welke dat zijn, is eenvoudig te raden. Met een paar forse halen snijdt Martel zich een weg naar een andere wereld, waarna de kous af is.

Silva schudde zijn hoofd. 'Dus niet.'

Ieder derderangsboefje wist tegenwoordig hoe je vingerafdrukken duidelijk kon kopiëren. Alle benodigde informatie hierover was op internet te vinden. Daarbij was Martel geenszins het type dat uit ideologische overwegingen andersdenkenden een kopje kleiner maakte. 'Uit financieel oogpunt' klonk een stuk aannemelijker. Wat automatisch een ander licht op de zaak wierp.

De oppositie wilde dat de zaak publiek werd gemaakt, die conclusie durfde hij wel te trekken. Dit kon wellicht betekenen dat Martel als lokkertje diende om de boel in slaap te sussen. Na een bepaalde periode zou de andere kant toeslaan, waardoor de hele santenkraam pas echt op zijn kop kwam te staan.

Terwijl hij de parkeergarage inreed, zag hij flarden van de toekomst voor zich. Krantenkoppen die schreeuwden dat de Tempelridder was ontmaskerd, politici die elkander opgelucht de hand schudden, gekleurde straatgraffiti in plaats van opruiende leuzen. Een rapport van de technische recherche waaruit bleek dat Javier Martel geen zelfmoord had gepleegd.

Een nieuwe moordaanslag op een imam.

Veldslagen tussen autochtonen en allochtonen...

Ondanks de verontrustende beelden knikte Silva tevreden. Hij had de juiste beslissing genomen. Voorlopig ging de zaak-Javier Martel de doofpot in. Zelfmoord door een onbekende man, punt. Zijn beslissing was vergemakkelijkt door het kordate optreden van Isidro Alarcón. Deze inspecteur had het belang van deze zaak direct onderkend en de juiste weg bewandeld. Hoewel hij anders vermoedde, had hij direct het stempel zelfmoord op het delict gedrukt. Aangezien hij als politiefunctionaris reeds in het pand aanwezig was, nam hij de zaak onder zijn hoede. Geheel volgens het boekje schakelde hij de technische recherche in. Hiermee dekte hij zich in voor zijn superieuren. Andere collega's liet hij met rust. Dit werd hem in dank afgenomen, geen hond zat natuurlijk op een zelfmoord van de zoveelste John Doe te wachten.

'Sluwe vos,' mompelde Silva. De lichte grijns op zijn gezicht verried de waardering voor de oude rot in het vak die vanuit zijn intuïtie en ervaring juist had gehandeld. Tevens begreep *el jefe de operaciones secretas* dat de inspecteur er eentje te goed van hem had.

Vanuit de lift liep hij direct door naar zijn kantoor. Bij Administratie waren ze volop aan de gang en mocht er iets dringends zijn, dan lag het op zijn bureau, redeneerde hij. Toen hij binnenstapte, viel zijn oog direct op het dossier dat boven op de stapel lag. Een rode sticker meldde dat er een bepaalde mate van urgentie aan verbonden was.

Hij nam plaats achter zijn bureau, pakte het dossier en sloeg het open. Naast het memo van de Franse geheime dienst, had Administratie voor wat aanvullende informatie gezorgd. Hij las het door en drukte drie minuten later op de knop van zijn intercom.

'Wat kan ik voor u doen, *jefe*?' antwoordde José Antonio Basso, de chef van de dagploeg.

'Als er foto's beschikbaar zijn van Rubén Betancor en eventuele andere personen die rond hem cirkelen, dan moeten die direct naar Parijs worden gestuurd.' Terwijl hij de knop ingedrukt hield, liet Silva even een stilte vallen. Tja, waarom ook niet, dacht hij aansluitend.

'Weet je wat, José? Sein de hele handel maar door. Foto's van Javier Martel, Del Pino, alles wat we hebben. Wie weet wat eruit komt.'

'Komt in orde.'

Silva haalde zijn vinger van de intercom en sloot het dossier. Hierna leunde hij naar achteren, glimlachte sluw en begon in gedachten bepaalde personen en gebeurtenissen te koppelen. Dit gedrag had mede te maken met een merkwaardige actie van een kunsthandelaar in Lyon.

23

Niets was meer hetzelfde. Zo op het eerste gezicht leek het alsof er geen verandering had plaatsgevonden, maar dit bleek een leugen als je beter keek. In de ogen van de mensen stond een vervaarlijke mengelmoes van wanhoop en agressie te lezen. Uit hun lichaamstaal sprak een verkeerde trots. Een dun vernis van aangeleerde hoogmoed waarmee de ware aard aan het zicht werd onttrokken.

Hij keek er echter dwars doorheen. Dit was niet meer dan logisch, omdat hij het onaangename omhulsel zelf bij het volk had aangebracht. De gemoedstoestand waarin zijn medemensen zich nu bevonden, was zijn schuld. Eveneens was hij verantwoordelijk voor de rellen die vlak na zijn optreden waren uitgebroken.

Tientallen gewonden en twee doden.

Zijn schuld.

Na het optreden waren ze de stad ingegaan om het te vieren. Wat er precies gevierd moest worden, was hem toen al een raadsel geweest. Oké, zijn eerste optreden dat rechtstreeks op televisie was uitgezonden. En het was aardig verlopen. Maar om daar nu zo'n heisa over te maken. Rodriquez was er echter lyrisch over geweest. Nu wist hij beter. Er moest gevierd worden dat het door hem uitgestrooide kwade zaad was bevrucht. Het duivelse product ervan zou niet lang daarna al worden geoogst.

'Vuile, smerige rothufter.'

Deze woorden en talloze varianten hierop waren de afgelopen dagen al menigmaal van zijn lippen gerold. Ze hadden betrekking op hemzelf en zijn manager Juan Rodriquez. Hoe langer Del Pino over de voorbereiding en het optreden zelf nadacht, des te meer raakte hij ervan overtuigd erin geluisd te zijn. Door Rodriquez en eventuele trawanten naar wier bestaan hij enkel kon raden. Het leek hem in elk geval onwaarschijnlijk dat zijn manager in zijn uppie opereerde. Hier moesten meerdere kwade geesten achter zitten.

Hier in het centrum van Las Palmas kon hij nog over straat lopen zonder te worden lastiggevallen. Een baseballpet, donkere zonnebril en stoppelbaard garandeerden de anonimiteit waarin hij nu wilde verkeren. In de buitenwijken zou deze provisorische vermomming niet toereikend zijn. Daar kenden de mensen hem. Zelfs met een zak over zijn hoofd pikten ze hun lieveling eruit.

Toch besloop hem het gevoel dat hij in de gaten werd gehouden. Een zesde zintuig meldde dat er ogen op hem waren gericht.

'Je wordt paranoïde, eikel.'

Held tegen wil en dank, dacht hij aansluitend.

Toen de rook van de slagvelden door de oceaan was opgeslokt, bleek zijn ster tot aan de top van het firmament te zijn doorgeschoten. Zijn boven-woning in Polvorin werd door de buurtbewoners opeens als een waar bedevaartsoord beschouwd. De pers werd vakkundig op afstand gehou-den. Dit gebeurde hoofdzakelijk met verbaal geweld. Waren de geluks-zoekers hiervan niet voldoende onder de indruk, dan verscheen net zo makkelijk een steek- of schietwapen ten tonele. De plaatselijke autoritei-ten lieten het begaan. Voorlopig stelden zij andere prioriteiten. Veilig thuiskomen stond erg hoog op die lijst.

'Hoe heb ik zo stom kunnen zijn?' fluisterde Del Pino.

Stompzinnige retoriek. Het antwoord was foeilelijk, hoe vaak hij er ook over dacht. Dat was de grote ellende; gedane zaken namen geen keer. Een gezegde dat hij meer en meer vervloekte.

Hij had met oogkleppen op gelopen. Blind voor de consequenties. Het succes en de roem waren drijfveren die geen tegenspraak duldden. Aan-gestoken door het vurige enthousiasme van Rodriquez had hij de grens overschreden.

Inspraak in de tekst was tot daar aan toe, het toelaten van oneliners die het volk tot gekte opzweepten een onvergeeflijke zonde. Onder de noe-mers van 'dat moet toch kunnen' en 'blijf politiek scherp' had hij het laten gebeuren. Van zijn oorspronkelijke teksten was bitter weinig over-gebleven. Een waarheidsgetrouwe analyse die hij hier en nu wel kon maken. Tijdens het vertimmeren en bijstellen van zijn conference was dit essentiële punt echter tot een nietig cijfer achter de komma gedevalu-eerd. Hij leefde in een roes. Dit optreden was een sprong naar nationale bekendheid. En daarvoor diende je concessies te doen. Rodriquez for-muleerde het anders, maar hier kwam het dus wel op neer. Bedwelmd door de aankomende voorspoed, was hij zonder al te veel tegenwerpin-gen overstag gegaan.

'Lul.'

Een man die hem op dat moment passeerde, hield zijn pas in.

'*Qué?*'

'*Nada, mi niño. No pasa nada.*'

Een korte, inschattende blik volgde, waarna de man doorliep. Del Pino hoorde hem nog '*Loco*' zeggen, maar reageerde hier niet op. Elke discussie kon hem nu gestolen worden. De afgelopen dagen had hij er hiervan al te veel meegemaakt.

Hij liet de calle Concepción Arenal achter zich en kwam via de Plaza España uit op de Avenida José Mesa. De stadse drukte was hier zichtbaar, voelbaar en hoorbaar. Vanaf de met ouderwetse appartementsgebouwen ommuurde rotonde die Plaza España feitelijk was, reden de voertuigen de verkeerstechnische hel van Avenida José Mesa binnen. Elke zijstraat was goed voor een verkeerslicht, zodat de automobilisten het gevoel kregen in een fuik te zijn beland. Ontsnappen was mogelijk, je moest er echter wel de tijd voor nemen. Stapvoets boekte je progressie. Del Pino hield zijn pas in. Weer was er dat onbestendige gevoel van ogen die in zijn rug prikten. Hij draaide zich abrupt om en liet zijn blik in de directe omgeving speuren. Niemand had speciale belangstelling voor hem, constateerde de Canario.

Aan het eind van de brede straat glinsterde het oneindige blauw van de Atlantische Oceaan. Voordat grauw in azuur overging, was er nog de vierbaanssnelweg die als een ring om de hoofdstad van Gran Canaria lag. Voor het merendeel van de bestuurders was dit het geasfalteerde walhalla waarover zij met hoge snelheid naar het zuiden of noorden konden blazen.

Bij het fastfoodrestaurant Quickly was het opvallend rustig. Drie medewerkers pretendeerden schoonmaakwerkzaamheden te verrichten. Vluchtig haalden zij een gele vaatdoek over de plastic tafeltjes. In hun blikken stond waakzaamheid te lezen, zag Del Pino. Dit had ongetwijfeld te maken met de geweldsexplosie die verantwoordelijk was geweest voor de ravage aan en in het pand van hun buurman. De etalage van Manzana Diamanten was met planken dichtgespijkerd. Een triest gezicht, dat tevens aangaf dat de term 'onbreekbaar glas' een reclamefabeltje was. De uitzinnige menigte had zowel het hekwerk als het glas daarachter opengebroken en vernield. Aansluitend had men de winkel geplunderd.

Del Pino vertraagde zijn pas. Hoewel hij er zelf niet daadwerkelijk aan had meegedaan, voelde het alsof hij met zijn eigen handen de kostbaarheden uit de vitrine had gegraaid. De bezittingen van een joodse diamanthandelaar van het vasteland waren onder het volk verdeeld. Eerlijk zullen we alles delen.

Een opgehitste menigte in een inktzwarte nacht die haar ongefundeerde woede op één bepaalde bevolkingsgroep richtte. Geweld, vernielingen, brand, plunderingen.

'Waar heb ik dat meer gezien?' fluisterde Del Pino. Zijn woorden waren ingekapseld door schaamte. Cynisme was niet meer aan de orde. Er was enkel plaats voor de onbehaaglijkheid die onlosmakelijk met het schaamtegevoel verbonden was.

Hij liep door en zag dat aan de overkant van de straat eveneens een pand half was geruïneerd. Een modezaak. De rode neonletters op de gevel verklapten de naam van de eigenaar: PEREZ. Ook dat klonk joods, dacht Del Pino. Dit kon ook louter toeval zijn, wist hij. De woede van de wilde meute had zich op Spanjaarden van het vasteland gericht. Niet specifiek op joden.

Wat een nare klank kreeg dat woord trouwens, ging het door hem heen. Joden, of het om iets minderwaardigs ging. Een groep die zichzelf buiten de maatschappij stelde, een uitstervende diersoort, onverbeterlijke criminelen. Maar 'joodse medemensen' klonk ook weer zo raar. Denigrerend, meelijwekkend. Zo sprak je niet over landgenoten. Dat sloeg nergens op.

'Hou eens op met dat zielige gedoe, joh!'

De vrouw die naast hem liep, schrok. Ze wierp een schichtige blik over haar schouder en versnelde haar pas.

'Pleur toch lekker op, wijf. Bemoei je met je eigen zaken.'

Het was eruit voordat hij er erg in had. Nou ja, dan moest dat mensje maar niet zo spastisch reageren. Ze vroeg er zelf om, toch?

De oceaan kwam gestaag naderbij. Het liefst zou hij aanmonsteren op een van de schepen die in de haven lagen. Weg uit de hel die uit zijn eigen geest was ontsproten. Geestdodend werk aan boord van zo'n roestbak uit Panama. Denkend aan al die schatjes in verschillende stadjes. Nooit meer in je telefoon de zoveelste oproep van Rodriquez zien verschijnen. Geen schouderklopjes ontvangen van buurtbewoners die in jou hun nieuwe leider zagen.

Een kwalificatie die overigens nergens op sloeg en die geenszins door hem werd geambieerd. Hij was een jongen die met zijn grappen en grollen mensen wilde amuseren. De politieke geëngageerdheid was een toegevoegde waarde waarmee hij zijn performance naar een hoger niveau wilde tillen. Dit was echter een eigen leven gaan leiden. Opeens was hij niet meer Edy de entertainer, maar Ehedey Del Pino, de politieke heiland die met zijn redevoeringen hele volksstammen in vervoering en beroering kon brengen.

Ondanks de kolossale luchtverontreiniging in zijn directe omgeving, kon hij het zilte nat proeven. Een bak vol druppels waarover je recht-streeks de vrijheid tegemoet kon glijden. Eigenlijk was het niet eens zo'n slecht idee...

'Hallo kerel, tijd niet gezien.'

Er werd een gespierde arm om zijn schouder geslagen. Del Pino draaide zijn hoofd een kwartslag naar links en keek in het gezicht van een onbekende. Een fractie van een seconde later voelde hij rechts van zijn borstbeen iets prikken. Hoewel hij lichamelijk protesteerde tegen de ongevraagde omhelzing, was hij volslagen kansloos. De arm die hem omklemde, voelde aan als de grijper van een levende bulldozer. Hij kon enkel de kant uit die zijn belager dwingend aangaf.

Het beeld van Las Palmas' bruisende centrum werd opeens wazig. De vertrouwde verkeersgeluiden kregen meer weg van het gebrul van de dinosaurussen uit *Jurassic Park*. Vreemd genoeg werd hij heel rustig. Het geloei zwakte af tot een ruis met op de achtergrond bromgeluiden. Hij voelde zichzelf wegglijden in een prettige roes die hopelijk de vergankelijkheid te boven ging. Vanuit zijn linkerooghoek zag hij een portier opengaan. De sterke arm duwde hem op de achterbank van een grote, luxewagen.

Een volstrekt overbodige actie.

Hij was met alle liefde zelf ingestapt.

Leuk, zo'n ritje.

'Naar... de... kermis... vrienden,' hakkelde Ehedey Del Pino tegen niemand in het bijzonder. 'Dat... dat lijkt mij... eh... pas echt tof, weet je?'

Hoewel broodnuchter, suggereerde zijn stem dat er op zijn minst sprake was van overvloedig drankgebruik.

24

El cerdo que ríe was tot op de laatste plaats bezet. Voor het personeel van Het lachende varken was dit de normaalste zaak van de wereld. Door jarenlang goede producten tegen schappelijke prijzen te serveren, had het restaurant een degelijke naam opgebouwd. Vooral het scharrelvlees stond hoog aangeschreven. Het samenwerkingsverband dat de eigenaar van Het lachende varken met een aantal boerderijen had gesloten, bleek een gouden zet. Ondanks de serieuze opkomst van het vegetarisme, koos het gros van het middenkader tijdens lunchtijd voor een vers stuk vlees. Omdat deze doelgroep – aangevuld met leidinggevend personeel dat ook wel eens lekker en informeel wilde eten – in het centrum van La Coruña de meerderheid vormde, beleefde het restaurant gouden tijden. Reserveren was een must, kwam je hier op de bonnefooi binnen dan werd er steevast verontschuldigend en meewarig geglimlacht.

'Ik was vergeten hoe lekker je hier kunt eten,' zei Rubén Betancor met een tevreden gezicht.

'Het kwam eergisteren ineens in mij op om hier te reserveren,' antwoordde Juanfran Doramas tussen twee happen door. 'Het vlees is inderdaad om te zuigen.'

Betancor keek ontspannen voor zich uit. Hij kauwde zorgvuldig en nipte geregeld van zijn rioja. Het bovenste knopje van zijn spierwitte overhemd zat los, waardoor de bordeauxrode stropdas wat minder strak zat zonder dat dit in het oog sprong. Het zwarte colbert met daarin flinterdunne zachtgele streepjes, hing over zijn stoel. Kledingcode en gedrag van een bankdirecteur die genoot van zijn vrije uurtje tussen de vergaderingen door.

'Volgende week, nietwaar?' vroeg hij zonder daar zijn tafelgenoot specifiek bij aan te kijken.

'Voorlopig de laatste keer,' bromde Doramas. 'Ik heb hem verleden maand verteld dat er na volgende week een halfjaar radiostilte ingaat.'

Hoewel hij het militaire *slang* maar niks vond, nam Betancor het voor lief en bleef innemend glimlachen.

'Bezwaren?'

'Integendeel, het leek er eerder verdacht veel op dat die jood opgelucht was. Hij heeft de laatste maanden zijn handen behoorlijk uit de mouwen moeten steken.' Doramas' vork bleef een drietal seconden in de lucht hangen. Er scheen hem iets te binnen te schieten. 'Of moet ik zeggen "zijn poten uit de mouwen steken"?' Aansluitend begon hij te grinniken.

'*Hombre, que quières tu,*' antwoordde Betancor vlak. Het ironische zag hij er wel van in, de platte humor kon hem daarentegen gestolen worden. Dat uitgerekend een joodse, homoseksuele kunsthandelaar hun spullen verzilverde was inderdaad een opmerkelijke speling van het lot. Daar bleef het wat hem betrof ook bij. De man had tot nu toe zijn werk voortreffelijk gedaan. Zijn verwerpelijke afkomst en walgelijke seksuele voorkeur waren van ondergeschikt belang. Dat soort kreeg hun trekken toch wel thuis, wist hij.

'Hoe verliep de ontmoeting?' wilde Doramas weten.

'Bevredigend,' was het waarheidsgetrouwe antwoord. 'Ik heb eerst een tijdje met zijn persvoorlichter gesproken. Keurige jongen, iemand die weet wat er in de wereld te koop is. Mijns inziens een prima keus.'

Doramas knikte. 'De randvoorwaarden zijn tegenwoordig hoofdzaken. Zonder een goed draaiend team achter je, zijn politieke aspiraties even zinloos als het geven van balletles aan commando's.'

Met 'Het geld wordt goed besteed,' draaide Betancor eventuele napret over de idiote metafoor direct de nek om. 'Naast de persvoorlichter zijn er andere professionals aangetrokken. Prima lui.'

'En Medina zelf?'

'Miquel zit fantastisch in zijn vel. Het aureool van onoverwinnelijkheid is zijn metgezel. Wij hebben de juiste beslissing genomen, Juanfran. Over minder dan een jaar heeft dit land een nieuwe president.'

'Wat zeggen de laatste peilingen?'

'Als er nu verkiezingen zouden worden gehouden, dan trekt Miquel twaalf procent van de stemmen naar zich toe. Tenminste, dat wist zijn persvoorlichter te melden.'

Doramas liet langs het vlees dat in zijn mond circuleerde een goedkeurend gebrom ontsnappen. 'Dat is een verdomd aardige score.'

'Helemaal als je weet dat het hier slechts de aanloop betreft. De grote klap moet nog vallen.'

Een valse grijns maakte het uiterlijk van Juanfran Doramas nog gemener dan het in natuurlijke staat al was. 'Dan wordt het percentage in een poep en een scheet verdubbeld.'

'Minstens.'

Een mooie gedachte om even vast te houden, ging het door Betancor heen. Ruim voor de verkiezingen zou er voor modern Spanje een unieke situatie ontstaan. Drie in plaats van twee grote spelers op het politieke toneel. 'PP, PSOE en TU,' lispelde hij. 'Dat is een aardig triootje.'

'Waarvan de Partido Popular als eerste het veld moet ruimen,' vulde Doramas aan. 'De rechterzijde van de conservatieven kiest direct de kant van Medina. De rest verlaat de maanden daarop schoorvoetend het zinkende schip. Die ratten moeten tenslotte iets doen, nietwaar?'

'Dat is zeker, Juanfran. En tegen het blok dat er dan ontstaat zijn de socialisten kansloos.'

Met deze prettige vaststelling aten ze verder. Terwijl hij genoot van zijn biefstuk met pepersaus, liet Betancor zijn blik selectief rondgaan. De mensen aan de hen omringende tafeltjes had hij bij binnenkomst reeds aan een korte inspectie onderworpen. Een mengelmoes van zakenlui en kantoorpersoneel, was zijn eerste conclusie geweest. Inmiddels een half-uur later, stond hij nog steeds achter deze gevolgtrekking. De bezoekers van Het lachende varken hadden enkel oog voor hun eten en gespreks-partners. Tevens was het een hele geruststelling dat er tussen de tafeltjes voldoende ruimte zat, zodat het praktisch onmogelijk was om te horen wat de buren bespraken.

De decoratie van het restaurant was op zijn minst curieus te noemen. Aan de muren waren op manshoogte donkergrenen planken gemon-teerd. Deze stonden vol met varkens in allerlei soorten en maten. Spaar-varkens, houten varkens, pluchen varkens, plastic varkens, varkens met een klok in hun buik, verklede varkens en opblaasvarkens. Eén ding hadden ze gemeen. Ze waren allemaal roze.

Terwijl Betancor zijn blik langs de roze stoet liet gaan, legde Doramas zijn bestek op zijn lege bord en boerde. Hij deed dit met gesloten lippen, zodat zijn wangen werden opgeblazen en hij heel even op een uit zijn krachten gegroeide kikker leek. In zijn geval een magere gifkikker.

'Heb je nog iets losgelaten over de financiën?' wilde Doramas weten.

'Ik heb een paar proefballonnetjes opgelaten. Vond het nog te vroeg om dieper op die materie in te gaan.'

'En? Zei hij er nog iets over?'

'Niet rechtstreeks, nee. Wat overigens heel verstandig van hem was.'

'Heb jij wel eens een politicus gezien die niet om de hete brij heen draai-de?' zei Doramas gemelijk. 'Kom op, zeg. Hij is toch niet achterlijk? Hoeveel heeft hij inmiddels al binnengekregen? Drie miljoen, vier, wel-licht. Of gaat het al richting vijf?'

'Zoiets, ja.' Hiermee liet Betancor de waarheid in het midden.

Daarna keek hij zijn tafelgenoot aan en zei sussend: 'Over Miquel zit ik niet in. Als de tijd eenmaal rijp is, ziet hij heus wel in wie zijn ware vrienden zijn.'

'En anders help ik hem wel een handje,' gromde Doramas. 'We hebben het hier wel over miljoenen, Rubén. Zonder die poen stond Medina nog steeds luiers in een vrijwilligerscrèche te verschonen in de hoop hiermee zieltjes te winnen. Hou dat goed in de gaten.'

Betancor knikte. Hij wist dat meegaandheid nu de enige manier was om het vreemdsoortige temperament van de ex-militair te beteugelen. 'Ik beloof je dat ik tijdens de volgende ontmoeting specifieker zal zijn. Miquel zal het begrijpen en dankbaar zijn. Hij is een superintelligente vent die donders goed beseft dat zijn fonds is geworven door mensen die het beste met hem voor hebben. Van zijn kant zie ik geen beren op de weg. Echt het laatste waar ik bang voor ben.'

Doramas kneep zijn oogleden samen, waardoor zijn gezichtsuitdrukking zowel gemeen als sluw was. 'Waar ben je dan wél bang voor, Rubén? Toch niet voor die zeikerd uit Bolivia?'

Voor de eerste maal die middag vertoonde het standvastige masker van Betancor haarscheurtjes. Hij glimlachte gekunsteld. 'De kans dat iemand daarachter komt is nihil. De uiteindelijke bron is nagenoeg ontraceerbaar. Enkel de absolute topprogrammeurs hebben een kans en dan moeten ze ook hulp van binnenuit krijgen. Met binnenuit bedoel ik iemand van de bank.'

'Goh, dat had ik nog niet door,' sneerde Doramas. 'Met andere woorden, als die bankdirecteur zingt, dan hang je.'

Betancor stak beide handen in de lucht. Ondanks het pijnlijke onderwerp, had hij ergens kracht uit geput. Als vanouds straalde hij van zelfvertrouwen. 'Ten eerste zit er niemand achter me aan, en ten tweede zullen bankdirecteuren nooit met derden over hun cliënten spreken. Ik ben me ervan bewust dat ik een stevige fout heb gemaakt. Op dat moment kon ik echter niet meer terug.'

Aansluitend zuchtte hij, meer van opluchting dan spijt. 'Niets aan de hand. Het is gewoon zo'n lullige onvolkomenheid die een beetje in mijn kop doorzeurt.'

Het lag op de lippen van Juanfran Doramas om te zeggen: moet je eens opletten hoe snel ze doorslaan als ze op de pijnbank liggen. In plaats hiervan haalde hij nonchalant zijn schouders op. Hoewel hij een belangrijke spil in de couppoging was, ging het in het financiële gedeelte ervan toch echt om Betancors hachje. Aangezien de voorzitter van de Raad zich op zijn gebied als een topper profileerde, moest hij zichzelf er dus uit redden. Doramas nam zich voor pas in te grijpen op het moment dat zijn eigen positie door Betancors misstap in gevaar kwam.

Ze bestelden *cortado*. Vijf minuten later bracht de ober twee kleine kopjes geconcentreerde koffie met daarin een scheutje melk. Als service van de zaak zette hij twee glazen water op tafel. Dit was tegen de bittere nasmaak en eventuele nadorst.

'Ik blijf erbij dat Albelda een blok aan ons been is,' zei Doramas nadrukkelijk. 'Mocht hij het in zijn kop krijgen, dan gaan wij allemaal nat. Medina, jij en ik.'

Betancor keek bedachtzaam en streek met de vingertoppen van zijn rechterhand licht over zijn kin. Manuel Albelda had zich van redder des vaderlands tot twistpunt ontwikkeld. Nadat zij de buit hadden binnengesleept, werd Doramas steeds sceptischer in zijn uitlatingen betreffende het Raadslid. Uiteindelijk pleitte hij voor een definitieve oplossing. 'Ik weet hoe jij er tegenover staat, Juanfran. We hebben echter afgesproken dat er unaniem beslist dient te worden. In het geval van Manuel staan wij lijnrecht tegenover elkaar. Dat betekent dus een status-quo.'

Hij glimlachte op een manier zoals oude vrienden dit doen wanneer ze iets in der minne schikken. 'Komt bij dat ik met die geestelijk gehandicapte in de Dordogne jou je zin heb gegeven. Voor mij hoefde dat niet zo nodig, weet je nog wel?'

Het ontstemde gelaat van Doramas gaf aan dat hij het liefst in stilte bokte. Toch deed hij een poging om nogmaals zijn zaak te bepleiten. 'Dat van die grotimbeciel staat hier volledig buiten. Dat is appels met peren vergelijken. Van die gek moesten we gewoon af. Hetzelfde geldt voor Albelda. Hij is verruit de zwakste schakel, Rubén. Als hij breekt, slaat de hele boel los. Wil je dat risico nemen?'

Betancor boorde zijn blik in de ogen van de man tegenover hem. Hij wilde hiermee aangeven dat het hem nu écht ernst werd. Het was geen intimidatietechniek. Voor dat soort trucjes was Doramas volstrekt ongevoelig, wist hij. 'Wat dacht je dan van Martel of jouw Canarische connectie? Zijn dat soms geen risicofactoren? Er zijn grenzen, Juanfran. Als je op die manier denkt, blijf je graven aan het delven. Dat schiet gewoonweg niet op.'

Een geringschattende blik viel hem ten deel. 'Zo heeft het anders wel decennialang gewerkt.' Blijkbaar hadden zijn eigen woorden een zalvende uitwerking op zijn gemoedstoestand, want Doramas' linkermondhoek schoot omhoog. 'En geen centje pijn aan onze kant, kan ik je verzekeren.' Hij glimlachte vergenoegd en veranderde voor even in een lieve, oude man die eensklaps werd geconfronteerd met plezierige herinneringen.

'Binnen twee weken nog een laatste akkefietje,' sprak Betancor beslist. 'Daarna neemt de rede het over.'

Doramas knikte kort, hetgeen meer verwoordde dan een afgebeten en snedig protest. Hij was het er niet mee eens, maar legde zich erbij neer. Voor vandaag, althans. Wat hem betrof was het laatste woord hierover nog niet gesproken.

Terwijl ze naar de garderobe liepen, kwam het wel en wee van Deportivo La Coruña ter sprake. In een kort tijdsbestek staken ze elkaar de loef af met oneliners over het belabberde transferbeleid en dito spel van La Coruña's trots. Ook het stadion Riazor moest eraan geloven. Omdat het vlak aan zee stond en het op die specifieke plek altijd scheen te regenen, werd de vergelijking met een openluchtzwembad waarin elke twee weken elf 'Depor'-spelers verzopen snel gemaakt. Om de mineurstemming wat tegengas te geven, werden de verrichtingen van aartsrivaal Celta uit de aangrenzende provincie Vigo tegen het licht gehouden. Daar ging het nog veel beroerder, concludeerden ze eensgezind. En wat hadden ze onwaarschijnlijk gelachen toen die boeren van Celta de Vigo in 2004 degradeerden uit de *primera division*. Dat de dubbele competitieontmoeting vol agressie en heroïek verleden tijd was, deerde hen nauwelijks. Om Celta de Vigo wekelijks in de *segunda division* te zien ploeteren was bijna orgastisch. Een heuse verrijking van hun leven. Dat de vijand een jaar later weer promoveerde, deed hier niets aan af.

Nadat ze in hun jassen waren geschoten, namen ze met een droge handdruk afscheid. Ondanks wat meningsverschillen hadden ze allebei een goed gevoel over de nabije toekomst. Miquel Medina stond aan de vooravond van het presidentschap, wat aangaf dat hun plan ook in de praktijk werkte.

Drie straten van Het lachende varken vandaan stond een witte bestelbus. Helblauwe plakletters aan de zijkanten meldden FONTAINERIA SANTIAGO. Voor een loodgietersbedrijf waren klusjes hartje centrum dagelijks werk. In de talloze kantoorpanden sprong altijd wel ergens een leiding. Om maar te zwijgen van overlopende toiletten.

Ook de naam Santiago deed geen wenkbrauwen fronsen. Santiago de Compostela was de beschermheilige van Galicië, wat automatisch inhield dat je in deze noordelijke provincie van Spanje struikelde over die naam.

Jaime Pacheco zette zijn koptelefoon af. Op de stoel naast hem deed

Ramon Hernandez hetzelfde. Beide Nueve-leden grijnsden elkaar op een jongensachtige manier toe. Surveilleren en afluisteren waren onderdelen van hun vak waar maar weinigen onder hen enthousiast van werden. Hele dagen observeren leidde meestal tot een schamel resultaat. Kleine beetjes extra informatie waarvoor niemand echt warmliep. Zo heel af en toe was het in één keer prijs.

Vandaag was zo'n dag.

25

Na twee korte tikken vloog de deur open en stormde Roberto Grimon het kantoor van Alfonso Silva binnen. Met vier grote passen overbrugde hij de afstand naar het bureau van de chef van Nueve. 'Ben jij soms helemaal van de pot gerukt, Alfonso?!' Zijn rechtermondhoek trilde van woede. 'Waarom heb je dit voor mij achtergehouden, klootzak? Vertel me dan recht in mijn gezicht waaraan ik dit godverdomme te danken heb!'

'Ga zitten, Roberto,' zei Silva akelig rustig. Hij had zich op dit moment voorbereid. Dat Grimon als een dolle stier zijn kantoor zou komen binnenstormen, had hij zeker geweten. Geen 'misschien' of 'wellicht', het zou sowieso gebeuren. In wezen had het nog lang geduurd.

Grimon nam plaats. Hij deed dit op een manier die suggereerde dat hij elke seconde weer overeind kon springen. Met beide handen op de armleuningen leek hij te wachten op iets wat het meeste weg had van een startschot.

'Er zijn bepaalde zaken die ik gewoonweg niet kan vrijgeven,' sprak Silva op conversatietoon tegen de intermediair. 'Ook niet aan jou. Het klinkt lullig, maar dat is nu eenmaal een onderdeel van mijn functie.'

Silva had enkel mensen figuurlijk van woede zien ontploffen. Een blik op Roberto Grimon maakte hem duidelijk dat er een gerede mogelijkheid bestond dat de man tegenover hem bezig was het gezegde letterlijk te nemen. Zijn gezicht liep rood aan en won schijnbaar aan volume. Doordat er gelijktijdig tientallen paarse vlekjes verschenen, leek het alsof de intermediair een zeldzame vorm van mazelen onder de leden had. In zijn hals klopte de slagader een waanzinnig ritme dat alleen aan opgefokte trommelaars hartje Afrika voorbehouden was. 'Elke dag hebben wij contact. Elke dag moet ik die gasten bij Binnenlandse Zaken weer een worst voor houden. En dan... dan flik jij me dit.'

Hij spuugde de woorden uit. Silva veegde met de rechtermouw van zijn overhemd speekselresten van zijn bureau weg die de intermediair in zijn woede waren ontvallen.

Grimon beet op de nagel van zijn linkerduim. Hij deed dit met de intensiteit van een hongerig knaagdier, waardoor een curieus geluid ontstond.

'Het net sluit zich, Roberto. We hebben een paar serieuze aanwijzingen te pakken.'

Grimon boog zich voorover. Zweetdruppels parelden langs zijn vlezige wangen. Zijn pupillen waren bijna zo groot als de loop van een klein kaliber pistool. 'Serieuze aanwijzingen, mijn reet. De Tempelridder heeft zelfmoord gepleegd in de een of andere negorij hier vlak om de hoek. En het ergst van alles is dat ik dit nieuws van een stelletje wild-vreemden te horen kreeg.'

De 'wildvreemden' waarover Grimon sprak, waren hoogstwaarschijnlijk jongens van de technische recherche die bij een hooggeplaatste ambte-naar in een goed blaadje wilden komen, dacht Silva. Hij kon het zich namelijk niet voorstellen dat inspecteur Alarcón dubbelspel speelde. Daarvoor ontbrak elke argumentatie. Alarcón had er bewust voor geko-zen om, via een kleine bureaucratische omweg, Nueve als eerste in te lichten. Nee, de inspecteur van Ernstige geweldsdelicten had zowel zijn verstand als intuïtie gevolgd en de juiste beslissing genomen. Op dat niveau was niemand zo stom om de Binnenlandse Veiligheidsdienst in te schakelen en deze een paar dagen later doodleuk te kakken te zetten.

'We weten zo goed als zeker dat Javier Martel en de Tempelridder twee verschillende personen zijn. Met de nadruk op dat laatste woord, aan-gezien de moordenaar nog leeft.' Silva wees met zijn rechterwijsvinger naar de intermediair. 'Geef ons nog een paar dagen, Roberto. We heb-ben serieus beet.'

Wat al enkele minuten in de lucht hing, gebeurde nu daadwerkelijk. Roberto Grimon schoot overeind. Hij plantte zijn handen op het bureau en keek *el jefe de Nueve* strak aan. Zijn irissen leken nog steeds op de binnenkant van een pistoolloop, met dien verstande dat Silva nu haast een kogel eruit verwachtte. 'Je krijgt nog geen twee minuten van me. Het is over en uit. Vanaf dit moment mag je het allemaal zelf gaan uitleggen aan al die gasten die mij de godganse dag op mijn huid zitten. Ik nok er in elk geval mee.'

Silva hield zich in. Dit was de enige tactiek die bij Grimon werkte, wist hij uit ervaring. Hij moest de man laten uitrazen. Hierna kon hij een poging wagen om op de vertrouwensbreuk wat lijm aan te brengen. En mocht dit niet lukken, dan bezat hij altijd nog een sterke troefkaart waarvan zelfs een opgewonden Roberto Grimon mak zou worden. 'Ik begrijp dat je overstuur bent, Roberto.'

De intermediair reageerde voorspelbaar heftig. 'Ik overstuur? Nu begrijp ik pas waarom ze jou opperhoofd van deze toko hebben gemaakt. Wat een opmerkzame scherpzinnigheid.'

Silva glimlachte zuinig. Het cynisme interesseerde hem niet. De iets mildere toon waarop de woorden werden gesproken daarentegen wel. Dit kon betekenen dat Grimon langzamerhand het gevoel kreeg in een doodlopende tunnel te dwalen en hulp in plaats van ruzie wilde.

'Vind je het vreemd dat ik over mijn toeren ben? Hoe zou jíj je voelen als iemand met wie je nauw samenwerkt jou ongegeneerd een mes in de rug steekt?'

Silva schudde ontkennend zijn hoofd. 'Je bent nu ongenuanceerd bezig, Roberto.'

De lach die daarop volgde, klonk als een hatelijk geblaf. 'Natuurlijk ben ik rechtlijnig en vooral onredelijk, joh. Aangezien jij het allemaal zo goed schijnt te weten, stel ik het volgende voor: we ruilen van baan. Een etmaal lang mag jij binnenbrandjes blussen terwijl ik in dit luxekantoor de slimmerd ga uithangen. Lijkt je dat wat?' Hij haalde diep adem. Zijn volgende zin liep parallel met een diepe zucht. 'Ik ben er in elk geval helemaal klaar voor. Lijkt me geweldig.'

Wederom schudde Silva van nee. 'Dat is geen goed idee. Binnen twaalf uur hebben ze me gevild, geslacht en opgevreten.'

Voor de eerste maal tijdens zijn binnenkomst boette Grimons houding wat aan agressie in. Hij hield zijn hoofd enigszins schuin en keek Silva aan. Een minzame glimlach speelde rond zijn mondhoeken. 'Ben je gek. Zo veel stelt die baan van mij echt niet voor, *caballero*.' Hij keek opzichtig op zijn horloge. 'Halfelf, dan zit ik nog redelijk op schema.'

Silva hapte niet. Grimon ging toch wel in vogelvlucht zijn hele werkdag doornemen, wist hij. 'Om halfacht zat ik bij je collega's van CESID. Ze stonden op dit vroege tijdstip, omdat ze nog bergen werk te verzetten hadden. Dit kwam hoofdzakelijk omdat een substantieel deel van hun mankracht in opdracht van Nueve heel Spanje doorkruiste om informatie in te winnen over personen die iets met de Tempeliers te maken hadden. Hun verzoek was zowel duidelijk als redelijk: als Nueve onze mensen inzet, kan er dan een stukje van hun begroting naar ons overgeheveld worden?'

'Zo simpel ligt het niet,' antwoordde Silva stoïcijns.

'Met heel veel andere woorden heb ik zo ongeveer hetzelfde gezegd.' De vingers van zijn rechterhand ploegden over de stoppels op zijn linkerwang. 'Lul die ik ben, loyaal tot aan het bittere eind.'

Aansluitend maakte hij met zijn linkerhand een wegwerpgebaar. Hiermee leek hij kenbaar te willen maken dat hetgeen hij had gezegd er feitelijk niet meer zoveel toe deed. Toch ging hij verder, blijkbaar wilde hij zijn verhaal afmaken. 'Van halfnegen tot halftien alle overtollige smeek-, bedel- en dreigbrieven weggeflikkerd, zodat de zwijnenstal die ik mijn kantoor noem weer enigszins op orde kwam. Om kwart voor tien zat ik aan tafel met de staatssecretaris van Binnenlandse Zaken. Je zult wel een vaag vermoeden hebben waar het gesprek over ging, hè Alfonso?'

'Wat heb je gezegd?'

'Dat Nueve een paar serieuze aanwijzingen natrok en ik in het belang van het onderzoek geen gevoelige informatie mocht prijsgeven.'

'Slikte hij het?'

'Met heel veel pijn en moeite, kan ik je verzekeren. Hoewel jij dat natuurlijk wel denkt, zijn ze daar niet helemaal op hun achterhoofd gevallen.'

Silva liet de sneer voor wat deze was. Grimon had hem inderdaad verdedigd tot aan het moment dat hij zijn kantoor in kwam denderen. Het was zo goed als onmogelijk dat hij pas na het gesprek met de staatssecretaris de informatie over Javier Martel had gekregen. Mede hierdoor steeg de intermediair flink in zijn achting.

'Om halftwaalf heb ik een ontmoeting met een kleine delegatie van de PSOE. Onze socialistische vrienden maken zich bijzonder druk over een nieuw fenomeen dat zich razendsnel over ons land schijnt te verspreiden, de zogenaamde Costal-jongeren.' Grimon keek hem enkele seconden strak aan. Aangezien Silva geen enkele intentie toonde om hierop te reageren, ging hij op sarcastische toon en in rap tempo verder. 'Misschien heb je er heel toevallig wel eens iets over gehoord? Jongeren met een racistische inslag die bij voorkeur dit kledingmerk dragen. Stoere jacks, militaristisch getint. Op de mouw, ter hoogte van de bovenarm, hebben ze de Spaanse driekleur genaaid. Dit schijnt al een tijdje het modebeeld te zijn voor een beperkte groep jongeren. Saillant detail is dat deze idiote rage oorspronkelijk van Zuid-Amerikaanse jongeren afkomstig is. Immigranten, die een stukje thuis met zich mee wilden dragen. Het speelde zich toen nog op kleinschalig en lokaal niveau af. Pas toen de Spaanse jeugd het oppakte, werd het een hit. Mede door de spanningen tussen bevolkingsgroepen die er na de moord op die twee imams is ontstaan, wint dit extremisme gigantisch aan populariteit. Deze jongeren verenigen zich in voorsteden en op het platteland om in grote steden gezamenlijk op pad te gaan en allochtonen in elkaar te meppen. Natuurlijk laten die het er niet bij zitten en roepen via de mobiele telefoon hun strijdmakkers op. Er zijn halve veldslagen gemeld in Albacete, Valladolid, Malaga en Sevilla.'

De opkomst van deze racistische en agressieve randjongeren was uiteraard bij Silva bekend. Vooral met het oog op de toekomst was dit een gevaarlijke ontwikkeling. Hij had reeds een tegenzet gedaan. Voor een rechtstreekse ingreep van Nueve was deze zaak nog te prematuur. Wel waren enkele medewerkers van CESID aan het ronselen geslagen, waardoor op dit moment al een aantal infiltranten tussen de vechtlustige jongeren liep. Ook justitie hield het scherp in de gaten, wist hij. Voor Nueve was het nu nog een kwestie van aan de zijlijn toekijken en af en toe eens de voelhoorns uitsteken.

'Dring ik eigenlijk wel tot je door, Alfonso? Ik sta hier dingen te vertellen die ik dus van jou had moeten horen.'

Omdat Silva zijn mond hield, haalde Grimon lacherig zijn schouders op. 'Wat doe ik hier nog?' vroeg hij zich meer geërgerd dan vertwijfeld af. '*Anyway*, de socialisten willen een gesprek met mij waarin ze hun ongenoegen over deze ontwikkeling kunnen uiten. Omdat er al zo veel onrust onder de bevolking heerst, houden ze het voorlopig buiten het parlement en de pers. Daarom hebben ze mij om een onderhoud verzocht. Ze vragen zich af of de veiligheidsdiensten de ernst van deze zaak onderkennen. Dit is hun goed recht, aangezien uiteindelijk de politiek zelf onze werkgever is.'

Alfonso Silva knikte. 'Zeg hun maar dat wij de impact van deze zaak niet onderschatten.'

De intermediair keek hem vol ongeloof aan. Hierna schudde hij met zijn hoofd en glimlachte hij als een man die zojuist had vernomen dat zijn buurman de lotto had gewonnen. 'Vertel het hun maar lekker zelf. Je bent echt een ongelofelijke hufter. Leuk om voor je gewerkt te hebben, want dat is de juiste definitie. Vóór, in plaats van mét.'

Hij draaide zich om en beende naar de deur. Zijn lichaamstaal was een mengelmoes van woede, teleurstelling en halsstarrigheid. Toen hij de deur tot op een halve meter was genaderd, klonk Silva's stem. De naam die hij op een gedecideerde manier uitsprak, zorgde ervoor dat Grimon terstond zijn pas inhield. 'Miquel Felippe Medina-Campo.'

Terwijl hij stilstond, draaide de intermediair zijn bovenlichaam een kwartslag. 'Is Miquel Medina de Tempelridder?'

Ondanks de haast voelbare spanning die in het kantoor hing, had Silva moeite om ten minste niet minimaal te grijnzen. Grimon keek namelijk als een tiener die van zijn beste vriend had vernomen dat deze in de toekomst liever als meisje door het leven wilde gaan.

De intermediair liep terug naar het bureau, zette de stoel recht die hij in alle commotie had omgegooid en ging zitten. Hij haalde diep en opzichtig adem. Daarna legde hij beide handen theatraal op het bureau. 'Wil je de spanning opbouwen, of ga je het me meteen vertellen?'

Met de palm naar boven stak Silva zijn linkerhand uit. Een schalkse knipoog en dito grijns volgden. 'Jij mag het zeggen.'

26

'Hartelijk welkom bij weer een aflevering van *Hoy y Mañana*. Zoals u op elke zaterdag rond de klok van acht van ons gewend bent, wordt het wederom een halfuur televisie waar iedereen de volgende dag nog uren over napraat. Vanavond hebben wij drie bijzondere gasten met sterk uiteenlopende meningen.'

De presentator van *Vandaag en morgen* draaide zijn hoofd een kwartslag en keek nu recht in camera 2 waarop een rood lichtje brandde. Hij wachtte de afgesproken vijf seconden terwijl buiten beeld een enthousiaste medewerker het publiek tot een daverend applaus aanzette.

'Mag ik u voorstellen aan mijn drie gasten van vanavond,' ging hij verder. 'Aan mijn rechterhand zit de heer Eduardo Valdez, professor in de geschiedkunde met een leerstoel aan de universiteit van Las Palmas. In zijn spaarzame vrije tijd speurt hij naar wetenswaardigheden omtrent de Tempeliersorde.'

Een stevig handgeklap klonk op het juiste moment.

'Naast hem zit een charismatisch politicus die zijn tegenstanders de laatste maanden verbaal behoorlijk op de huid zit. De *coming man* uit Madrid die momenteel fors omhoogschiet in de peilingen. Hij bestormt de politieke hitlijsten en lijkt volgend jaar zelfs een serieuze kans te maken bij de verkiezingen. Dames en heren: Miquel Medina.'

Het daaropvolgende applaus was een reflectie van de maatschappij. Een paar mensen klapten overdreven hard, een enkeling hief een boegeroep aan, terwijl de meerderheid eigenlijk niet wist wat te doen. Uiteindelijk begonnen ook zij voorzichtig te klappen.

'Het verst van mij vandaan zit een zoon van de stad waar TV Canarias haar studio heeft staan. Evenals zijn interim-buurman staat hij volop in de schijnwerpers, zowel positief als negatief. Volgens critici is hij een van de grootste talenten op het gebied van politieke satire die ons land de laatste jaren heeft voortgebracht. Vanavond speelt hij een thuiswedstrijd, dus tafelgenoten pas op jullie tellen. Dames en heren, het is mij een voorrecht om de grootste Canarische entertainer van dit moment aan u voor te stellen: Ehedey Del Pino!'

Van tweestrijd onder het publiek was geen sprake meer. De vijftig gasten op de tribune maakten lawaai voor het tienvoudige ervan. Enkel met sussende gebaren en grote, dreigende ogen, kon de man die als aanjager diende te fungeren de mensen tot rust manen.

'Dat belooft wat voor straks, Ehedey,' haakte de presentator in.

Hierna keek hij in de camera die voor de close-up ging. 'Mijn naam is Jorge Bultrago. Tot na de reclame.'

Tijdens de reclame werkte een grimeuse het gezicht van professor Valdez bij. Doordat er felle lampen op hen gericht stonden, was de temperatuur tropisch te noemen. Blijkbaar had Valdez geen bijster goede conditie, want het zweet gutste van zijn gezicht. De extreme hitte scheen de overige drie nauwelijks te deren. Medina leek zich bijzonder op zijn gemak te voelen. Bultrago glimlachte naar het publiek, zodat zijn reputatie als ongekende charmeur geheel intact bleef en Del Pino keek schijnbaar ongeïnteresseerd in de rondte.

'Twintig seconden,' riep een jonge vent met een koptelefoon. Hij stond naast een van de cameramensen en wekte de indruk veruit de belangrijkste man in de studio te zijn. Hij stak drie vingers op. Bultrago keek langs hem heen in de camera.

'Drie, twee en... in.'

'Nogmaals goedenavond,' opende de presentator met een allervriendelijkste glimlach. Zijn knappe uiterlijk, gedistingeerde kleding, filmsterrengebit en zelfverzekerde houding waren indrukwekkende ingrediënten die aangaven dat een uitgekiend product op de juiste plek zat.

'Vanavond hebben wij drie gasten in *Hoy y Mañana* met uiteenlopende meningen over actuele vraagstukken.'

Na deze verkorte inleiding draaide hij zijn hoofd een kwartslag naar rechts. 'Professor Valdez, als gerespecteerd medewerker van de universiteit van Las Palmas en specialist op het gebied van de Tempeliersorde zult u zich de afgelopen week wel eens achter de oren hebben gekrabd.' Jorge Bultrago liet een stilte van twee seconden vallen. Zijn eerste statement van de avond moest van enige brille worden voorzien. 'Een moordenaar in uw organisatie?' Terwijl hij het woord 'organisatie' uitsprak, maakte Bultrago met beide wijsvingers het 'tussen aanhalingstekens'-gebaar. Mits dit die avond niet werd herhaald, bleef dit een klassieker, wist hij uit ervaring.

Valdez schudde ontkennend. 'Laten we beginnen met de vraagstelling, die is zowel banaal suggestief als gespeend van elke realiteitszin.' Aansluitend hief hij belerend zijn rechterwijsvinger. 'Iets wat ik u overigens verre van kwalijk neem. In het kader van dit programma begrijp ik dat de positiebepaling met een hilarische jus overgoten wordt. Een van mijn kant nonchalant schouderophalen is daarentegen weinig amusant, maar wel het enige juiste non-verbale antwoord waaruit eenieder zijn of haar gevolgtrekking kan filteren.'

Jorge Bultrago hoorde in het oortje dat hij droeg de regisseur: 'Ingrijpen,' zeggen. Hoewel hij zelf al op het punt stond de doodsaaie professor af te kappen, was het prettig te horen dat zijn baas er hetzelfde over dacht. 'Nadat de schrijver Dan Brown met *De Da Vinci code* wereldwijd een miljoenenpubliek bereikte is de belangstelling voor de Tempeliersorde gegroeid, neem ik aan?'

Valdez duwde met zijn linkerwijsvinger zijn iets afzakkende bril omhoog en keek de presentator bedachtzaam aan. 'Voornamelijk vanuit de mediahoek. In de kringen waarin ik gedurende mijn vrije tijd vertoef, zijn de laatste jaren weinig tot geen nieuwkomers verwelkomd.'

'Kunt u in het kort uitleggen wat uw hobby inhoudt, professor?'

Valdez lachte minzaam. Hij straalde de arrogantie uit van een wetenschapper die zich ver verheven voelde boven het erbarmelijke niveau van het geestelijk onderontwikkelde gepeupel. 'Hobby,' mompelde hij aanmatigend. 'Het getuigt van weinig respect om mijn bezigheden op deze manier te betitelen, meneer Bultrago.'

'Mijn excuses, zo bedoelde ik het niet. Een kort antwoord, alstublieft.'

De professor zuchtte licht. De hitte, het onbegrip, gegniffel op de tribune als hij sprak; hij voelde zich steeds meer de verkeerde man op een irritante plek. 'De groep mensen met wie ik samenwerk houdt zich feitelijk bezig met de historische juistheid rond de Tempeliersorde als organisatie plus de individuen die daar deel van uitmaakten. Het is een Europees samenwerkingsverband tussen wetenschappers, archeologen, laboranten, historici et cetera. Mede met behulp van de huidige technieken distilleren wij de sagen uit de feiten en de feiten uit de sagen. Dit laatste noemen wij overigens "Tempeliersfabels".' Hij glimlachte om zijn eigen grap. Dit tot verwondering van de overige aanwezigen die er de humor niet van inzagen.

'Voordat ik met de andere gasten verderga, heb ik nog een laatste vraag,' zei Bultrago met een opmerkelijk serieuze gezichtsuitdrukking. 'Waar ligt de Graal begraven, professor Valdez?'

De blik die Jorge Bultrago werd toegezonden was een meelijwekkende. De afhangende mondhoeken van de professor konden eveneens tot een weerspiegeling van zijn ziel worden gerekend. In eerste instantie leek het erop dat hij zich niet wilde verlagen tot een antwoord op deze merkwaardige, enigszins tartende vraag. Plotseling verscheen er echter een schittering achter zijn brillenglazen en rezen beide mondhoeken. 'Nergens, meneer Bultrago. Ook dat is een fabel.'

Het publiek reageerde afkeurend. Het overgrote deel van de Canarische bevolking was katholiek, wat automatisch inhield dat men op teksten van deze strekking niet zat te wachten. Dit riekte zwaar naar blasfemie. Een uitgesproken zonde waarover de zondaars – Canario's stonden bekend als een volkje dat het met de echtelijke trouw niet altijd zo nauw nam – hun ongenoegen uitten.

Jorge Bultrago glimlachte vergenoegd om de commotie die de kijkcijfers ten goede kwam. Zijn grijns werd nog breder toen zijn regisseur hem influisterde: 'Niet reageren, prima cliffhanger.' Hij keek recht in de camera. 'Een opmerkelijke stelling, waar we straks wellicht op terugkomen. Nu wil ik echter van de heer Medina weten wat het geheim achter zijn succes is.'

'Die vraag is vrij eenvoudig te beantwoorden,' sprak Medina met een innemende glimlach. 'De mensen zijn het zat, meneer Bultrago. Niet vanwege één of twee gevallen in het bijzonder. Het gaat om een opeenstapeling van fouten die samengevoegd één levensgroot maatschappelijk probleem vormen.'

'Kunt u specifieker zijn?'

'Maar natuurlijk, de politieke tombola waaruit ik kan graaien is in zijn geheel gevuld met loze beloften en lege hulzen. Voor iemand van de oppositie een walhalla. Ik heb namelijk altijd prijs.'

Hier en daar klonk een geforceerde lach. Door middel van een korte onderbreking pakte Medina dit kleine succes professioneel mee en ging verder. 'Ik zal u in willekeurige volgorde wat voorbeelden geven. Volgens de laatste berekeningen is de huizenprijs in Spanje gestegen tot meer dan zestig procent boven de werkelijke waarde. Een ridicule zaak die op lange termijn grote gevolgen voor de bevolking gaat krijgen. Vooral jonge mensen, de zogenaamde starters, zijn de klos. Hoe kunnen zij dit soort belachelijke prijzen ooit ophoesten?'

Hij wachtte twee hartslagen op de publieke bijval die echter op zich liet wachten. 'Wat mij en een heleboel anderen behoorlijk steekt, is de situatie waarin zowel de noordelijke als de zuidelijke provincies van ons land zich bevinden. In het noorden krijgt de van oudsher sterke industrie klap op klap door wanbeleid van deze regering. En dan stip ik vooral de idiote regelgeving aan op het gebied van milieu en arbeid. Het zuiden, en dan doel ik in sterke mate op Andalucië, kampt met een enorme werkloosheid. Het is daar inmiddels zo erg uit de hand gelopen dat de Europese Unie ons prachtige Andalucië een prioriteitstatus heeft toege-

kend wat betreft financiële hulp. Dit lijkt mij toch Spanje onwaardig.'
Een handjevol toehoorders klapte. Ditmaal liet de rest zich door deze steunbetuiging niet meeslepen en hield zich stil.

'Naar aanleiding van de burgerlijke onrust die na de moorden op de twee imams ontstond, hebt u stevige kritiek in de richting van de regering geuit,' stelde Bultrago. 'Toch lijkt het mij dat de bewindvoerders er veel aan hebben gedaan om verdere onlusten te voorkomen.'

'Het is uw goed recht om dit te denken, dat is het prettige van een democratie. Dit neemt niet weg dat u de plank volkomen misslaat.'

Miquel Medina kromde zijn rug enigszins en keek de presentator van *Hoy y Mañana* recht in diens ogen. Hij was er duidelijk klaar voor om zijn eerste serieuze aanval in te zetten. 'Het beleid van deze regering is een politieke parodie. Men weigert daadkrachtig op te treden om bepaalde groeperingen maar niet voor het hoofd te stoten. Ons land wordt overspoeld met vreemdelingen die hun diensten ver onder de prijs aanbieden. Hierdoor verziekt de arbeidsmarkt in een rap tempo. De autochtone bevolking vervreemdt van haar eigen normen en waarden om uiteindelijk een afkeer van het huidige Spanje te krijgen. Blijft deze regering aan de macht, dan voorzie ik voor de toekomst immense problemen.'

Hij haalde snel adem en ging verder voordat ook maar iemand de kans kreeg te reageren. 'De moorden op de imams waren een afschuwelijke zaak, laten we daar duidelijk over zijn. Aan de andere kant was het onvermijdelijk.'

Terwijl Bultrago zijn wenkbrauwen fronste, klonk er vanuit het publiek een aanzwellend geroezemoes. De kijkers thuis kregen een close-up van de presentator te zien die zijn gast bedenkelijk aankeek. De regisseur van het programma was een ervaren vakman die oog had voor zowel het detail als het moment. Het fingerspitzengefühl om de juiste emotie op het juiste moment te tonen, was een aangeboren gave die hij in de loop der jaren sterker had ontwikkeld.

'Na de moorden lijkt het wel of Spanje collectief aan geheugenverlies lijdt. Ik kan me daarentegen 11 maart 2004 goed herinneren. Sterker nog, deze datum staat in mijn geheugen gegrift. 192 landgenoten vonden in Madrid de dood na een laffe aanslag van extremistische moslims op drie treinen. Ruim tweeduizend mensen raakten gewond en dragen daar elke dag nog de littekens van. Zowel lichamelijk als geestelijk.'

Met de geknepen tirade bereikte Medina zijn doel. Iedereen in de studio had een flashback. Hetzelfde gold voor de kijkers thuis. Tenminste, daar ging de politicus wel van uit. Het dagboek van de ziel werd geopend op die bewogen dag waarop Spanje zwaargewond was geraakt. Beelden van de ravage op Atocha, Del Pozo en Tio Raimundo zweefden als doodsengelen over bloedrode pagina's.

Vier hele seconden later herstelde Jorge Bultrago zich. 'Dit komt op mij over als polariseren.'

Miquel Medina leunde een paar centimeter naar achteren en rechtte onbewust zijn schouders. Voor een Spanjaard was hij met zijn één meter 88 lang te noemen. Hij was atletisch gebouwd en had kort, ravenzwart haar. Door een speling van het lot droeg hij niet alleen dezelfde voornaam als de beroemde wielrenner Indurain, hij leek ook nog eens op hem.

'Op mij komt het over als de waarheid,' sprak hij uitermate zelfverzekerd. 'Helaas is het een modeverschijnsel dat als iemand een mening verkondigt die niet door de beugel van sociale en huichelachtige linkse politici kan, deze persoon direct van racisme wordt beschuldigd.'

'Maar, meneer Medina...'

'Geen maren of mitsen, alstublieft, meneer Bultrago. Jarenlang hebben wij onze oren laten hangen naar slappe kwibussen die socialisering en ratio predikten. Alles moest kunnen. Iedereen was welkom in ons land. Als dank krijgen wij nu van degenen die wij zo gastvrij hebben verwelkomd een mes in de rug in de vorm van aanslagen. Onze maatschappij is totaal ontwricht. Keurige katholieke vrouwen worden op straat door moslimjongeren voor hoer uitgescholden. En als iemand het lef heeft om hiervan iets te zeggen, dan heeft hij of zij een grote kans om door datzelfde geteisem in elkaar geslagen te worden, of erger.'

Medina keek nu recht in de camera waarvan het rode lampje brandde. De afgelopen weken had hij hiermee ervaring opgedaan en dit betaalde zich nu uit. 'Het excessieve geweld is immer door extremistische moslims gepleegd. De GICM, de Groupe Islamique Combattant Marocain, is hier een berucht voorbeeld van. Geloofswaanzinnigen die hun kinderen namen geven als Sayfoudine, wat "Zwaard van de islam" betekent. Deze woestelingen, ik heb er zo snel geen ander woord voor, zijn geïnfiltreerd in onze maatschappij. Hoor goed wat ik zeg: geïnfiltreerd, niet ingeburgerd of aangepast. Dit laatste is namelijk letterlijk het laatst wat zij willen. Hun waarheid is de enige waarheid. Een wereld die zucht onder het onverzoenlijke juk van een strenge moslimleer. Om dit te realiseren gaan deze monsters tot het uiterste. Een mensenleven heeft voor hen geen enkele waarde. Zelfs hun eigen leven is een werktuig dat enkel dient om in het hiernamaals als martelaar te kunnen verschijnen.'

Medina toverde een cocktail van verontwaardiging, begrip en berusting in zijn blik. 'Al deze onomstotelijke feiten bij elkaar opgeteld, leiden tot de conclusie dat de moorden mogelijk het werk zijn van een man die weigerde het nog langer te pikken. Iemand bij wie de stoppen doorsloegen na weer een overval van allochtonen op de buurtsuper of jarenlang getreiter van Arabische randjongeren. Een man...' Hij liet een stilte van exact twee seconden vallen. 'Een man zoals u en ik die zich zwaar in de hoek gedreven voelt. Alle denkbare opties zijn op niets uitgelopen. Hij heeft begrip getoond, geluisterd en gesproken, in sommige gevallen zelfs gesmeekt. Het mocht niet baten. Zijn omgeving is van een gezellige arbeiderswijk afgegleden tot een getto waarin Noord-Afrikaanse drugsdealers de dienst uitmaken. De mensen om hem heen zijn bang, maar durven niets te ondernemen uit angst voor represailles. Hij besluit dat enkel non-verbale communicatie hem nog rest. Nogmaals, een besluit dat ik ten diepste betreur. Maar enig begrip kan ik er wel degelijk voor opbrengen.'

Jorge Bultrago wilde reageren, doch zijn regisseur besliste anders. Hierop slikte de presentator zijn voorgenomen reactie met tegenzin in. 'Harde woorden van Miquel Medina. Na de reclame gaan we verder.'

Romén Sanchez alias Juan Rodriquez vermaakte zich opperbest. Zijns inziens was de weg voor Ehedey geplaveid. Na de reclame was het diens beurt en hij moest zich toch sterk vergissen als zijn pupil niet zou excelleren. Van de zelfingenomen professor maakte hij gehakt, een prima zaak aangezien die pedante kwast er welhaast zelf om vroeg eens flink op zijn eigenwijze nummer gezet te worden. Het publiek zou dit ongetwijfeld waarderen.

Ook Miquel Medina kon een flinke dosis tegengas tegemoet zien. Zoals verwacht, had de politicus stevig uitgepakt. Open deuren ingetrapt die daarentegen voor een groot gedeelte van de bevolking nog steeds gesloten waren. De Madrileen sprak openlijk over zaken waar anderen enkel in vertrouwd gezelschap over durfden te fluisteren.

Vóór de aanslagen in Madrid werd het woord 'allochtonen' in een geheel andere context geplaatst dan tegenwoordig. Medeburgers wier wieg in een ander land had gestaan, waren inmiddels verklaard tot potentiële terroristen, of op zijn minst tot sympathisanten daarvan. Hun huizen waren broedplekken van haat tegen alles wat westers was. Moslimextremisme werd er in donkere achterkamers met de paplepel ingegoten.

De moorden op de imams voegden echter een nieuw hoofdstuk toe aan een boek waarvan in de nabije toekomst zeker geen epiloog kon worden verwacht. Nu waren namelijk de allochtonen aan de beurt om te rouwen, hun frustraties te uiten en openlijk de autochtone bevolking voor 'moordenaars' en 'fascisten' uit te maken. Met de aanslagen in Madrid nog in hun achterhoofd, riep dit de nodige aversie bij de Spanjaarden op. En Medina stond er niet onwillig tegenover dit smeulende vuurtje eens flink aan te wakkeren, wist Sanchez uit zeer betrouwbare bron.

'Nog dertig seconden,' hoorde hij de regieassistente tegen de presentator zeggen. Zij was een dik propje van hooguit één meter zestig, droeg een bril met opvallend sterke glazen en had kort, donker haar. Een vrouw met hersens die zichzelf niets wijsmaakte als ze 's morgens in de spiegel keek, dacht Sanchez. In het kwartier dat hij nu in de regiekamer verbleef, was hem duidelijk geworden dat de regisseur in vele gevallen blind op haar voer. Ze deed haar werk met verve en straalde vakmanschap uit. In tegenstelling tot veel van haar collega's – hij hoorde zo nu en dan wel eens wat omtrent het wel en wee in omroepland – scheen zij zich uitermate happy aan deze zijde van het grote raam te voelen. Hetgeen niet anders kon betekenen dan dat deze vrouw haar fysieke beperkingen onderkende en deswege had gekozen voor een carrière achter de schermen, concludeerde de manipulator droog.

'Welkom bij het tweede gedeelte van *Hoy y Mañana*,' opende Jorge Bultrago met een innemende glimlach. 'Ik heb kort gesproken met professor Eduardo Valdez en de lijstrekker van TU, Miquel Medina.' Zijn glimlach werd breder.

'Eerlijkheidshalve moet ik erbij vermelden dat de heer Medina de luister- en spreekverhouding gedurende een normale discussie ditmaal een tikkeltje scheef heeft getrokken. Het merendeel van de tijd was hij namelijk aan het woord.'

Een voorgeprogrammeerd gelach steeg op vanuit het publiek. Tijdens de reclame had de regisseur dit op aanraden van zijn assistente met zijn medewerkers op de vloer bekokstoofd.

'Mijn fout,' sprak Bultrago theatraal, waarna er wederom een lachsalvo volgde. 'Naast Miquel Medina zit Ehedey Del Pino, dames en heren,' ging de presentator verder. Tijdens de enthousiaste reactie van de menigte glimlachte hij routineus en scoorde daar gevoelsmatig punten mee. 'Ehedey...' Direct gleed zijn blik naar de cameralens voor een kort intermezzo. 'Dames en heren, Ehedey Del Pino heeft mij voor de uitzending nadrukkelijk gevraagd hem te tutoyeren.' Hierna keek hij Del Pino weer aan. 'Ehedey, graag een reactie op de woorden van Miquel Medina.'

'Misselijkmakend, angstaanjagend, polariserend, stigmatiserend en neigend naar fascisme.'

In de regiekamer boog Romén Sanchez zich onbewust iets naar voren.

Dit had niets te maken met het door Del Pino gegeven antwoord, of het zicht op de studio. De woorden die Del Pino sprak, waren min of meer gerepeteerd en met het uitzicht was niets mis. Zelfs al ging er iemand recht voor hem staan, dan nog kon hij eenvoudig het programma via de vele beeldschermen volgen.

De lichaamstaal die Del Pino uitstraalde was beangstigend te noemen. Zijn guitige gezichtsuitdrukking, zijn handelsmerk, had plaatsgemaakt voor een masker van afgrijzen. Geen enkele spier bewoog, waardoor hij leek op een levend standbeeld dat stamde uit de donkerste periode van de mensheid.

Sanchez onderdrukte een vloek. Door de belachelijke actie van Del Pino was de ingecalculeerde bijval van het publiek uitgebleven. De mensen waren even verbaasd als hij. Sommigen onder hen waren met stomheid geslagen. Dat vuile rotjong, dacht Sanchez. Gespannen wachtte hij op het vervolg.

'Ook dat zijn harde woorden, Ehedey,' sprak Bultrago op een vaderlijke manier. 'Laten wij het eens over jouw laatste optreden hebben. Enkele uren erna zijn in verschillende stadsdelen hier in Las Palmas forse rellen uitgebroken. In de media is er een duidelijk verband gelegd. Jij zou met jouw conference de mensen hebben opgestookt.'

De lichaamstaal van Del Pino was onveranderd. Het enige verschil was een korte knik. Terwijl hij dit deed, sloot hij beide oogleden als een man die berouw toonde. 'Voor de verandering hebben de media in dit geval gelijk. Mijn optreden heeft er mede toe geleid dat er onlusten zijn uitgebroken.'

Een zweem van verontwaardiging golfde door de studio. In de regiekamer moest Sanchez zichzelf dwingen om op zijn stoel te blijven zitten. Met beide handen omklemde hij de armleuningen en haalde stevig adem door zijn neus. Wat deed die gek nou, ging het door hem heen. Dit antwoord sloeg helemaal nergens op. Hij had ertegen in moeten gaan. Keihard stellen dat het individu niet als zondebok voor het sociale wanbeleid van de regering moest gelden. Daarna met een paar goede oneliners de mensen thuis aan het denken zetten. Verdomme! Ze hadden samen de te volgen strategie tot in den treuren doorgenomen.

'Het regent vanavond hier bij *Hoy y Mañana* opmerkelijke antwoorden, dames en heren,' stelde Bultrago vast. Hij trok hierbij uit zijn veelomvattende repertoire van gelegenheidsmaskers een serieuze gezichtsuitdrukking die intelligentie moest veinzen.

'Hier in Las Palmas ben jij intens populair, Ehedey,' ging hij verder. 'Een kind van de stad dat de mening van het volk verkondigt. Velen zien in jou een geboren leider die ooit furore in de politiek zal maken.'

Een hiaat van anderhalve seconde diende als opmaat voor de contradictie. 'Daarentegen verwijten anderen jou pure volksmennerij. Geluiden,
vooral vanaf het vasteland, die met de dag sterker worden.'

Del Pino knikte wederom gelaten. 'Het eerste wat jij stelt heeft hoofdzakelijk met mijn achtergrond te maken. Ik ben hier geboren en getogen,
dat weegt voor velen zwaarder dan de dingen die ik daadwerkelijk heb
gezegd en gedaan. De mensen van buiten de stad, of voor mijn part de
Canarische eilanden, benaderen het tumult rond mijn persoon op een
andere manier. Neutraler, verstandiger en transparanter.'

Bultrago verwelkomde in stilte het ontstane geroezemoes als een goede
vriend voor wie de deur altijd openstaat. De onverwachte reactie van
Del Pino was een ongekende meevaller. Deze aflevering zou scoren,
meerdere malen herhaald worden en waarschijnlijk door de nationale
omroep worden opgepikt, ging het door hem heen. Wellicht was dit het
mazzeltje dat hij nodig had om onder de aandacht van de grote omroep-
bonzen te komen. Een eigen talkshow vanuit Madrid met een landelijk
bereik, bijvoorbeeld. Op dat moment realiseerde Jorge Bultrago zich dat
hij de aangeboden kans met twee handen moest grijpen.

'Maar Ehedey,' sprak hij met een gezicht waarop pure verbazing stond te
lezen, 'jij stelt dus dat jouw criticasters gewoonweg gelijk hebben. Is dit
serieus bedoeld, of neem je ons nu frontaal in de maling?'

Del Pino trok een pijnlijke grimas. 'Mede door mijn schuld zijn hier in
de stad doden en gewonden gevallen. Mijn optreden was doorspekt met
ophitsende teksten. Op het moment dat ik op het podium stond, drong
dit niet tot me door. Wilde ik het misschien niet tot me laten doordringen. Dit was mijn grote kans, mijn eerste televisieoptreden. Later, achter
de coulissen, begreep ik pas hoe enorm ik in de fout was gegaan. Toen
was het kwaad echter al geschied en kon ik enkel hopen dat de meerderheid van de toeschouwers door mijn teksten heen zou prikken.'

'Tegen beter weten in?' reageerde Bultrago, die inmiddels op het puntje
van zijn stoel zat.

'Zo kun je het wel stellen. Ik besefte dat de kans heel groot was dat de
menigte zich zou laten meeslepen en dat escalatie tot de mogelijkheden
behoorde. Met de minuut groeide mijn schuldgevoel. Toen het in de
stad daadwerkelijk escaleerde, ben ik uit schaamte in een hoekje van
mijn appartement gekropen. De doden, de gewonden... het was mijn
schuld. Dat ik me heb laten manipuleren doet er verder niet toe. De rest
van mijn leven zal ik met deze schanddaad moeten leven.'

Jorge Bultrago voelde tintelingen in praktisch elk plekje van zijn lichaam.

Hij had de grootste vis van zijn leven aan de haak geslagen en om de spoel waarmee hij zijn trofee binnen ging halen zat onbreekbaar kabeldraad. Dit kon niet meer misgaan, dat wist hij zeker. De adrenaline die door zijn lichaam spoot was een drug waarvan hij nooit meer wilde afkicken. 'Je bent erg openhartig en helder, Ehedey. Ik denk zelfs te begrijpen hoe jij je voelde en voelt. Alleen dat gedeelte waarin je rept over manipuleren, komt bij mij wat onduidelijk over. Kun je daar wat specifieker over zijn?'

De jonge Canario keek ineens apathisch voor zich uit. Zijn afhangende schouders en een lege blik suggereerden dat het voor nu over was. Hij was ten overstaan van zijn eigen volk door het stof gekropen en dacht in stilte aan een donker gat waarin hij voor lange tijd kon verdwijnen.

'Je stelde daarnet dat je gemanipuleerd was, Ehedey. Wil je daar misschien nog iets over kwijt?'

Het antwoord op deze vraag kwam niet van Del Pino, maar uit een hoek waarvan iedereen het bestaan eigenlijk al vergeten was. 'Ik kan u verzekeren dat er een groot verschil is tussen willen en kunnen, meneer Bultrago,' sprak Eduardo Valdez gedecideerd. 'Het lijkt mij overduidelijk dat mijn jonge plaatsgenoot zo zijn redenen heeft om niet op uw vraag in te gaan.'

Evenals de rest van de aanwezigen was Jorge Bultrago compleet verrast door de tussenkomst van de verstrooide professor. Hoewel hij door zijn regisseur werd gecoacht met: 'Push Del Pino', was Valdez hem een fractie van een seconde voor. 'Hoewel de vreselijke gebeurtenissen hierdoor niet worden uitgewist, getuigt het van leeuwenmoed om hier voor het oog van de camera jezelf zo kwetsbaar op te stellen. Respect in plaats van sensatiezucht lijkt mij nu gepast.'

Tijdens de minuten dat Ehedey Del Pino aan het woord was geweest, had Miquel Medina met een stoïcijns gezicht toegekeken. Hoewel hij gaarne een bijdrage aan de discussie had geleverd, was het hem gelukt zijn mond te houden. Hij dwong zichzelf ertoe het juiste moment af te wachten. Als dit was aangebroken, moest hij razendsnel toeslaan en zich door niemand laten interrumperen. Hij voelde aan dat hier punten waren te scoren. 'Bent u nu niet zwaar aan het chargeren, meneer Valdez?' sprak hij met gespeelde verbazing. 'Respect? Kom nou toch. Hoewel de heer Del Pino als mens bijzonder sympathiek op mij overkomt, mogen we vanwege deze constatering toch nooit de keiharde feiten van ondergeschikt belang maken? Ik bedoel, Ehedey Del Pino zal ongetwijfeld een vredelievend man zijn, maar mede door zijn schuld zijn er wel twee doden en vele gewonden in Las Palmas gevallen.'

Jorge Bultrago voelde dat hij de greep op het verloop van het programma begon te verliezen. Als discussieleider hoorde hij een natuurlijk overwicht uit te stralen, wat inhield dat op het moment dat hij dit aangaf zijn gasten zich naar zijn wil moesten schikken. Zijn intuïtie meldde hem dat hij zich nu moest laten gelden. Hij haalde adem en blies deze getergd uit toen in zijn oortje het onverbiddelijk klonk: 'Laat ze discussiëren.'

Valdez wendde zich nu rechtstreeks tot Medina. Zijn blik was strak en onverzoenlijk. Zijn lichaamstaal herinnerde in niets meer aan die van de zelfingenomen en verstrooide professor van daarnet. Hij was gretig als een jager die op het punt stond een felbegeerde prooi te verschalken. 'Meestal is de manipulator de kwade genius die zich meesterlijk weet te camoufleren, meneer Medina. Toevalligerwijze loopt dit specifieke geval min of meer parallel met uw bezigheden.'

De glimlach die de politicus op zijn gezicht toverde, hield het midden tussen geringschattend en verontschuldigend. Tevens haalde hij licht zijn schouders op. 'U schijnt een intelligent man te zijn, professor. Waarschijnlijk hoogbegaafd, want ik kan u ineens niet meer volgen.'

'Dat duurt niet lang meer,' ketste Valdez direct. 'Voorafgaande aan deze uitzending heb ik namelijk wat research gedaan. In plaats van de Tempeliersorde, ging het ditmaal om uw persoon.'

Hoewel hij verrast was, hield Medina zich goed. Zijn glimlach was innemend. 'Ik ben benieuwd of u iets heeft gevonden wat ik nog niet wist,' antwoordde hij met een scheve grijns waarin aanstormende spot de overhand kreeg.

'Voor u niets nieuws onder de zon, voor het publiek daarentegen wel,' zei Valdez droog. 'U komt uit een aartsconservatief gezin,' ging hij verder. 'Uw vader diende als kolonel bij de *guardia civil*. Daar is op zich niets mis mee, ware het niet dat hij als een fervent Franco-aanhanger te boek stond.'

'Zoals miljoenen in die tijd,' zei Medina snel. 'Wat wilt u daarmee eigenlijk zeggen, professor?'

'Dat zijn zoon met die sympathieën is opgegroeid en deze heden ten dage in gemaskeerde vorm in praktijk probeert te brengen,' antwoordde Valdez scherp.

Medina wilde het overnemen, maar Valdez was alerter. 'U hebt een verleden bij de fascistische Falange-partij. Op zich is dit nog verdedigbaar, aangezien ieder mens recht heeft op een jeugdzonde. In uw geval is dit echter niet aan de orde, aangezien u deze partij pas de rug toekeerde na onenigheid over het te voeren beleid.'

'De partijlijn werd mij simpelweg te extreem,' zei Medina met een stalen gezicht. Dit was de eerste keer in zijn campagne dat hij niet werd omringd door ja-knikkers en stevig onder vuur lag. Een weinig prettige gewaarwording waar hij zo snel mogelijk mee wilde afrekenen. Hij ging ervan uit dat de professor niet verder zou komen dan wat proefballonnetjes. Als de man eenmaal stilviel, zou hij met een paar stevige oneliners terugslaan.

Valdez counterde met: 'Dat is een pertinente leugen. Ik heb gesproken met enkele leden van deze partij. Hun meningen over Miquel Medina waren eenduidig. Hij kon zich niet meer verenigen met het gevoerde beleid, aangezien dit naar zijn mening te behoudend was. Een substantieel verschil, lijkt me.'

Een ader in de nek van de Madrileen begon oncontroleerbaar te kloppen. Zijn rechterneusvleugel trilde vanwege de opkomende woede. 'Dit zijn schandalige aantijgingen,' wist hij er op een beheerste toon uit te krijgen. Zijn ogen contrasteerden echter met zijn woorden. Een blik vol onverholen haat viel zijn buurman ten deel.

'Nadat Medina uit de Falange-partij stapte, richtte hij TU op. Volgens de statuten een gematigde partij die een tikkeltje naar rechts neigt. Ingewijden wisten wel beter. Zij kenden Medina's uitgesproken mening en zagen de mogelijkheden. Er werd geld ingezameld zodat hun toekomstige leider een serieuze campagne kon gaan voeren.'

Medina schudde vertwijfeld zijn hoofd. 'Als mijn kind les van u zou krijgen, haalde ik hem of haar direct van de universiteit. Ik heb nooit geweten dat daar fantasten werkten die sprookjes vertelden.'

De grap miste het beoogde effect volledig. Niemand lachte of deed zelfs een poging daartoe.

'Gesteund door de nodige financiële middelen trok Medina de provincie in,' ging Valdez met een uitgestreken gezicht verder. 'Met halve en driekwart waarheden wilde hij de potentiële kiezer op een dwaalspoor brengen, twijfel zaaien over zijn politieke keuzes. Hij positioneerde zich precies in het midden van de politieke stromingen. Zo op het eerste gezicht wilde hij van alles een beetje overnemen. In het filteren van de beste politieke ideeën was hij een kei. Precies zoals van een ware leider werd verwacht. Dat hij bij het maken van zijn keuzes dagelijks werd ondersteund door een bedrijf dat zich specialiseerde in politieke opinies, was een onderdeel van het werk waarvan het publiek logischerwijze niets hoefde te weten.'

Valdez haalde snel adem en ging onverdroten door. 'Zaken die dagelijks de media haalden, werden automatisch zijn stokpaardjes. Conform de mening van het publiek hield hij zijn praatje. Door zijn voorlichters werd hoofdzakelijk op presentatie en standvastigheid gehamerd. Spanjaarden moesten trots op hun nieuwe leider zijn. Zijn charismatische uitstraling én het gegeven dat hij zei wat de mensen diep in hun hart graag wilden horen, waren de hoofdbestanddelen van zijn populariteitsoffensief.'

Na deze zin hief Medina vertwijfeld beide armen en keek Jorge Bultrago aan. 'Ik heb geen zin om nog langer naar deze vuilspuiterij te luisteren,' zei hij met een van woede vertrokken gezicht. Zijn charisma van een correcte en beheerste politicus had de wijk genomen. De uitstraling van een verbeten straatvechter die op het punt staat zijn tegenstander daadwerkelijk een hoek te geven, bleef over.

In het hoofd van Jorge Bultrago woedde een tweestrijd. Moest hij gekunsteld ingrijpen, of de discussie op natuurlijke wijze laten verlopen? In zijn oortje bleef het angstvallig stil, hetgeen hem nog onzekerder maakte.

Ehedey Del Pino bracht uitkomst. 'Maak je niet druk, Medina. Strak kun je met jezelf in discussie. Wel zo gemakkelijk als niemand je tegenspreekt.'

De jonge Canario stond langzaam op. Terwijl hij dit deed, zorgde hij ervoor dat zijn witte colbert waaraan de microfoon was bevestigd niet te veel wapperde, zodat de geluidsverbinding intact bleef en nauwelijks bijgeluiden opving. 'Voor mij is het nu de hoogste tijd om deze studio te verlaten. Een gebaar dat ik maak naar alle Spanjaarden toe.'

Ehedey Del Pino sloot zich af van alle verwarring die rondom hem ontstond. Hij keek recht in de camera en focuste op de tekst die hij moest uitspreken. 'Slechts eenmaal in de historie van Spanje is het voorgekomen dat alle champagne was uitverkocht. Dit gebeurde op de sterfdag van dictator Franco. Een zwarte periode werd afgesloten en de democratie deed haar intrede. Spanje ontwaakte uit een nachtmerrie. Langzaam kwam het besef bovendrijven dat je voor je mening mocht uitkomen zonder hiervoor in een kale cel te belanden. Dat je mocht geloven in kapitalisme, socialisme, humanisme, communisme, in plaats van een strakke leer die van staatswege en vanuit de katholieke kerk werd opgelegd.

Nu, ruim dertig jaar later, is er een man opgestaan die ons terug wil trappen naar deze duistere tijden. Zijn naam is Miquel Medina. Een Franco-adept die door onbekende geldschieters wordt gesteund. Hij is een marionet met wie deze onmensen de verkiezingen willen winnen. Het vleselijke werktuig wordt minister-president, terwijl de ware machthebbers achter de schermen werken aan een maatschappij waarvan wij allen gruwelen.'

Het gezicht van Del Pino liet een scala aan emoties zien. Afschuw, angst en vastberadenheid lieten zich zomaar onder één noemer vangen. 'Ik ben fout geweest en heb daar oprecht spijt van. Het is onmogelijk om in de tijd te reizen. Maar mocht die kans zich voordoen, dan keerde ik direct terug naar die bewuste avond en had ik nooit opgetreden. Helaas zal dit altijd een utopie blijven en zal ik moeten leven met mijn misstap. Hier en nu kan ik voorkomen nogmaals een grote blunder te maken. Ik zie het als een strohalm die mij is aangereikt door iemand die het uiteindelijk goed met me voorheeft en die mij heel misschien ooit vergeeft.'

Aansluitend legde hij lichtjes zijn hoofd in zijn nek en sloot beide ogen. In de studio was het even stil als op een kerkhof rond middernacht. Enkel het denkbeeldige geluid van een simpele ademhaling klonk in ieders hoofd rumoerig en grotesk door. 'Ik weiger langer te luisteren naar een demon die mijn land wil verkwanselen aan de fascisten. Het enige concrete wat mij nu te doen staat, is weglopen en "nee" zeggen. Aan de mensen die hier aanwezig zijn vraag ik datzelfde te doen. Tegen de televisiekijkers zeg ik: "Toon uw ongenoegen en schakel over naar een ander programma. Doe het voor Spanje, doe het voor uzelf, doe het voor uw kinderen. Zeg nee tegen fascisme."'

Beheerst verwijderde Del Pino de microfoon van zijn colbert en liep weg. Naast de verbouwereerde presentator stond ook Eduardo Valdez op. Hij knikte goedkeurend, trok de kleine microfoon van zijn bruine colbert en legde deze demonstratief op de tafel voor hem. Daarna schudde hij krachtig met zijn hoofd. '"Nee", is inderdaad het enig juiste antwoord.'

Aansluitend duwde hij zijn stoel naar achteren en liep achter Del Pino aan.

In de regiekamer was Romén Sanchez ervan overtuigd dat zijn eerste hartaanval eraan zat te komen. Zijn hoofd bonsde als een gek en hij voelde pijn in zijn borst. Zijn ademhaling was jachtig.

Hoewel hij zichzelf oplegde diep door zijn neus in, en stevig door zijn mond uit te ademen, had dit nauwelijks effect op zijn lichamelijke en geestelijke toestand. Recht voor zijn ogen had zich een drama voltrokken. De gevolgen ervan vraten nu aan zijn gestel.

Zijn opdracht was mislukt, daar bestond geen twijfel over. Wat een apotheose had moeten worden, was geëindigd in een anticlimax. De voorafgaande successen telden niet meer mee. De regels van het spel waren duidelijk. Je was zo goed als je laatste wedstrijd, zo simpel lag het. Aangezien het laatste halfuur meer een knock-out dan een verlies op punten leek, was het over en sluiten voor hem. Ondanks de deplorabele situatie waarin hij nu verkeerde, kon hij deze conclusie nog wel trekken.

Evenals de rest van de toeschouwers had hij de nachtmerrie over zich heen laten komen. Het gebeurde gewoon en hij kon er helemaal niets aan doen. Toen Del Pino aan zijn slotbetoog begon, was hij wakker geschrokken. Hij had de dubieuze tegenwoordigheid van geest gehad om: 'Stop de uitzending,' te roepen. De lelijke pad met haar jampotglazen had: 'Mond houden of wegwezen', geroepen. Een reactie die hij in het verleden nooit zou hebben geaccepteerd. Vroeger was echter heel ver weg.

Op de televisieschermen zag hij hoe de camera een aantal toeschouwers in beeld nam. Het merendeel van de tribuneklanten had gehoor gegeven aan Del Pino's oproep en was vertrokken. Hun aftocht werd voorzien van een beslist: 'Nee, nee, nee.'

Sanchez vloekte binnensmonds. Als door een springende veer gelanceerd stond hij op. Ga ik, dan ga jij met me mee, etterbak, dacht hij terwijl hij naar de deur van de regiekamer liep. Hij stoof naar buiten en zag in een flits Del Pino samen met Valdez achter het decor verdwijnen. De pijn in zijn ledematen had plaatsgemaakt voor een intense woede die zijn hele lichaam in brand zette.

Eenmaal in de hal aangekomen, zag hij het tweetal aanstalten maken het complex te verlaten. Met enkele grote stappen was hij bij hen. Hij legde zijn rechterhand op Del Pino's schouder. Voordat deze de tijd kreeg zich om te draaien, klonk er een gebiedende vrouwenstem. 'Meneer Sanchez?' In goeden doen had hij nooit op zijn eigen naam gereageerd. Vanavond was hij ver van zijn topvorm verwijderd. Hij draaide zijn bovenlichaam een kwartslag naar rechts en keek de vrouw aan. Ze had een atletisch figuur en droeg een zwartleren jack. Voor Sanchez was ze op dit moment van ondergeschikt belang. Het ging om de twee mannen door wie zij werd geflankeerd. Doorsneekerels in hun dagelijkse kloffie. Slobbertruien, regenjassen en gymschoenen. Hoewel hij verre van helder was, klonken er alarmbellen in zijn hoofd. Zijn jarenlange ervaring meldde hem dat onder die kleding hard getrainde lichamen verscholen gingen. Hij wierp een tweede blik op de nekspieren en de ogen en wist dat het over was.

'Wij willen met u praten,' zei de vrouw op een toon die geen ruimte liet voor tegenwerpingen.

Evenals professor Valdez had Del Pino zich omgedraaid. Beiden wisselden een veelzeggende blik met de zelfverzekerde vrouw. Het kostte Sanchez twee hartslagen om de betekenis hiervan tot zich door te laten dringen. Daarna glimlachte hij dunnetjes en volgde het drietal naar buiten. De manipulator was gemanipuleerd, wist hij.

27

'Goedenavond, heren,' sprak Alfonso Silva op neutrale toon. 'U bent gast van de Spaanse regering en ik kan u verzekeren dat dit voor de rest van uw leven het geval zal zijn. Ik begrijp dat de schrik erin zit, maar tracht u zich toch enigszins te ontspannen.'
Hij glimlachte gemaakt vriendelijk naar de twee mannen die gebroederlijk naast elkaar op een tweezitsbank zaten. 'Als de eerste spanning er eenmaal af is, praat het een stuk makkelijker, nietwaar?'
Zonder op een antwoord te wachten, pakte hij een afstandsbediening van een bijzettafeltje en drukte op een knop. Hierna draaide hij zich om en liep naar de deur die de keuken met de huiskamer verbond. 'Geniet van de show, dan trek ik alvast een goede fles wijn open.'
Hij opende de deur en sloot deze direct toen hij in het aangrenzende vertrek stond. Nadat de voormalige bewoners de villa aan het ministerie van Binnenlandse Zaken hadden verkocht, waren de techneuten van CESID aan de verbouwing begonnen. Het huis lag twintig kilometer ten zuiden van La Coruña en moest dienst gaan doen als tweede safehouse in de provincie Galicië. Op wat hekwerken en camera's na, bleef het statige voorkomen intact. De binnenkant van de villa onderging daarentegen een grondige renovatie. Alle vertrekken werden aan de geldende veiligheidsnormen aangepast en op tactische plekken plaatste men verborgen camera's en microfoons.
Silva schonk zichzelf een kop koffie in en nam plaats op een comfortabele bureaustoel. Door de ruit die vanuit de woonkamer als een grote spiegel oogde, had hij een prima uitzicht op Rubén Betancor en Juanfran Doramas.
'Eens kijken hoe lang ze hun zenuwen de baas blijven,' zei hij tegen Felippe Castro. Het lid van Nueve dat anderhalve meter van hem vandaan zat en als back-up diende, gromde wat voor zich uit. Hiermee maakte hij duidelijk dat bewaker spelen van een paar mannen op leeftijd niet bepaald tot zijn favoriete bezigheden hoorde. Ditzelfde gold voor de twee leden van Nueve die op de eerste etage het afluistergedeelte voor hun rekening namen, wist Silva.

Hij wachtte op het fragment dat Ehedey Del Pino opstond en zijn statement verkondigde. Onbewust kneep hij zijn ogen samen om zo nog beter de reactie op de gezichten van het tweetal te kunnen bestuderen. De gelaatsuitdrukkingen waarnaar hij keek, waren onbewogen te noemen. Dit had ongetwijfeld te maken met het feit dat het duo zich ervan bewust was dat ze werden geobserveerd.

Silva stond op, opende een fles rode wijn en pakte drie plastic bekertjes. Glazen vielen in het reglement van een safehouse onder de verboden artikelen.

'*Showtime*,' zei hij gekscherend tegen Castro, die onverstoorbaar naar de twee levende objecten in de huiskamer bleef kijken.

'Heren, het was even zoeken, maar ik heb in de kelder een aardige fles weten te vinden.' Silva nam plaats tegenover het tweetal, zette de bekertjes op de tafel die tussen hen in stond en schonk ongevraagd de drie bekertje vol. 'Geniet ervan, na vanavond zullen jullie vooral aan de smaak van water moeten wennen.'

Hij keek enkele seconden naar het beeldscherm en zag dat het einde van deze aflevering van *Hoy y Mañana* aanstaande was. De camera zoemde in op het publiek dat de tribune verliet.

'Een prachtuitzending,' zei Silva. 'De beelden zijn zojuist bij ons binnengekomen. Die konden wij jullie echt niet onthouden.' Aansluitend drukte hij op een knopje van de afstandsbediening, waarna het scherm op zwart ging.

Betancor en Doramas keken strak voor zich uit. Ruim een uur geleden waren ze gelijktijdig door twee verschillende teams van Nueve opgepakt en naar het safehouse gebracht. Aangezien het een regionale uitzending betrof, hadden ze bij binnenkomst in de villa nog geen flauw idee welke toestanden zich in de studio van TV Canarias hadden afgespeeld. Inmiddels wisten ze beter en kostte het hen de grootste moeite hun gezicht in de plooi te houden.

'Van het hele plan vond ikzelf de zet met Ehedey Del Pino de beste,' begon Silva op een zomeravondconversatietoon. 'Het woord "meesterzet" gaat te me net te ver, maar als professionals onder elkaar moet ik daar toch een compliment voor uitdelen. Vooral de contradictie ervan spreekt mij bijzonder aan. Werkelijk uitstekend denkwerk.'

Silva nam een slokje van zijn wijn. Betancor en Doramas maakten geen aanstalten hetzelfde te doen. Ze keken stoïcijns voor zich uit en uit hun lichaamstaal was op te maken dat ze geenszins van plan waren hier op korte termijn verandering in te brengen.

'De complimenten in dezen leg ik bij de voormalige kolonel van de *guardia civil* neer. Want u was toch het brein achter de Canarische *move*, meneer Doramas?'

Omdat enige reactie uitbleef, ging Silva verder. 'Begin jaren tachtig werd u voor een periode van drie jaar in Las Palmas gedetacheerd. Een frappante parallel overigens, aangezien uw idool, dictator Franco, in de jaren dertig vanuit dezelfde plek aan zijn politieke opmars werkte. Met dien verstande dat hij zich toen nog in de lente van zijn carrière bevond, terwijl voor u in Las Palmas de herfst ervan reeds was aangebroken.'

De blik die Doramas hem toezond, zou menig volwassen man doen griezelen. Silva liet zich er absoluut niet door uit het veld slaan. Zijn rechtermondhoek steeg een fractie, waarna hij zijn relaas vervolgde. 'Daar ontmoette u Romén Sanchez, een scharrelaar die her en der hand- en spandiensten verrichtte. Geld verdienen was zijn enige levensmotto; waarmee en hoe deed niet echt ter zake. In de daaropvolgende jaren werkte hij zich vanuit de louche handel op tot het witteboordencircuit. Hij begon zich te specialiseren in de politiek, voornamelijk de duistere kant ervan. Door zijn eindeloze reeks contacten werd hij populair bij vooral Canarische politici die via via iets gedaan wilden krijgen.'

Silva nam een slok. Hij had er rekening mee gehouden dat geen van de beide mannen al tijdens zijn inleiding de neiging zou krijgen loslippig te worden. Hij zette het bekertje weer neer. 'Ergens tijdens het beramen van jullie plannen schoot kolonel Doramas de naam van Sanchez te binnen. Er werd over gespeculeerd en een wild idee groeide uit tot een belangrijk onderdeel van een vastomlijnd plan.'

Overtuigd van zijn eigen woorden knikte de chef van Nueve tweemaal. 'En het was een gewiekste manoeuvre, zeker weten. Want geen hond zou toch verwachten dat die linkse schreeuwlelijk van een Del Pino in feite de weg voor Medina aan het plaveien was?'

Bewust liet hij enkele seconden een stilte vallen. De opmaat voor de uiteindelijke climax moest stukje bij beetje worden uitgevoerd. Haast was in dit soort gevallen een bijzonder slechte raadgever. 'Sanchez ronselde Del Pino onder valse vlag. Hij was zogenaamd een progressief denkende manager die wel iets in de jonge entertainer zag. Eveneens was hij bemiddeld. Del Pino kreeg zo'n beetje voor het eerst in zijn leven een stevig bedrag in zijn handen gedrukt en was daar logischerwijze niet ongevoelig voor. Geslepen als Sanchez was, regelde hij inzage en inspraak in de tekst voor Del Pino's eerste optreden. Verblind door de combinatie van geld en succes liet de jongen zich manipuleren. Over het resultaat hiervan zullen jullie behoorlijk tevreden zijn geweest.'

Hoewel Doramas hem schijnbaar onbewogen aankeek, zag Silva een korte twinkeling in diens ogen. Ook in Betancors lichaamstaal was een subtiele verandering zichtbaar. Uit een verleden van honderden ondervragingen herkende Silva de symptomen. De bankdirecteur zou als eerste voor de bijl gaan. In gedachten zette hij daar een flink bedrag op in. 'Tijdens het halfuurtje bij de talkshow *Hoy y Mañana* zou Miquel Medina zijn slag slaan. Wederom had Sanchez een grote vinger in de pap betreffende Del Pino's teksten. Hij drong er bij de jongen op aan om als een razende tekeer te gaan tegen het regeringsbeleid. Vooral waar het de afscheiding van de Canarische eilanden betrof, moest Del Pino ongenuanceerd opereren. Voor Medina was het dan een kwestie van rustig counteren en punten scoren. Het thuisvoordeel voor Del Pino hadden jullie ingecalculeerd. Het ging dan ook niet om de tribuneklanten, maar om de televisiekijker die thuis in zijn luie stoel concludeerde dat de entertainer zich volstrekt belachelijk aan het maken was. Medina zou als grote winnaar uit het debat tevoorschijn komen. Een bedachtzame, standvastige leider die geen blad voor de mond nam en steeds meer het vertrouwen van de mensen in de provincie won. De Canarische eilanden, stelselmatig door de landelijke politiek genegeerd, waren als slagroom op de taart. Een stevige hap van een slordige miljoen stemgerechtigden. Op een populatie van ruim veertig miljoen, konden die aan het einde van de rit zomaar het verschil maken. In de Verenigde Staten zijn er tenslotte verkiezingen geweest waarbij enkele duizenden stemmen de doorslag gaven.'

Silva strekte zijn rechterarm, nam zijn bekertje in zijn rechterhand en draaide er rondjes mee. Zogenaamd in gedachten keek hij naar de ontstane minikolk. 'De filosofie achter de campagne was niet slecht. Krijg in eerste instantie het volk buiten de grote steden achter je, daar valt namelijk een enorme winst te halen. Helaas voor jullie hadden wij Del Pino vóór de uitzending reeds geïnstrueerd.'

Hij zette het bekertje weer neer en stond op. Elke belangrijke ondervraging kende een basisscenario. Tot aan dit moment bestond er geen enkele reden om aan zijn vooropgezette plan te sleutelen. Hij pakte wederom de afstandsbediening.

In tegenstelling tot zonet, bleef Silva nu in de kamer. Hij ging zitten en begon nonchalant in de rondte te kijken. Uit de speakers klonken geluiden die onmiskenbaar in een restaurant waren opgenomen. Tien seconden later begon de eerste woordenwisseling.

Silva grijnsde gemeen toen de twee mannen tegenover hem zichzelf hoorden converseren. Hij pakte zijn bekertje, hief het demonstratief en vormde met zijn lippen het woord '*salud*'.

Na tien minuten vond hij het genoeg en stopte hij de band met een simpele duimbeweging. 'Het nadeel van dit soort restaurants is dat je er moet reserveren. Dat gaf ons alle tijd om in El cerdo que ríe de benodigde maatregelen te nemen.'

Een vluchtige blik leerde hem dat Doramas nog even vijandig uit zijn ogen keek als bij het begin van het gesprek. Betancor daarentegen vocht tegen zijn zenuwen. Nog één of twee fikse dompers voordat het licht bij hem uitging. Silva schatte in dat hij hiervoor nog ongeveer een kwartier nodig had. 'Goed, ik merk dat de heren een functie als standbeeld bij Madame Tussaud ambiëren. Daarom lijkt het mij nu gepast iets specifieker op uw huidige positie in te gaan.'

In zijn stem was geen greintje ironie te bespeuren. 'Laat er geen misverstand over bestaan dat u beiden de maximumstraf van dertig jaar krijgt opgelegd. Of er nu medewerking wordt verleend of niet. Deze straf staat als een huis, je hoeft geen onderzoeksrechter te zijn om dit te constateren. Het aanzetten tot moord en een poging tot een staatsgreep zijn geen misselijke aantijgingen.'

Hij ving Betancor en Doramas in één doordringende blik. 'Het gaat nu enkel om de randvoorwaarden. Wordt het een zwaarbewaakte inrichting met als celmaatje een seriemoordenaar die regelmatig een overjarige mannenreet wil, of praten we over een penitentiaire instelling waar onder een licht autoritair systeem best te overleven valt? Maakt de staat er een mediaspektakel van wat voor al uw familieleden rampzalige consequenties heeft, of lost justitie dit in een betrekkelijke luwte op?'

Silva's blik was ondoorgrondelijk, hetgeen niet van die van Betancor gezegd kon worden. De eerste zweetdruppels verschenen op zijn hoofd en hij moest een paar maal slikken om de droge prop in zijn keel de baas te kunnen.

'Dit zijn overigens maar een paar dingen die mij als eerste te binnen schieten. Geloof me, wij kunnen de komende decennia jullie leven en dat van jullie naaste familie tot een hel maken.'

Rubén Betancor boog zich naar voren. 'Als jij...'

'Bek dicht!' snauwde Juanfran Doramas tegen de voorzitter van de Raad. Met deze korte reactie had hij zichzelf voorlopig tot de nieuwe voorman benoemd. Als militair had hij vaker met dit bijltje gehakt. Het grote verschil was echter dat hij in die tijd aan de andere kant van de onderhandelingstafel stond. Toen was hij heer en meester over de situatie en lag het initiatief volledig bij hem. Blijkbaar voelde hij zich ook nu nog sterk genoeg om het voortouw te nemen. Zijn ogen gloeiden koortsachtig en uit zijn lichaamstaal was niets op te merken wat in de verste verte op angst of onzekerheid leek.

'Ergens in het voorjaar stuitte Raadslid Manuel Albelda tijdens een grot-duik in de Dordogne op een groot aantal kostbare voorwerpen,' begon Silva onverstoorbaar. 'Hij seinde de voorzitter in die op zijn beurt contact met zijn rechterhand opnam. Gezamenlijk haalden jullie de spullen uit Frankrijk en het brainstormen kon beginnen. De waarde van de schat liep in de tientallen miljoenen euro's, dat kon zelfs een leek nog bedenken.'

Terwijl de chef van Nueve een korte adempauze inlaste, nam Betancor een slok van zijn wijn. Toen hij het bekertje weer neerzette, trilde zijn rechterhand.

'Hoewel jullie bruisten van de ideeën, moest er eerst een essentiële horde worden genomen; het te gelde maken van de kostbaarheden. Bankdirecteur Rubén Betancor stak subtiel zijn voelhoorns in zijn aanzienlijke klantenkring uit en binnen een kort tijdsbestek kwam er een naam bovendrijven. Kunsthandelaar Alain Rouge uit Lyon werd jullie man. Een geldgeile homoseksueel met wereldwijde connecties. Kolonel Doramas legde het eerste contact en regelde daarna het transport. Het geld stroomde binnen, waarna de voorbereidingen van de coup geconcretiseerd konden worden.'

Silva richtte zich nu tot Doramas. 'Voordat wij jullie gesprek in dat restaurant opnamen, hadden wij Alain Rouge al getraceerd. Tijdens een feestje waar rijkelijk champagne en coke werden geconsumeerd, schepte hij tegen een jonge schandknaap op over zijn contacten in de kunstwereld. Tevens liet hij de jongen een ketting zien die volgens Rouge aan de Tempeliersorde had toebehoord. Rouge was er natuurlijk niet van op de hoogte dat deze schandknaap voor de Franse narcoticabrigade werkte. Voor strafvermindering gaf deze informant door wat hij meemaakte in deze met drugs doordrenkte scene. De Fransen wisten van onze problemen met de Tempelridder af en seinden ons in. Hierop stuurden wij een aantal foto's hun kant op.'

Een spottende grijns verscheen op Silva's gezicht. 'Al bij het eerste verhoor sloeg Rouge door. Driemaal raden wie hij als zijn contactpersoon identificeerde?'

'Rotjood,' siste Doramas.

'Ik zie het iets genuanceerder,' antwoordde Silva met een strak gezicht. 'Maar ach, ik ben ook de beroerdste niet, zodat we toch doorgaan naar de volgende ronde.'

Het vooruitzicht op een volgende episode in dit drama was voor Rubén Betancor blijkbaar als dansen op blote voeten in een slangenkuil. Hij pakte wederom het bekertje en dronk het gulzig leeg. 'Het overgrote deel van het cash geld moest naar de rekening van TU gesluisd worden. Dit was een kolfje naar de hand van bankman Betancor. Een slinks netwerk van rekeningnummers werd opgezet. Relatief kleine bedragen vonden hun weg naar de bankrekening van de partij. Geldsommen die van iedere willekeurige donateur afkomstig konden zijn. De truc was echter dat een fors aantal van de opgezette rekeningnummers stortingen bleven herhalen. De ene dag 50 euro, de dag erop 125, om 48 uur later weer 65 euro op de rekening van TU bij te laten schrijven. Vele kleintjes maakten één grote, was de achterliggende gedachte. Met veel geïnvesteerde tijd en een redelijk simpel computerprogramma lukte het vrij eenvoudig om het gewenste totaalbedrag weg te sluizen. In Bolivia kwam er echter een kink in de kabel die door onze mensen werd getraceerd.'

Kolonel Doramas keek nu verwijtend naar de voorzitter van de Raad. Ook bij hem kwam langzamerhand het besef bovendrijven dat het spel over was. Betancor had de moed reeds opgegeven. Hij keek desolaat voor zich uit en dacht vertwijfeld na over de rampzalige toekomst die hem te wachten stond.

'De moorden op de imams waren het centrale zenuwcentrum van het plan. De publieke verontwaardiging, burgerlijke ongehoorzaamheid, het aanscherpen van de contrasten tussen autochtonen en allochtonen, afijn, als aanstichters weten jullie het beter dan ik. Het kwam neer op het creëren van het ideale politieke gat waar Medina in kon duiken.'

Silva constateerde dat Doramas bezig was om de handdoek in de ring te werpen. De kolonel nam een slok van zijn wijn en knikte traag. Door zijn stramme houding en scherpe gelaatstrekken behield hij uiterlijk nog iets van zijn waardigheid. Inwendig voerde de kolonel inmiddels een strijd op leven en dood. De chef van Nueve wist dat Doramas behoorde tot het uitstervende ras dat zichzelf na absoluut falen zonder pardon een kogel door het hoofd joeg.

'Voordat hij daadwerkelijk aan het moorden sloeg, hadden jullie de Tempelridder al bedacht. Het was als een gift uit lang vervlogen tijden. Een onbekende moordenaar die uit naam van een eeuwenoude en rasconservatieve organisatie moslimvoormannen naar de andere wereld hielp. Het was niet eens zo veel denkwerk, het overkwam jullie gewoon.' Silva nam de tijd om de bekertjes bij te vullen. Heel bewust had hij het merendeel van zijn kaarten op tafel gelegd. Hieruit moest zijn suprematie blijken. Het feit dat de mannen door de teams uit hun huizen waren geplukt, telde eveneens. De algehele overrompeling moest echter hier in het safehouse plaatsvinden.

'De zogenaamde zelfmoord van Javier Martel was niet meer dan een aardig probeersel. Jullie gokten er natuurlijk op dat elke aanwijzing die riekte naar succes door de instanties met beide handen zou worden aangepakt.' Hij glimlachte meewarig. 'Dachten jullie nou echt dat wij de dood van Martel met vette koppen zouden publiceren om enige tijd daarna volledig voor schut te gaan als de Tempelridder weer toesloeg? Kom nou toch, zeg. We zijn niet helemaal van gisteren, hoor.'

Terwijl deze woorden zijn lippen verlieten, zag Silva de verandering in de gezichtsuitdrukkingen van de twee Franco-aanhangers. Op het gelaat van Betancor stond volledige verbijstering te lezen, terwijl Juanfran Doramas openlijk begon te grijnzen. De voorman van Nueve realiseerde zich direct dat er ergens iets volledig mis was. Geen verspreking of detail, maar een fundamenteel gegeven.

'Trouwens, de keuze om Martel als zondebok op te laten draven vond ik verre van geschikt,' probeerde Silva. Een angstig vermoeden overviel hem. Pappen en nat houden, dacht hij. Met een beetje geluk kwam er een reactie van de andere kant waar hij mee verder kon. 'Hij was een door de wol geverfde misdadiger, geen moordenaar zoals het ronduit knullige afscheidsbriefje suggereerde.'

De grijns op het gelaat van Juanfran Doramas won nog steeds aan kracht. Als een verdwaalde wandelaar die tot zijn middel in het drijfzand zat en ineens een aangereikte stok voor zijn neus zag verschijnen, had hij ergens moed uit geput. Rubén Betancor zat daarentegen volledig stuk. Mentale opkikkertjes werden door zijn hersenen niet meer als zodanig herkend. Uit zijn keel ontsprong een geluid dat het midden hield tussen een kreet, een lach en een snik. 'Zondebok? Martel was...'

De rest van de zin bleef onuitgesproken, aangezien Doramas met zijn rechterhand de voorzitter van de Raad een flinke mep op diens achterhoofd verkocht. Aansluitend legde de voormalige kolonel van de *guardia civil* als het braafste jongetje van de klas zijn armen over elkaar en keek Alfonso Silva uitdagend aan. 'Gooi mij maar in de cel en vergeet vooral niet de sleutel weg te gooien. Hou die verrader uit mijn buurt, anders vermoord ik hem.'

Silva wist dat hij elk woord ervan meende.

28

Manuel Albelda reed twintig kilometer per uur langzamer dan op de snelweg was toegestaan. Dit had niets te maken met de druilerige regen of het overige verkeer, maar alles met zijn gedachten die hem zowel over fenomenale pieken als door diepe dalen sleurden. Nadat Betancor en Doramas hem tijdens die bewuste lunch duidelijk hadden gemaakt dat zijn rol min of meer was uitgespeeld, was de knop voor driekwart omgegaan. Toen de moeder van Julien hem belde, werd zijn uitgestelde beslissing een voldongen feit. Luxe en weelde waren altijd bijzaken voor hem geweest. Hij dacht er zo nu en dan over na, maar daar hield het verder mee op. Zijn politieke overtuiging, levensstijl en inkomen lieten geen losbandigheid toe. Binnen afzienbare tijd zou hij echter zijn manier van leven drastisch veranderen. De tijd om in te halen wat hij een groot gedeelte van zijn leven had gemist, was aanstaande.

Hij kuchte nerveus en bleef in zijn spiegels kijken. Julien was dood en hijzelf kon zomaar de volgende zijn, speelde het voor de zoveelste maal door zijn hoofd. De beslissing die hij na het telefoontje van madame Manne had genomen, was definitief. Opgelegd door een mix van zelfbescherming, angst en fantasie. Als hij er langer over nadacht, bleek dat laatste toch doorslaggevend te zijn geweest. Bij elke hartslag kreeg hij immers het gevoel nooit echt te hebben geleefd. Als een volgzaam stuk vee had hij de politieke overtuiging van zijn vader overgenomen en werden de bijeenkomsten van de Raad hoogtepunten in een droog bestaan waaruit elke jus zonder enige consideratie werd verbannen. Zijn werk was een roes zonder hoogte- of dieptepunten en thuiskomen in een kamer met enkel meubelstukken bleek even kunstmatig als de ademhaling van een patiënt die nooit meer uit een coma zou geraken.

Albelda gaf richting aan naar rechts, minderde gas en nam honderd meter verderop de afslag. Vijftien kilometer ten oosten van La Coruña lag restaurant Casa Juan. Een eetgelegenheid die vermaard was vanwege de uitgebreide wildkaart. Ook prijstechnisch had het restaurant een naam hoog te houden. Het goedkoopste driegangenmenu begon bij 120 euro.

Eenmaal op de provinciale weg zorgde hij dat de snelheidsmeter niet voorbij de tachtig kwam. Juist op deze wegen was de politie bijzonder actief met de radar. Evenals iedere andere automobilist vond hij juist een boete voor te hard rijden weggegooid geld.

Het digitale klokje in zijn dashboard gaf vijf minuten voor negen aan. Hij was op tijd, zoals praktisch altijd het geval was. Op het afgesproken tijdstip voor een ontmoeting verschijnen, was een kwestie van fatsoen. Tijdens zijn jeugd hadden zijn ouders, en vooral zijn vader, hierop gehamerd. Goede manieren waren een essentieel onderdeel van het leven. Zonder deze geestelijke bagage werd elke deur naar een degelijke toekomst gesloten.

'Ik vraag het me af, pa,' fluisterde Albelda. 'Ik ben er in elk geval niet veel wijzer van geworden.'

Die middag om vier uur had Rubén Betancor hem op zijn mobiele telefoon gebeld. Het gejaagde in de stem van de voorzitter van de Raad was een uitgesproken dissonant die hem direct kippenvel bezorgde. Met snelle, afgeknepen zinnen meldde Betancor dat er ontwikkelingen waren en dat er zo spoedig mogelijk overleg diende te volgen. Aansluitend had Betancor hem gevraagd of hij Casa Juan kende, waarop hij bevestigend antwoordde. Hierna zei de voorzitter dat zij daar om negen uur bijeen zouden komen.

De daaropvolgende uren had Albelda zich geestelijk van de buitenwereld afgesloten. Tegenstrijdigheden kregen vrij spel, waarbij elke mogelijke waarheid in luttele tijd werd getransformeerd tot een absolute onwaarschijnlijkheid. Tevens lag de angst als een bloeddorstige usurpator op de loer. Bereid om te allen tijde genadeloos toe te slaan.

Omdat gedurende die periode de wisselende scenario's hem constant bezighielden, bleef de vrees slechts een mistig gebied in zijn achterhoofd dat niet de kans kreeg hem het zicht te ontnemen. Uiteindelijk besliste hij dat verder speculeren geen enkele zin had. De reden voor het gesprek zou pas tijdens de plotseling ingelaste bijeenkomst worden geuit. Speculeren over die reden was puur giswerk. Daar moest hij dus gewoon mee ophouden.

Toen dit traject was afgerond, diende de angst zich aan. Want de reden van het gesprek was natuurlijk ondergeschikt aan de uitkomst ervan. Hadden Betancor en Doramas besloten dat hij een te groot blok aan hun been was? Zou hij na het gesprek door de voormalige kolonel mee het bos in genomen worden, waarna de Tempelridder het vuile werk deed? Niet dat Doramas vies van een executie was, maar het lag toch meer in de lijn der verwachting dat een huurling dit zaakje opknapte. Na Julien en de twee imams kon dit er ook nog wel bij, nietwaar?

Zijn cynisme hielp hem door die moeilijke uren heen. Hoewel het hier voornamelijk gespeelde ironie en verkapt sarcasme betrof, vond hij in deze onnatuurlijke houding een surrealistisch houvast dat hem sterkte. Langzamerhand maakte hij zich op voor de hamvraag. Om acht uur nam hij de beslissing die wellicht het verschil tussen leven en dood betekende. Hij zou op tijd op de afspraak verschijnen. Wegblijven was zinloos. Als hij niet verscheen, dan zouden ze hem komen halen. Zo simpel lag het. Door fysiek aanwezig te zijn, deed zich misschien een mogelijkheid voor waarmee hij het gesprek een andere wending kon geven of hen op andere gedachten kon brengen. De kans hierop was gering, wist Albelda. Als ze eenmaal besloten hadden zich van hem te ontdoen, bleef er weinig speelruimte over. Toch prefereerde hij strijdend ten onder te gaan boven een onverwachte kogel of messteek.

Albelda blies luidruchtig de adem uit die hij onbewust een tiental seconden in zijn borstkas had opgeslagen. Dit was het doemscenario, sprak hij zichzelf in stilte toe. De kans dat het tweetal, hij ging ervan uit dat Doramas eveneens aanwezig was, hem bijvoorbeeld op de hoogte wilde houden van de lopende zaken leek meer voor de hand liggend. Tenslotte was de hele operatie een voortvloeisel van zijn vondst in de Dordogne.

'En zo is het.' Zijn stem klonk onevenredig hard in de middenklasser.

Het bordje met een pijl naar rechts waaronder de naam van het restaurant stond geschreven, gaf aan dat hij zijn bestemming bijna had bereikt. Na de afslag volgde nog een flauwe bocht naar links, waarna honderd meter verderop aan de rechterkant de parkeerplaats van Casa Juan lag.

Terwijl hij in een rustig tempo de bocht nam, begonnen zijn zenuwen op te spelen. Dit wordt de ultieme ontmoeting, ging het door hem heen. Kom ik hier zonder kleerscheuren vandaan, dan voer ik binnen nu en hooguit een week mijn plannen uit. Daarna een ticket naar Zuid-Amerika en een vorstelijk leven tot aan mijn dood.

Hij lachte nerveus en begon zichzelf moed in te spreken. 'Dat etentje stelt niets voor, joh. Die gasten hebben natuurlijk spijt van hun vreemde houding de vorige keer. Let maar op, ze zijn bezig geweest om een functie van enige importantie voor mij te vinden. Om het goed te...'

Hij onderdrukte een vloek. Zijn hartslag piekte en gelijktijdig maakte zijn maag een aantal spectaculaire salto's. Het werd licht in zijn hoofd. Een fractie van een seconde leek flauwvallen een zekerheid. Instinctief wilde hij het gaspedaal door de bodem heen stampen, maar het kleine beetje overgebleven logica weerhield hem hiervan. Zijn handen omklemden het stuur.

Blauw en witte zwaailichten hadden de parkeerplaats van Casa Juan in een veredelde kermis zonder attracties veranderd. Vanuit zijn ooghoeken telde Albelda vijf politiewagens en minstens het dubbele aantal agenten. Het merendeel van deze wetsdienaren liep druk heen en weer. Verder zag hij nog volk dat hij niet zo snel kon thuisbrengen. Waarschijnlijk recherche, of politie in burger.

Terwijl zijn hart naar zijn gevoel pogingen deed om uit zijn lichaam te treden, reed hij de parkeerplaats voorbij. De daaropvolgende minuten trilden zijn handen oncontroleerbaar. Hij haalde ze een voor een van het stuur en veegde het in zijn palmen staande zweet af aan zijn broek. Zijn blik schoot van het wegdek voor hem naar zijn spiegels waarin hij verwachtte snel naderende zwaailichten te ontdekken. Op twee snelheidsduivels na die hem met een rotgang passeerden, bleven zijn achteruitkijkspiegels echter leeg.

Vijf heel lange minuten later kwam langzamerhand de overtuiging bovendrijven dat hij door het oog van de naald was gekropen. Hij minderde vaart, zette de auto aan de kant en liep de bosjes in. Met een lege maag en een vastomlijnd plan zette hij koers naar zijn appartement.

'Hij is even uit de auto gestapt, waarschijnlijk om te kotsen,' sprak Guillermo Rivero op luchtige toon. Samen met mede-Nueve-lid Pedro Loremar zat hij in een zwarte personenauto die op de parkeerplaats van Casa Juan stond geparkeerd. Het microfoontje dat aan zijn overhemd was bevestigd, pikte deze woorden op.

'Oké,' antwoordde Alfonso Silva. Evenals zijn mensen bij het restaurant keek hij naar een beeldscherm waarop een zwart stipje de auto van Manuel Albelda symboliseerde. Het navigatiesysteem had een bereik van dertig kilometer. Pedro Loremar had vannacht de piepkleine zender aan de onderkant van Albelda's Seat gemonteerd en het volgen van de schatgraver van de Raad was zodoende een koud kunstje.

In principe was het niet nodig geweest om Rivero en Loremar op de parkeerplaats van het restaurant te laten posten. Het systeem gaf toch wel aan waar de auto van Albelda zich exact bevond. Tijdens een operatie waren er echter bepaalde ijkpunten. Op dit soort momenten wilde Silva gewoonweg dat zijn mannen ter plekke waren en de Seat daadwerkelijk voorbij zagen rijden. Omdat het een emotioneel moment voor Albelda betrof, kon je nooit weten of er juist dan een draadje in diens hoofd lossprong. Mocht zoiets gebeuren, dan konden zij direct ingrijpen.

Het zwarte vlekje op het beeldscherm reed in de richting van La Coruña. Albelda ging hoogstwaarschijnlijk terug naar huis. Silva keek het een paar minuten aan. Toen de Seat de buitenwijken rap naderde, sprak hij in de microfoon.

'Bedank die mensen van de *policia local* en Casa Juan voor hun medewerking en optreden. Daarna kunnen jullie deze kant op komen.'

Rivero bevestigde het verzoek en stapte uit de auto om de leidinggevenden namens het ministerie van Binnenlandse Zaken kort te bedanken. Drie minuten later zat hij weer naast Loremar die de auto startte.

De *minivan* waarin Silva samen met Aurelio Espino zat, stond vier straten van Albelda's appartement geparkeerd. De derde man, Victor Bersan, lag op het dak van een flatgebouw dat zich recht tegenover het appartementenblok van Albelda bevond. Bewegingloos tuurde hij door een nachtkijker. Ook dit had met een ijkpunt te maken. Albelda had namelijk maandenlang de tijd gehad om een plan in elkaar te zetten. Wellicht zaten hier valkuilen voor eventuele achtervolgers in.

'Duiker heeft enkele volle tassen in de kofferbak van zijn auto geladen,' sprak Victor Bersan om vijf minuten voor tien.

'Hij stapt in, start de auto en... rijdt nu weg.'

Op het beeldscherm voor hem zag Silva dat het zwarte stipje weer tot leven was gewekt.

'Hierheen komen,' sprak hij kortaf tegen Bersan.

Met de vingertoppen van zijn linkerhand wreef hij over de stoppels van zijn rechterwang. Tot nu toe liep het precies zoals hij had vermoed. Albelda was zich rot geschrokken van de zwaailichten bij Casa Juan. Logischerwijze vermoedde hij dat Betancor en Doramas daar ter plekke waren gearresteerd. In paniek, dat gaf de korte noodstop langs de weg aan, reed hij terug naar huis, pakte de benodigde spullen in en vertrok. Tot nu toe geen valkuilen, dacht de chef van Nueve. Hij glimlachte dunnetjes. Een goed begin was tenslotte het halve werk.

Het zweten werd beduidend minder. Hij kon niet stellen dat hij zich super voelde, maar het ging crescendo met zijn gemoedstoestand. De gigantische schrik die de zwaailichten hadden veroorzaakt en de daaropvolgende kotspartij waren de absolute dieptepunten geweest. Nadat zijn maag zich had omgedraaid, was een enkeltje naar het dichtstbijzijnde politiebureau een serieuze optie. Gaandeweg de rit naar huis had hij deze gedachten gelukkig van zich kunnen afschudden en staken positievere gedachten de kop op.

Het moest nu gebeuren. Betancor en Doramas waren van het toneel verdwenen. Die twee kennende, zou het voor de politie nog een hele klus worden om ze aan de praat te krijgen. Hoewel hij in gedachten gemakshalve het woord 'politie' gebruikte, stond dit voor alle justitiële over-heidsdiensten. Inclusief de veiligheidsdienst.

De zelfverzekerde voorzitter van de Raad en zijn rechterhand waren in hun kraag gegrepen. Wat hem betrof stond dit als een paal boven water. Over eventuele andere redenen waarom het parkeerterrein vol stond met politiewagens wilde hij niet eens denken. Dan ging hij twijfelen, zijn kernactiviteit van de afgelopen maanden. Nee, de knoop was nu doorge-hakt en niemand hield hem nog tegen. Mochten die zwaailichten het gevolg zijn geweest van een moord door de kok van Casa Juan op een ontevreden klant, of een spontane gijzeling van het personeel door een verdwaalde ETA-cel, dan was dat heel jammer. Hij had zijn beslissing genomen en ging er blind voor. Eindelijk.

Terwijl hij zich letterlijk en figuurlijk elke seconde verder van La Coruña verwijderde, ging Manuel Albelda zich te buiten aan fantasieën waaraan hij vroeger pertinent weigerde toe te geven. Het uitvloeisel van extreme decadentie leverde beelden op die zijn geest voor de eerste maal in zijn leven niet direct censureerde.

Hij zag zichzelf in een stoel op een zonovergoten strand liggen. Het water in de branding was azuurblauw. Geleidelijk aan ging dit over in marineblauw. Een kleine vijftig meter van het strand lag een robuust jacht voor anker. Zijn jacht. Op het dek stonden twee schaarsgeklede jonge vrouwen. Ze zwaaiden allebei uitgelaten naar hem. Loom zwaaide hij terug. Vanavond zouden zij hem escorteren naar een feestje dat door een rijke wijnmaker werd gegeven. Zij waren voor hem niet meer dan uiterlijk vertoon, iets waar men in deze contreien prat op ging. Nadat hij een groot gedeelte van de avond met ze had geshowd, zou hij ze weer mee terugnemen naar zijn jacht. Daar vloeide de champagne ongelimi-teerd en stond het dek vol met schalen oesters, kreeft en kaviaar. Tot diep in de nacht werd er gedanst en geflirt, waarna hij zich tegen het ochtendgloren zou terugtrekken in zijn luxehut. Precies zoals dat van een alom gerespecteerd man werd verwacht.

Dit was de opmaat.

Een sportwagen die hem passeerde, interrumpeerde de droom die hij met open ogen beleefde. Achteloos haalde hij zijn schouders op en gleed weer weg in het door hemzelf gecreëerde paradijs. Met zijn rechterhand draaide hij de verwarmingsknop naar nul. Tegen de gloed die bezit van hem nam kon geen enkele krachtbron op.

Met: 'Hij mindert vaart,' verwoordde Guillermo Rivero Silva's gedach-ten. Hij had eveneens gezien dat de snelheid van de Seat afnam. Het navigatiesysteem waarmee ze werkten, kondigde dit reeds aan. Een ultramodern systeem dat uit de Verenigde Staten was komen overwaaien. De programmeurs ervan hadden er de koosnaam TICK, teek, voor bedacht: *Track, Identify, Crucify and Kill*. Amerikanen waren dol op dit soort idiote afkortingen waaruit een woord verscheen dat in hun opinie de lading dekte, wist hij uit ervaring.

In het geval van TICK kon hij niet anders dan de geestelijke vaders van het geavanceerde systeem complimenteren. Als het eenmaal was aangebracht, dan schudde je het niet zomaar af. Net als bij het bloedzuigende insect moest het daadwerkelijk losgedraaid en verwijderd worden, anders bleef je er ongemerkt mee rondrijden.

De Seat was inmiddels gestopt bij een benzinestation. Behalve dat TICK de snelheid waarmee het gemarkeerde voertuig zich verplaatste en de afstand tussen object en volgers kon meten, bezat het ook een gedetailleerde topografie. Met een simpele druk op de knop verscheen er in de rechterhoek van zijn beeldscherm een uitvergroting van het specifieke gebied waarin de Seat zich bevond.

'Maak er een tankstop van. Zorg dat jullie hem weer zien instappen en wegrijden.'

Rivero bevestigde de order. Zij konden binnen twee minuten bij het tankstation zijn. Volgens de vooraf gemaakte afspraak reden zij twee kilometer achter Manuel Albelda. Te ver voor visueel contact, maar dichtbij genoeg om op een onverwachte situatie te kunnen inspelen. Pedro Loremar parkeerde de auto bij de verst van de Seat af gelegen benzinepomp en stapte uit om te tanken. Dit geintje konden ze maar één keer flikken, wist hij. De kans dat Albelda hen opmerkte was groot. De man was ongetwijfeld alert op eventuele achtervolgers. Toen de tank bijna vol zat, zag hij vanuit zijn rechterooghoek Duiker uit het toilet komen, zijn auto instappen en wegrijden. Vanaf de passagiersstoel meldde Guillermo Rivero aan zijn chef wat zij zojuist hadden waargenomen.

Op twee kilometer van het benzinestation had Alfonso Silva chauffeur Aurelio Espino opdracht gegeven om de *minivan* op de vluchtstrook te parkeren. Vlak nadat Albelda zijn reis voortzette, gaf Espino weer gas. Het was nu aan hen om Duiker op een afstand van twee kilometer te volgen, terwijl Rivero en Loremar het gat met de Seat op vier kilometer hielden.

Ze reden tussen Santander en Bilbao. De grens met Frankrijk lag op zo'n slordige 140 kilometer. Daarna restte hen nog 250 kilometer naar de Dordogne. De digitale klok op het beeldscherm gaf 01.14 aan.

'Hij gaat er een nachtduik van maken,' mompelde Silva. 'Dan is hij dus verdomde zeker van zijn zaak.'

Zijn paspoort lag naast hem op de passagiersstoel. Op dit tijdstip bij deze grensovergang was een nauwkeurige inspectie van het document het minste oponthoud dat je kon verwachten. De sfeer in het niemandsland dat Spaans Baskenland van Zuid-Frankrijk scheidde, was grimmig te noemen. Een gapende douanebeambte die het verkeer met een ongeïnteresseerde handbeweging doorverwees naar de volgende slagboom was hier even schaars als een lachend gezicht tijdens een uitvaart. Evenals op de snelwegen en in de havens, golden hier de regels van de *guardia civil*. Uitgevoerd door een streng geselecteerd gezelschap dat geen boodschap aan files had. Dit was ETA-land. Enkel op papier werd de Europese wetgeving gehandhaafd.
Een streng ogende veertiger pakte zijn paspoort aan en wierp er een intense blik op. Zonder iets te zeggen gaf hij het terug en maakte met een kort hoofdgebaar duidelijk dat hij kon doorrijden. Albelda knikte terug, liet de koppeling opkomen en gaf gas.

'Mooi,' bromde Silva toen hij op het beeldscherm zag dat ook de Fransen Albelda geen strobreed in de weg legden. Iedereen hield zich dus aan de gemaakte afspraken. Een luxe, aangezien er altijd kinnesinne bestond tussen bepaalde groeperingen in overheidsdienst. Ditmaal wezen alle neuzen zomaar dezelfde kant uit.
Blijkbaar heb ik voor de verandering indruk gemaakt, dacht Silva sceptisch. Wederom verscheen er een dunne glimlach rond zijn mondhoeken.

Rijden over de Franse wegen was een verademing. Het leek alsof zijn geest en lichaam nieuwe levensimpulsen ontvingen bij elke meter die hem dichter bij zijn doel bracht. Zijn rijkdom was aanstaande. Hij focuste zich op de randzaken waarmee hij te maken ging krijgen. Feitelijk was het een vervolg van een maandenlange geestelijke voorbereiding. Want het speelde al sinds hij op miraculeuze wijze uit de grot was ontsnapt. Om in detail over een volgend leven na te denken, was hem echter nooit gelukt. Dan kwam het allemaal te dichtbij en haakte hij af. Het tweeledige gevoel dat hij immer met zich meedroeg, liet dit niet toe. De grote lijnen lagen daarentegen wel vast. In de binnenzak van zijn jas zat vijfduizend euro in cash geld. Naast de duikapparatuur lagen twee grote weekendtassen met kleding en andere eerste benodigdheden in de kofferbak.

Nadat hij zijn schat had opgepikt, zou hij koers zetten naar Parijs. In deze metropool moesten de contacten worden gelegd. Als hij maar voorzichtig genoeg was, dan mocht dit geen probleem opleveren. Tenslotte waren Betancor en Doramas ook succesvol geweest. Een gerechtvaardigde conclusie, aangezien de campagne van Medina als een speer verliep. Albelda knikte. Op zijn gezicht lag een uiterst tevreden uitdrukking. De twijfel was verdwenen. Het ging hem lukken. Incasseren en van de aardbodem verdwijnen. Al die verloren jaren zou hij dubbel en dwars gaan inhalen. In een land waar geld het grootste recht van spreken gaf en het recht zich daar gedwee naar voegde. Een paradijs waar het wel degelijk mogelijk was om slimmer dan de rechter te zijn.

Een mengeling van contrast en symboliek deed hem een blik in de achteruitkijkspiegel werpen. Ergens in de duisternis achter hem lag Spanje. Hij zou er nooit meer terugkeren.

Een paar minuten geleden waren ze gestopt voor een chauffeurswissel. Nu was het de beurt aan Victor Bersan om zich door TICK te laten leiden. Een paar kilometer achter hen had Guillermo Rivero volgens afspraak het stuur van Pedro Loremar overgenomen.

Silva schonk zichzelf nog een kop koffie in. Het wakker blijven op zich viel nog wel mee; het was de eentonigheid waardoor hij steeds vaker een geeuw moest onderdrukken. Kwart voor drie. Op sommige momenten kon je gerust stellen dat hij een hondenbaan had, dacht de chef van Nueve.

Hij nam een slok. Ondanks de heftige reactie die daarop volgde, lukte het hem de koffie door te slikken. Met de koffie op zich was niets mis. Het ging om het zwarte stipje voor hem; dit deed iets wat niet in de planning lag. Hij opende zijn ogen op een overdreven manier om er zeker van te zijn dat er geen vergissing in het spel was.

De reactie van Victor Bersan bevestigde wat hij eigenlijk al zeker wist. 'Duiker neemt de verkeerde afslag, *jefe*.'

In plaats van rechtdoor naar Bordeaux te rijden, had Albelda even voorbij Bayonne de snelweg richting Toulouse genomen.

'Hou dezelfde onderlinge afstand,' sprak Silva beheerst tegen de twee chauffeurs. Hij moest nu blindvaren op het navigatiesysteem. Albelda had van troefkleur gewisseld. De Dordogne leek opeens een onwaarschijnlijke eindbestemming. Languedoc of Provence, wellicht? Ook giswerk, corrigeerde hij zichzelf. Mocht er een gedeelte van de schat door Albelda zijn achtergehouden – een stelling waar hij na het verhoor van Betancor absoluut van uitging – dan kon hij dat overal hebben verstopt.

Voor hetzelfde geld dook hij over een paar minuten de binnenlanden in om ergens op een kronkelweggetje in een van god verlaten negorij te stoppen en vijftig meter verderop te beginnen met graven. Het was echter ook mogelijk dat zij nog een lange reis voor de boeg hadden. Silva gokte op het laatste en hield daarom beide wagens in positie.

Via Toulouse reden ze langs Montpellier in de richting van Marseille. Vlak voor Frankrijks grootste havenstad was Albelda gestopt om te tanken. Dit was voor Silva het sein om met zijn eigen ogen Duiker in levenden lijve te zien, of tot de conclusie te komen dat hij op een gruwelijke manier in de maling was genomen. De witgespoten *minivan*, die in tegenstelling tot andere klussen ditmaal geheel van reclame-uitingen gevrijwaard was gebleven, werd schuin achter de Seat geparkeerd. De afstand tussen beide voertuigen bedroeg ongeveer twintig meter.
Terwijl Rivero de tank volgooide, zag de chef van Nueve dat Albelda binnen afrekende, naar buiten liep en wegreed. Wat hem opviel was de rust die de man uitstraalde. Er was geen spoortje van zenuwen in zijn lichaamstaal te bekennen.
Mede door de verhalen van Betancor, en in mindere mate Doramas, had hij zich een ander beeld van Manuel Albelda gevormd. Volgens de voorzitter van de Raad was de zelfverzekerd ogende man die zojuist was weggereden een 'timide, grijze muis waarvan er minstens vijftien in een dozijn gingen'. Doramas had daar grommend 'miezerd' aan toegevoegd. Hij was er gemakshalve van uitgegaan dat de voormalige kolonel hiermee op Albelda doelde.
Nu hij Duiker in levenden lijve had gezien, was hij er niet meer zo zeker van over wie Doramas op dat moment een oordeel velde. Daar kwam bij dat die opmerking ver na het middernachtelijk uur was gemaakt en het karakter van Manuel Albelda meer terloops, dan bewust gestuurd ter sprake kwam. Toen vooral Betancor voor zichzelf had besloten dat meewerken de enige optie was die hem nog iets kon opleveren, kwamen eerst de onderwerpen met een hogere prioriteitsgraad aan de beurt.
Het was tegen zevenen toen ze langs de dokken en kades van Marseille reden. Vanwege de ochtendspits die gestaag op gang begon te komen, had Silva aan beide chauffeurs de opdracht gegeven om de afstand tot de Seat drastisch te verkleinen. De *minivan* reed driehonderd meter achter Duiker, terwijl Victor Bersan bijna aan de bumper van zijn collega kleefde. Mocht Albelda veel in zijn achteruitkijkspiegel kijken, over haviksogen beschikken én bijzonder opmerkzaam zijn, dan nog bleef de perso-

nenwagen met daarin de twee Nueve-leden voor hem onzichtbaar. Beter een half ei dan een lege dop.

Het navigatiesysteem meldde dat Albelda de afslag nam die leidde naar Vieux Port, de oude haven. Onbewust spande Silva zijn armspieren. 'Opletten, nu.'

Het was een schijnbaar overbodige opmerking die hij bewust had gemaakt. Ook na een nacht zonder slaap was zijn team fris. De stadse drukte bood Albelda echter zoveel mogelijkheden dat 'fris' voor de achtervolgers niet voldeed. Ze moesten nu superscherp zijn. De oppositie had te veel voordelen. De gegevens dat Duiker exact wist waar hij moest zijn en dat het simpel was onder te duiken in de menselijke mierenhoop om hen heen, stonden boven aan de lijst.

Silva toetste een code in waarmee hij TICK opdracht gaf om een gedetailleerde kaart te tonen van het gebied waarin de Seat zich bevond. Verkeerslichten, kruispunten, voorrangswegen en oversteekplaatsen kregen nu zijn onverdeelde aandacht. Stopte Albelda ergens, dan wilde de chef van Nueve precies weten waar en waarom.

Ze reden in zuidoostelijke richting. Ondanks de drukte was er doorstroming. De eerste file ontstond voor een grote rotonde aan de Avenue du Prado. Tien minuten later reden ze langs Point Rouge, het nieuwe havengebied. De druilerige regen ging over in een woedend gekletter. Terwijl het navigatiesysteem aangaf dat deze route naar het dorpje Cassis leidde, wierp Silva een korte blik op de Middellandse Zee. In niets leek deze op het azuurblauwe aanzicht waarvan talloze ansichtkaarten toch het onweerlegbare bewijs leken te zijn. Hij keek naar een onafzienbare, grijze plas waarop ontelbare witte koppen stonden. De aanwakkerende wind joeg het water tegen de steile krijtrotsen. In de verte speelden zeemeeuwen een onnavolgbaar spel met onzichtbare uitlopers van de grillige thermiek.

Een rilling joeg vanuit zijn nek langs zijn ruggengraat om aansluitend een tinteling in beide handen te veroorzaken. Hoewel hij niet direct de aangewezen persoon was om eventueel de zee in te plonzen, voelde hij de kou tot in zijn botten doordringen. Hij schudde deze onzinnige gedachten direct van zich af. Leden van Nueve droegen droogpakken. In tegenstelling tot neopreen, bleef je daarin droog. Bij wijze van spreken kon je er met je smoking in stappen, om je na de duik in het feestgedruis onder te dompelen.

De tweebaansweg waarop ze nu reden, werd gekenmerkt door een grote variëteit aan bochten. Lange doordraaiers, flauwe en scherpe bochten. Het enige gemeenschappelijke wat ze hadden, was het uitzicht. Vanuit elke hoek werd elk panorama gesierd met krijtrotsen. Zelfs vanuit de opperhuid van de droefgeestige zee staken rotsen als dreigende, prehistorische vinnen waarmee je maar beter niet in aanraking kon komen.

'Stop na de volgende bocht,' sprak Silva zelfverzekerd.

Het zwarte stipje op zijn beeldscherm bewoog niet meer. Aangezien visueel contact ontbrak, moest Silva voor even van het meest waarschijnlijke uitgaan.

'Pedro, ik wil weten wat hij uitspookt,' zei Silva nadat beide auto's waren gestopt.

Loremar bevestigde zijn opdracht en stapte uit. Langs de rechterkant van de weg trok hij een sprint en verdween bij de volgende bocht uit hun zicht. Twee minuten later meldde hij zich weer.

'Duiker heeft de auto geparkeerd en kleedt zich om.'

'Daar blijven en melden wanneer hij het water ingaat.'

Silva stond op, liep naar het cabinegedeelte en keek langs de strakke gezichten van Aurelio Espino en Victor Bersan naar de bonkige, grauwe vlakte die zich uitstrekte tot een dunne grijze potloodstreep ergens in de verte.

'Wat zijn jullie toch een stelletje bofkonten,' grijnsde *el jefe* quasigeamuseerd.

De harde regen in zijn gezicht voelde aan als duizend kussen van een geliefde. Een sterk emotionele begroeting na een lange afwezigheid. De druppel op het trilaminaat van zijn droogpak waren kortstondige afdrukken van vele vingertoppen die hem duidelijk maakten dat dit de plek was waar zijn nieuwe leven begon. Hier lag zijn bruidsschat waarmee hij meerderen tot een verbintenis kon verleiden waar geen handtekening aan te pas kwam.

De zee vond het goed.

Zij was de moeder van al het leven en zijn platonische minnares. Egoïsme was haar vreemd, ze gaf enkel. Nemen was voorbehouden aan stervelingen. Zonder woorden vertelde ze hem dat zijn grijzemuizenbestaan erop zat. Het tijdperk van het strakke jargon waarin hij al met al een onbeduidende rol had gespeeld, was over. Nadat hij datgene wat hem toebehoorde uit de schoot van zijn minnares had gehaald, begon zijn nieuwe leven.

Met zijn duikvinnen in zijn rechterhand liep Manuel Albelda voorzichtig maar zelfverzekerd over de spekgladde rotsen naar de inham. In zijn hoofd hoorde hij een onbekende stem fluisteren.

'Leef snel. Morgen is vandaag alweer gisteren. Leef en neem alles.'

Het pad waarop Silva reed was bezaaid met kleine en middelgrote stenen. Hij zette de *minivan* vlak achter de Seat van Albelda. Het was een natuurlijke parkeerplaats die ruimte bood voor hooguit drie auto's. De tweebaansweg die naar Cassis leidde, lag dertig meter verderop.

De chef van Nueve stapte uit en opende het zijportier. Aurelio Espino en Victor Bersan hadden zich vliegensvlug omgekleed en stonden reeds in vol duikornaat af te wachten tot het spel daadwerkelijk zou beginnen.

'Hij is naar de inham gelopen en daar afgedaald,' vertaalde Silva op zakelijke toon in het kort de informatie die hij van Pedro Loremar had ontvangen. Zijn linkerwijsvinger wees naar een robuust rotsblok aan de rechterkant van de inham. 'Volgens Pedro is het daar spekglad, dus let op waar je loopt.'

Beide mannen knikten. Op de voet gevolgd door Espino liep Bersan naar de inham. Een handvol stappen later bemerkte hij dat de opmerking van Loremar serieus genomen diende te worden. Op de stenen had zich een laagje mos genesteld, zodat de zolen van zijn laarzen nauwelijks houvast vonden. Met een beweging van zijn linkerhand maakte hij Espino duidelijk dat ze rustig en voorzichtig moesten doen. Blijkbaar was zijn buddy deze mening eveneens toegedaan, want hij maakte geen aanstalten hem te passeren.

Silva keek zijn mannen na en zag daardoor hoe Aurelio Espino een doodsklap maakte. Een loszittende steen was er de oorzaak van dat hij uit balans raakte. Om niet onderuit te gaan, maakte hij een zijwaartse stap. Zijn linkervoet kreeg echter geen grip op de gladde rots en het lid van Nueve ging onderuit.

Het gruwelijke geluid van brekend bot kwam zelfs boven de noeste stem van de Middellandse Zee uit. Silva reageerde direct. Terwijl hij naar de onfortuinlijke Espino liep, dwong hij zichzelf om elk rotsblok met een flinke dosis achterdocht te bejegenen. Zonder noemenswaardige glijpartijen bereikte hij de plek waar Espino zich bevond. Deze had zijn linkerarm om de schouders van de ondersteunende Bersan geslagen en keek zijn baas met een verontschuldigende blik aan. 'Sorry, *jefe*,' siste hij tussen zijn opeengeperste kaken. 'Een stomme inschattingsfout.'

Hierna vloekte hij stevig. Ofschoon hij veel pijn leed, wist Espino nog een schamel lachje te produceren. 'Wordt Pedro vandaag toch nog nat.'

Na deze woorden dwong een heftige pijnscheut hem tot een pijnlijke grimas. Silva ondersteunde hem aan de rechterzijde, waarna ze voorzichtig terugliepen. Ze bereikten de *minivan* zonder verdere kwetsuren op te lopen. Op het moment dat ze Espino in de wagen legden, meldde Pedro Loremar zich. 'Zal ik me gaan omkleden, *jefe*?' vroeg hij voorzichtig. Dit laatste deed hij vanwege het overschrijden van de ongeschreven wet van Nueve dat teamleden pas initiatief namen als de operatieleider het algehele overzicht kwijt was. Hoewel het hem duidelijk was dat Silva met zijn volle verstand handelde, begreep hij ook dat de tijd drong. Albelda was nu al vijf minuten onder water en niemand van hen kon inschatten wanneer hij zijn hoofd weer boven water zou steken.

Silva keek naar Aurelio Espino die strak voor zich uit keek en de pijn verbeet. In zijn ogen stond voornamelijk teleurstelling te lezen vanwege het feit dat hij had gefaald. Nueve was een elite-eenheid waar je jezelf dit soort fouten eenvoudigweg niet kon veroorloven. Pech of geluk waren abstracties die enkel opgeld deden bij andere diensten.

'Blijf op je post,' antwoordde Alfonso Silva op afgebeten toon. 'Ik ga zelf. Aurelio neemt hier de honneurs waar.'

Aansluitend vond zijn blik die van het gewonde Nueve-lid. Aurelio Espino knikte dankbaar. Zijn blik was plotseling weer intens. Als van een manke wolf wiens tanden echter nog uitstekend functioneren.

Hij nam zijn tijd. Stuk voor stuk stopte Manuel Albelda de verschillende buidels in de grote canvaszak. Deze bergplaats was werkelijk uniek. In zijn lange onderwatercarrière was hij een dergelijke bedrieglijke schuilplaats nog nooit eerder tegengekomen. Een practical joke van Poseidon. Een voormalig duikmaatje van hem was er toevallig op gestuit. Hij was een einzelgänger die slechts bij hoge uitzondering met een buddy dook. Vanwege de spectaculaire afdalingen en de ruige manier van duiken die hier meer als regelmaat dan uitzondering te boek stond, was het Middellandse-Zeegebied rond Marseille zijn favoriete stek.

Ze maakten kennis toen ze gelijktijdig bij een grot in de omgeving van Rosas aankwamen. Ze hadden toevalligerwijs hetzelfde artikel gelezen over deze grot die net buiten het toeristische gedeelte van de Costa Brava lag. Ze besloten samen te duiken. Tot op zekere hoogte beviel dit goed. Ze waren namelijk solisten in hart en nieren die gezelschap onder de oppervlakte eerder als hinderlijk dan prettig ervoeren. Toch besloten ze er op hun eigen ludieke manier een vervolg aan te geven. Ze spraken af elk halfjaar gezamenlijk een duik te maken.

Terwijl Albelda weer een buidel met een handvol kostbaarheden in de canvaszak stopte, dacht hij even aan de mensenschuwe Aitor Lanzagrava uit Estella.

'Dat ligt tussen Pamplona en Vitoria,' hoorde hij hem in gedachten zeggen. Albelda glimlachte. Aitor was niet zo'n prater. Evenals hijzelf leefde hij een vrij teruggetrokken bestaan dat voornamelijk werd gevuld met avondenlang naar de televisie staren. Duiken was hét hoogtepunt in zijn verder saaie leven.

De tweede duik die ze gezamenlijk maakten, was op deze plek. Aitor had hem uitgenodigd en vlak voordat ze te water gingen had hij aangekondigd dat het een spectaculaire duik zou worden. De stek op zich was ontegenzeglijk heel apart. Precies in het gedeelte waar zij doken, had de natuur zich van haar wonderlijke kant laten zien. In tegenstelling tot het grootste gedeelte van de kuststrook waar de bodem regelmatig afliep, ging het hier direct steil naar beneden. Het was een soort kom met een doorsnee van pakweg honderd meter. Alsof een mythische mastodont op deze plek had plaatsgenomen, waardoor de bodem rond zijn imposante kont fors was ingezakt.

Op 25 meter diepte was Aitor boven een indrukwekkend veld paarse anemonen blijven hangen. Hij lag mooi uitgetrimd en wees naar de planten die door de altijd aanwezige stroming uitbundig naar hen leken te wuiven. Daarna stak hij zijn rechterhand naar een der anemonen uit. Tot Albelda's grote verbazing verdween eerst Aitors rechterhand, en daarna zijn hele arm in de anemoon. Toen ook de linkerarm van zijn buddy in de aardkorst verdween, viel zijn automaat bijna uit zijn mond van verbazing. Om de circusact compleet te maken deed Aitor een vinslag, waarna hij geheel door de rotsen werd opgeslokt.

Binnen een tiental seconden veranderde zijn verbazing in bewondering. Toen hij de plek waarin zijn buddy was verdwenen beter bekeek, bleef het hem nog steeds een raadsel hoe Aitor het had geflikt. Pas toen hij zijn arm uitstrekte en zijn rechterhand tussen en achter de anemonen geen weerstand voelde, ging er een lichtje bij hem branden.

Hij zette aan en gleed met gestrekte armen de grot binnen waar Aitor hem met pretogen en krullende mondhoeken opwachtte. Toen Albelda zich omdraaide om de verborgen ingang nogmaals aan een inspectie te onderwerpen, zag hij in een enkele oogopslag hoe hij door moeder natuur in het ootje was genomen.

De ingang had een doorsnee van ongeveer één meter. In de loop der jaren waren er zowel aan de voor-, zij- als achterkant anemonen gegroeid. Door de stroming waren deze planten immer in beweging. Hierdoor leek het alsof de ingang één groot anemonenveld was. In feite waren het dus tientallen paarse planten die, vanuit de zee gezien, gezamenlijk de ingang aan het zicht onttrokken. Je kon er honderd keer langs zwemmen zonder de opening op te merken.

Albelda pakte zakje nummer 7 vanachter een steen vandaan. Na zijn ontdekking in de Dordogne had hij eerst zwaar zitten dubben of het wel in overeenstemming met zijn geweten was om een aantal kostbaarheden achterover te drukken. Uiteindelijk nam hij de beslissing waarvan nu bleek dat het de juiste was. Met knikkende knieën ging hij terug de grot in en propte inderhaast kleinoden die her en der verspreid lagen in een plastic zak. De hele weg naar Marseille werd hij geplaagd door wroeging en twijfel. Met geestelijk kunst- en vliegwerk wist hij zowel spijt als onzekerheid de baas te blijven. Hij verborg zijn gedeelte van de schat in de hoop ooit de moed te kunnen opbrengen het weer op te duiken.

Buidel nummer 8 verdween in de canvaszak. Nog zes te gaan. De veertien kleine zakjes had hij zorgvuldig achter en tussen stenen verstopt en met natuurlijk materiaal gecamoufleerd. Zelfs al zou iemand de opening vinden, dan nog was het vrijwel onmogelijk de bergplaatsen te ontdekken. Maar de kans dat een duiker deze plek zou ontdekken, was minuscuul. Aitor had hem verzekerd dat buiten hen niemand van de grot wist. Hij was er zelf bij toeval op gestuit, wat het dus hun geheim maakte.

Drie jaar geleden was Aitor aan longkanker overleden.

Hij had nooit gerookt.

Met de duikuitrusting aan was het verre van prettig toeven op de gladde rotsen. Silva hield zichzelf voor dat hij onder water zijn balans en zelfverzekerdheid weer zou terugvinden. De aanloop naar de duik was zowel letterlijk als figuurlijk een martelgang. Het liefst wilde hij op handen en voeten naar de punt van de inham kruipen. Zijn gevoel voor waardigheid weerhield hem hier echter van. Een rotsmak was nog altijd te prefereren boven gezichtsverlies tegenover zijn mensen.

Tot aan dit moment kon hij enkel concluderen dat de operatie verre van vlekkeloos verliep. In plaats van een gedeelte van de buit onder de grond te stoppen of in een door de wereld verlaten grot te deponeren, had Manuel Albelda zijn buit ergens in de Middellandse Zee gedropt.

Voorafgaande aan deze achtervolging, had Silva er al sterk rekening mee gehouden dat er tijdens deze operatie daadwerkelijk gedoken zou moeten worden. Albelda was een grotduiker en had de schat ook in zo'n donker hol gevonden. Het leek dus een serieuze optie dat hij een gedeelte ervan had afgeroomd en ergens in dezelfde, of een andere grot had opgeborgen. Uitgaande van deze stelling had Silva zich door ervaren grotduikers laten informeren. Het meest interessante wat hij tijdens deze gesprekken opving, was het gegeven dat vele grotten over verscheidene zijgangen beschikten. Dit hield in sommige gevallen automatisch in dat de ingang van een grot niet per se de uitgang hoefde te zijn. Aangezien Albelda maandenlang de tijd had gekregen om na te denken over een eventuele ontsnapping waarbij hij zijn achtervolgers moest afschudden, leek dit toch de ultieme truc.

Ze waren nog drie rotsblokken van de instap verwijderd. Victor Bersan keek schuin achterom, zag hoe zijn baas stuntelde maar hield zijn mond. Betancor en Doramas hadden zo ongeveer hetzelfde vermoeden over de eerlijkheid van Manuel Albelda, wist Silva. Hoewel de secretaris aandrong op actie, wilde de voorzitter daar in dit stadium nog niets van weten. Later, als Medina eenmaal op zijn troon zat en zij achter de schermen aan de touwtjes trokken, was er nog tijd zat om met Albelda over een voor de fiscus onzichtbare pensioenvoorziening te praten, zo redeneerde hij. Het Raadslid zou ongetwijfeld voor rede vatbaar zijn. Bleef hij daarentegen de vermoorde onschuld spelen, dan kreeg voormalig kolonel Doramas carte blanche.

Bersan had de laatste rots bereikt. Hij hield zijn rechterhand voor zijn masker en maakte de commandosprong. Het lid van Nueve raakte de oppervlakte, sloot direct zijn benen en ging slechts voor de helft onder water. De opwaartse druk die de lucht in zijn trimvest veroorzaakte, verhinderde een rechtstreekse afdaling. Duidelijk zichtbaar voor zijn buddy, tikte hij met de vingers van zijn rechterhand zijn hoofd aan. Dit was het 'alles oké'-signaal aan de oppervlakte, herinnerde Silva zich nog van de eerste paar bootduiken die hij jaren geleden had gemaakt.

Deze flashback zette Silva aan het denken. Nu hij hier op dit rotsblok stond, leken de beslissingen die hij had genomen helemaal nergens op te slaan. Voor de eerste maal sinds tijden was hij inzake een back-up van de regels afgeweken. In zijn kantoor leek dit eerder belachelijk dan noodzakelijk. Ze moesten een 52-jarige man achtervolgen en hem zijn zorgvuldig verborgen appeltje voor de dorst afhandig maken. Vijf man was daarom voldoende. Achter zijn bureau leek dit aantal zelfs wat aan de overdreven kant. Deze klus kon gemakkelijk met drie, hooguit vier man worden geklaard.

Hij koos toch voor zekerheid. Aurelio Espino en Victor Bersan waren ervaren duikers die Albelda met twee vingers in hun neus tot aan het diepst van de aardkorst konden volgen. Pedro Loremar dekte de directe omgeving af, terwijl Guillermo Rivero vanaf een hogergelegen punt het overzicht hield. Zelf deed hij de logistiek. Een back-up leek volledig overbodig, eerder menselijke ballast die zichzelf op kosten van de gemeenschap dood zat te vervelen.

Hij duwde met zijn rechterhand tegen zijn masker en stapte recht vooruit. In de luttele seconden die hem van een omarming door de Middellandse Zee scheidden, vochten in zijn hoofd priemende vragen om voorrang.

Hoe heb jij het in godsnaam in je hoofd kunnen halen om de plaats van Loremar in te nemen? Deze vraag kwam als overwinnaar uit de bus. Het antwoord hierop moest hij zichzelf schuldig blijven. Sommige dingen kon je gewoonweg niet beredeneren.

In tegenstelling tot Victor Bersan ging Silva kopje-onder. Te weinig lucht in zijn trimvest. Zijn linkerhand vond de inflator. Hij drukte op het rode knopje waarna de perslucht in zijn trimvest stroomde. Het comfortabele drijfvermogen dat nu ontstond, contrasteerde met de pijn die de chef van Nueve aan zijn onderbenen voelde. Doordat rond zijn kuiten het pak vacuüm trok, leek het alsof zijn vlees onder zijn spijkerbroek door een agressieve variant van schuurpapier werd bewerkt.

De eerste duiktechnische blunder heb je al gemaakt, dacht Silva. Doordat hij was vergeten wat lucht in zijn droogpak te laten stromen, had hij nu last van een *squeeze*. Door het ontbreken van lucht tussen zijn huid en het droogpak, had de waterdruk direct na zijn zachte landing toegeslagen. Het onderste punt van zijn lichaam was de klos. Daar drukte de Middellandse Zee het hardst het trilaminaat tegen zijn kuiten.

'Alles oké, baas?'

'Prima,' loog Silva.

Boos op zichzelf nam hij de automaat weer in zijn mond, liet de lucht uit zijn trimvest lopen en daalde af.

Doordat het ochtendlicht langzamerhand aan kracht begon te winnen, was het zicht onder water redelijk tot goed te noemen. Ze waren inmiddels op tien meter diepte beland en duiktechnisch had Silva het redelijk onder controle. Via een druk op de knop van de inlaat die zich op borsthoogte bevond, had hij een paar scheuten perslucht in zijn droogpak gepompt. Aangezien lucht de eigenschap had om te stijgen, ging hij horizontaal liggen zodat de stroom zich regelmatig over het pak verdeelde. De *squeeze* verdween.

Op vijftien meter diepte liet hij weer een paar scheuten in zijn trimvest lopen. Hoe dieper ze kwamen, des te groter werd de waterdruk. Als tegenhanger pompte hij lucht in zowel zijn trimvest als het droogpak. Door de juiste hoeveelheid naar binnen te laten, werd de neutrale status bereikt. Hierdoor kon een duiker op elke diepte als het ware gaan zweven. Werd er te veel of te weinig getrimd, dan ontstond het door duikers verafschuwde jojo-effect.

Hoewel hij nog ietwat onwennig met de materie was, ging het Silva redelijk tot goed af. Het was alweer een tijdje geleden dat hij had gedoken en in de praktijk bleek weer eens dat rust in vele gevallen roestte.

Ze daalden af langs de schuin aflopende rotsen. Dit was prettig, aangezien ze nu over een referentie beschikten. Mocht er iets fout gaan, dan konden ze bij wijze van spreken op de helling plaatsnemen om het probleem te verhelpen. Silva keek naar beneden en zag dat de rotswand nog een heel eind doorliep. Hierna wierp hij een snelle blik op de luchtgeïntegreerde computer om zijn linkerpols. Hij bevond zich op 21 meter diepte, was vier minuten onder water en had nog 180 bar in zijn twaalf-literfles zitten.

Tegen de stroming in zwommen ze gestaag door. Bersan had zich schuin links van hem gepositioneerd. Hun gezichtsveld werd hierdoor enigszins vergroot. Hoewel de vrees inboezemende diepte onder hem toch een bepaalde aantrekkingskracht genoot, dwong Silva zichzelf zijn blik hiervan af te wenden. Ze moesten Albelda vinden.

Hij schatte het zicht op vijftien meter. Het doorzicht daarentegen bedroeg bijna het dubbele. Langs de rotswand was het hollen of stilstaan. Een school van honderden kleine clownvissen stroopte de helling af op zoek naar minuscuul voedsel. Met hun tandjes scheerden ze langs de rotsen en planten in de hoop iets eetbaars te verschalken. Blijkbaar voelden ze zich alleen in gezelschap van verwanten thuis, want geen enkel exemplaar verliet de coterie.

Tussen de wuivende anemonen in zat een stukje rotswand waar vreemd genoeg begroeiing ontbrak. Dit gedeelte werd door de zeebewoners gemeden. De kleinere exemplaren hadden hier niets te zoeken, aangezien enige vorm van beschutting ontbrak. Voor de rovers gold voornamelijk dat elke inspanning weloverwogen moest zijn, dus bleven zij er eveneens weg.

Silva hield de twintigmetergrens aan. Het gebied tussen deze diepte en de oppervlakte kon hij redelijk goed in het oog houden. Tot aan veertig meter, de absolute grens voor sportduikers die met samengeperste lucht doken, had hij ook zicht op datgene wat zich tussen hem en die diepte afspeelde. Zijn blik schoot van links naar beneden. Daarna keek hij recht voor zich uit. Hoewel hij wist dat het nergens op sloeg, keek hij zelfs naar rechts; vol in het gigantische gezicht van de Middellandse Zee. Overal om hem heen was water. De bewoners van dit rijk waren geenszins onder de indruk van hun plotselinge verschijning. Ze gingen gewoon verder met de dagelijkse bezigheden, wat voornamelijk doden of gedood worden inhield. Van Manuel Albelda was geen spoor te bekennen.

Victor Bersan maakte een hopeloos gebaar met beide handen. Ze zweefden nu al ruim tien minuten over de rotshelling en kregen steeds meer het idee op zoek te zijn naar een illusionist. Het was namelijk onmogelijk om je op deze duikstek te verstoppen. Er waren domweg geen mogelijkheden voor. Elke oneffenheid van menselijke aard zou hier net zo opvallen als een zingende albino in nachtelijk Harlem.

Op het moment dat Silva serieus overwoog om op te splitsen, registreerden zijn hersens een beweging in zijn rechterooghoek. Drie luchtbellen stegen twee meter van hem vandaan naar de oppervlakte. Hij stopte meteen met zwemmen en daalde af om de herkomst ervan te traceren. Terwijl zijn blik direct naar een bepaald stuk van het anemonenveld werd getrokken, stegen er weer vier doorzichtige ballonnetjes op. Deze luchtstroom kwam rechtstreeks uit de anemonen, constateerde Silva. Een bizar verschijnsel dat hij nog nooit eerder had gezien.

Hij wenkte ongeduldig naar Victor Bersan. Binnen tien seconden zat het Nueve-lid naast hem. Met horten en stoten bleven de anemonen bellen uitspugen. Bersan reageerde als eerste. Hij stak zijn hand naar voren en bemerkte dat de verwachte weestand uitbleef. Hij trok zijn hand terug en keek zijn chef vragend aan. Silva knikte met zijn hoofd, waarna Bersan verder op onderzoek uitging. Na zijn rechterhand verdween ook zijn gehele arm in de paarse fauna. Zonder verdere aarzeling stak hij zijn hoofd naar binnen, om vervolgens in de onzichtbare opening te verdwijnen.

De buit was binnen. Alle veertien buidels bevonden zich nu in de canvaszak. De grijns van een overwinnaar resideerde in Albelda's mondhoeken. Hij had de klus in ruim een kwartier geklaard, wat inhield dat hij enkel de verplichte stop van drie minuten op vijf meter diende te maken. De tijd die je op 25 meter kon vertoeven zonder in een decompressieduik te vervallen, bedroeg 29 minuten, wist hij uit zijn hoofd. Het was nu dus een kwestie van rustig opstijgen, drie minuten op vijf meter hangen en daarna de vrijheid tegemoet gaan.

Met in zijn rechterhand de canvaszak zwom hij op zijn gemak naar de opening. Toen hij deze tot op twee meter was genaderd, schoot het door hem heen dat de natuur een geintje met hem uithaalde. Door de complete bizarheid van dit moment, was de gedachte aan gezichtsbedrog heel even dominant. Daarna drong de waarheid keihard tot hem door en reageerde hij impulsief. Zijn linkerhand schoot naar het foedraal aan zijn linkerkuit. Hij trok het mes en maakte een vinslag waardoor hij op minder dan een meter van de opening kwam.

Standvastige sluwheid was hoofdleverancier van zijn gedachtegang. Door niemand liet hij zich zijn kostbaarheden afnemen. Daarvoor was hij te ver gekomen. Deze buit was de zijne en dit bleef zo. Ongeacht wat hij hiervoor zou moeten aanrichten.

De arm behoorde toe aan een duiker. Van illusie was geen sprake. Hoeveel mannen er buiten de grot op hem wachtten, liet zich raden. Hij ging uit van ten minste twee. In dat geval had hij een goede kans. Mocht de man de opening binnendringen, dan moest hij direct handelen, legde Albelda zichzelf op. Daarna zou hij direct de grot verlaten. Hier binnen was hij toch kansloos. De grot liep nog tien meter door en er was geen andere uitgang. Met zijn vaardigheden had hij in open zee een betere kans.

Hij positioneerde zich links van het gat, zette de zak naast zich neer en wachtte af. 'Kom maar op, hufter.'

Toen dezelfde arm verscheen, aarzelde hij geen seconde. Met zijn rechterhand pakte hij de indringer bij diens bovenarm en stak toe. Het mes verdween bijna tot het heft in Bersans schouder. Een donkerrode walm verspreidde zich razendsnel in het gewelf.

Albelda trok het mes terug, pakte zijn canvaszak en zette aan. Hij hield zijn linkerarm stijf voor zich uit. Als er verder nog iemand op het punt stond door de opening te zwemmen, dan wachtte deze onverlaat een onaangename verrassing, dacht hij. De mogelijkheid dat het hier één of meerdere recreatieduikers betrof die toevalligerwijze op de opening waren gestuit, liet hij volledig buiten beschouwing. Ook toeval kende zijn grenzen en wat hem betrof waren deze ruimschoots overschreden. En mocht alles op een gruwelijk misverstand berusten, dan hadden ze gewoonweg pech gehad. Typisch een geval van jammer dan.

Omdat Silva rechts vóór het anemonenveld op zijn knieën zat, schampte het mes zijn linkerschouder. Door zijn jarenlange ervaring ging hij met de beweging mee, wat inhield dat zijn bovenlichaam naar rechts overhelde. Mede door het gewicht van de fles op zijn rug, zorgde deze plotselinge handeling ervoor dat hij zijn evenwicht verloor. Hij kwam op zijn zijkant terecht, maar wist het tijdverlies te beperken. Op het moment dat zijn bovenlichaam de rotsachtige ondergrond dreigde te raken, duwde hij de aardkorst hard van zich af. Hij richtte zich op en had een ogenblik later Manuel Albelda al in het vizier.

Ook Albelda was geschrokken van de aanwezigheid van nog een duiker. Hoewel hij zich er geestelijk op had voorbereid, bleek het in de praktijk toch anders te werken. Met de messteek had hij de indringer weten uit te schakelen. Dit gold echter niet voor de duiker waar hij zojuist vlak langs was gezwommen. Toch had Albelda het idee dat hij de man uit balans had gebracht. Wellicht verwond. Terwijl zijn verstand hem toeschreeuwde om op te stijgen, won zijn nieuwsgierigheid het van de logica. Hij draaide zich om en zag de man op zich afkomen.

Silva hield twee meter ruimte tussen hen in. Hij wist dat Albelda normaal gesproken geen enkele kans tegen hem had. Binnen nu en een tiental seconden zou het mes in diens linkerhand van eigenaar verwisselen. 'Normaal gesproken' bestaat niet.

Met een slome beweging van zijn rechtervin verkleinde hij de afstand tot anderhalve meter. Voor Duiker werd hierdoor opstijgen de slechtst mogelijke optie. Mocht hij alsnog besluiten het hazenpad te kiezen, dan kon Silva hem van onderen benaderen. En een duiker wiens benen in een klem zaten, was te allen tijde kansloos.

Aan de weinig vloeiende, snijdende beweging die Albelda met het mes maakte, leidde Silva af dat de man rechtshandig was. Tijdens het omkleden had Albelda al geweten dat hij de canvaszak met zijn rechterhand zou verplaatsen. Dit vanwege het simpele feit dat de inflator van zijn trimvest aan de linkerkant van zijn borstkas hing. Bij een opstijging moest hij meerdere malen van de inflator gebruikmaken om lucht uit zijn trimvest te laten ontsnappen.

Aangezien de ogen de weerspiegeling van de geest zijn, hield Silva de oogopslag van Albelda en het mes in diens linkerhand in één blik gevangen. Toen Albelda aanzette en met gestrekte arm op hem afkwam, had zijn blik de aanval reeds naar *el jefe* gecommuniceerd. Silva liet zijn bovenlichaam iets naar rechts overhellen, pakte met zijn linkerhand de onderarm van zijn belager vast en plantte zijn rechterhand vlak onder diens oksel. Aansluitend draaide hij zijn rechterschouder naar binnen en zette de worp in. Hulpeloos maakte Albelda een halve koprol. Geheel volgens het boekje hield Silva zijn tegenstander vast. De tweede duiktechnische fout die hij deze ochtend maakte.

Doordat hij met zijn tegenstander meebewoog, gingen zijn benen automatisch omhoog. De lucht in het droogpak stroomde direct naar het hoogste punt. Hierdoor kwam Silva ondersteboven in het water te hangen. Albelda maakte handig gebruik van de ontstane verwarring en rukte zich los.

Silva keek verbaasd naar de enorme plas water recht voor hem. Door de ongelukkige beweging was de rotswand nu achter hem.

Manuel Albelda bevond zich tussen hemzelf en de rotswand. In het bezit van een mes en vastbesloten dit wapen te gebruiken. Silva draaide zijn rechterarm naar achteren en zijn linker naar voren. De geslaagde halve pirouette gaf hem ineens zicht op de benen van Albelda.

Vanuit Silva's positie was het lastig inschatten. De wereld stond op zijn kop. Hij zag tot zijn ontzetting dat Albelda zijn onderbenen boog, wat ongetwijfeld inhield dat hij op hem afkwam. Silva wist hoe hij zichzelf uit deze benarde positie kon bevrijden. Hij moest zijn bovenlichaam naar zijn knieën brengen, een halve rol maken en daarna de lucht gelijkmatig over het pak verdelen.

Terwijl hij ter voorbereiding van de duiktechniek zijn kin op zijn borst plaatste, openden de poorten van de hel zich. Een mes flitste voorbij. In plaats van de pijn die daarop moest volgen, hoorde hij het geluid van plotseling ontsnappende lucht.

Doordat het mes zijn trimvest had doorboord, verloor hij direct een substantieel deel van zijn drijfvermogen. Als een steen zakte Silva naar de bodem. Gelukkig bezat hij de tegenwoordigheid van geest om zichzelf tijdens die angstaanjagende seconden een foetushouding aan te meten. Zijn fleskraan kwam als eerste hard met de schuin aflopende rotswand in aanraking. De klap van een afbrekende kraan bleef uit. In plaats van gelanceerd te worden door woest ontsnappende lucht die de duikfles in een soort van onderwaterraket veranderde, rolde Silva langs de wand naar beneden.

Omdat de val naar de rotswand drie meter bedroeg, was zijn aanvangssnelheid hoog. De eerste vijf meter kon hij enkel met ongecoördineerde armbewegingen iets vaart minderen. Stofwolken begeleidden hem op zijn weg naar de diepte, zodat hij geen flauw idee had waar hij zich bevond en wat hem nog te wachten stond.

Toen Silva dacht enige grip op de situatie te krijgen, stootte hij met zijn rechterdij tegen een puntige steen. Het voelde aan alsof iemand een slagersmes in zijn bovenbeen stak.

'*Aaaaaggghhhhh!*'

Door de botsing verdween zijn weerstand tegen de vrije val. Hij rolde door en schraapte meer uit instinct dan wilskracht met zijn handen langs de rotsen. Zijn rechterbeen was gevoelloos en zijn linker weigerde gehoor te geven aan de halve en slappe orders die zijn hersens gaven. Beide trommelvliezen protesteerden tegen de druk die met de seconde werd opgevoerd.

De pijn die hij plotseling in beide armen en benen voelde, was zo indringend dat Silva zich zowel geestelijk als lichamelijk oprichtte. Zijn vingers waren ineens ankers die zich niet langer de wil van de bodem lieten opleggen. Als een volleerd skiër hield hij zijn linkervoet schuin om de snelheid te temperen. Zijn hart bonkte in zijn lijf, dat aan een ander leek toe te behoren. Volledig uigeput kwam hij tot stilstand. Hij hijgde als een oude man met chronische longproblemen na een felle sprint. Terwijl zijn ademhaling weer normaal werd, trokken de stofwolken op. Hij lag op zijn buik op de rotshelling. Naast hem zijn linkerpols met de computer. Tot zijn verwondering had de elektronica de klappen over-leefd. Hij bevond zich op 37 meter, was inmiddels 17 minuten onder water en had nog 110 bar in zijn fles. Onder deze digitale gegevens knip-perde het getal zes. Hoewel hij nog dizzy van de val was, onderkende hij meteen de betekenis hiervan. Als hij nog zes minuten op deze diepte bleef, werden de decompressietabellen van kracht.

Silva richtte zich op en begreep dat hij een serieus probleem had. Zijn trimvest was door de messteek onbruikbaar geworden. Doordat Victor Bersan precies op tijd was geweest, had Albelda hem slechts geschampt. Tenminste, daar ging hij vanuit. Vlak voordat Albelda bij hem was, had Silva in een flits een hand gezien. Hij nam aan dat Bersan het rechter-been van Duiker in volle vaart had weggetrokken waardoor het mes van richting was veranderd.

Het werd hem nu ook duidelijk waarom zijn handen en voeten aanvoel-den alsof ze zojuist tientallen injecties hadden gekregen. En dat de naal-den waren afgebroken en nog in zijn lichaam staken. Gedurende zijn val was hij door een veld zee-egels gerold. Zijn handen waren bezaaid met zwarte punten. Door de snelheid waarmee hij naar beneden was getui-meld, waren de stekels direct bij de punten afgebroken.

Zijn pijnlijke rechterhand gleed over het trilaminaat van zijn duikpak. Bij zijn scheenbeen vond hij het bewijs van hetgeen hij reeds vermoedde. De stekels waren hier dwars door het pak heengegaan. Wat in eerste instantie op zweet leek, was water dat druppelsgewijs naar binnen sijpelde.

Silva dwong zichzelf tot handelen. Hij zat op 37 meter zonder buddy, met een nutteloos trimvest en een droogpak dat langzaam maar zeker volliep. Zijn verwondingen waren bijzaak. Voorzover hij dat kon vast-stellen, functioneerde alles nog. Het was lastig, niet meer of minder. Hij moest hier als de donder weg.

Hij boog zich voorover en verwijderde beide vinnen van de laarzen van het droogpak. De hielbandjes deed hij om zijn rechterpols. De vinnen waren nu nutteloos. Wellicht hadden ze straks een functie. Op handen en voeten beklom hij de rotswand.

Vierendertig meter. De stofwolken verloren zwaar terrein aan de stro-ming. Silva kon zowel Victor Bersan als Manuel Albelda zien. Hij schat-te dat ze zich zo rond de twintigmetergrens bevonden. Van zwemmen was geen sprake. Ze lagen doodstil in het water en beloerden elkaar als twee roofdieren die het juiste moment voor een dodelijke aanval af-wachtten.

Dertig meter. Met zijn blik op beide mannen gericht ploegde hij voort.

De canvaszak voelde loodzwaar aan. Dit had te maken met de messteek, wist Victor Bersan. Het ding woog namelijk niets. Toch droeg hij de schat consequent met zijn geblesseerde arm. Met links moest hij de luchttoevoer naar zijn droogpak regelen. De situatie mocht redelijk precair zijn, hij had pas echt een probleem als hij niet meer zorgvuldig kon trimmen. Met al zijn ervaring kon Albelda feilloos het moment uitkiezen om hem uit balans te brengen.

De messteek had niet alleen zijn arm, maar eveneens zijn trimvest opengereten. Hierdoor was hij gedwongen op zijn droogpak te trimmen. Tijdens een normale duik mocht dit geen enkel probleem opleveren. Met een lamme arm waaraan een tas bungelde en volhardende oppositie die ten koste van alles de buit terug wilde, lag dit anders. Hij had overwogen om zijn eigen mes te trekken. Het trimmen kreeg echter de voorkeur. Dit luisterde zo nauw dat hij zich daarbij geen enkele fout kon permitteren. Een mes zou dan alleen maar in de weg zitten. In een lijf-aan-lijf-gevecht kon hij Albelda makkelijk hebben. Ook met één arm.

Albelda kwam voorzichtig naderbij. Hij wilde niet weer dezelfde fout maken en te snel en te ongecontroleerd de aanval te zoeken. Nadat hij zijn eerste belager met meer geluk dan wijsheid had afgeschud, was er een soort van innerlijke rust in hem gevaren. De wil om zijn schat terug te krijgen zorgde voor het natuurlijke tegengas waardoor de perfecte gemoedstoestand werd gecreëerd.

Hoewel hij zichzelf oplegde om de balans van zijn tegenstander in de gaten te houden, dreef zijn blik naar diens rechterhand af. Hoe heb ik zo stom kunnen zijn, verweet hij zichzelf voor de zoveelste keer. Nadat de man voor hem uit het niets opdook en met een zwieper zijn messteek verpestte, had hij de canvaszak laten vallen. Heel even was hij gedesoriënteerd geweest. Van dat moment had die etter geprofiteerd. Hoe hij het exact met zijn lamme poot voor elkaar had gekregen, was hem een raadsel. Hij was zijn kostbaarheden kwijt, en dat was het enige wat daadwerkelijk telde.

'Geniet ervan,' gromde Manuel Albelda dreigend in zijn automaat. 'Je leeft op geleende tijd, klootzak.'

Eenmaal in het bezit van de kleinoden, was de duiker vreemdsoortige patronen gaan zwemmen. Hij had het een paar minuten aangekeken en was tot de conclusie gekomen dat de man tijd aan het rekken was. Dit had ongetwijfeld met zijn buddy te maken die de diepte in was gerold. Hoogstwaarschijnlijk gokte hij op een terugkeer van zijn maat. In dat geval werd het twee tegen één.

Ze draaiden om elkaar heen. Bersan zag Silva als eerste. Drie hartslagen later bemerkte ook Albelda dat de tweede duiker aan een vreemdsoortige comeback werkte. Dat de chef van Nueve zich op handen en voeten een weg naar boven baande, drong niet in zijn geheel tot het Raadslid door. Enkel het idee dat hij spoedig tegenover twee man kwam te staan, was voldoende om de nervositeit de overhand te laten krijgen.

Bersan las de lichaamstaal. Als Albelda nu de kans kreeg, zou hij deze met beide handen aangrijpen. Het lid van Nueve besloot de gok te wagen. Hij bracht zijn linkerwijsvinger naar de inlaatknop van zijn droogpak. Optisch leek het alsof hij drukte. Hij maakte echter enkel de beweging zonder hierbij kracht te zetten. Gelijktijdig haalde hij diep adem en hield de lucht heel even vast. Dit was een gevaarlijke manoeuvre, aangezien hij steeg en de perslucht dus expandeerde. Om schade aan zijn longen te voorkomen, blies Bersan een straaltje lucht uit. Daarna maakte hij een onhandige zwembeweging met zijn linkerhand die impliceerde dat hij zijn balans kwijt was. De drie meter die hij was gestegen werden er twee omdat hij regelmatig uitblies. Bewust draaide hij een kwartslag naar links waardoor zijn rechterkant open kwam te liggen.

Albelda deed exact waar Bersan op hoopte. Duiker zag de zwakke plek, bedacht zich geen moment en sloeg toe. Met zijn linkerhand maakte hij een zwaaibeweging naar rechts om het mes in de verlamde rechterkant van zijn tegenstander te planten. Bersan draaide zijn bovenlichaam door naar rechts en ving de steek met zijn linkeronderarm op. Hierna boog hij voorover en gaf Albelda een keiharde kopstoot. Het hoofd van Duiker knalde naar achteren. Hij zakte groggy naar beneden. Het mes begon aan een eenzame afdaling.

Alfonso Silva zag het voor zijn ogen gebeuren. Hij bevond zich inmiddels op 25 meter diepte en voor de eerste maal tijdens deze vermaledijde duik verscheen er een broze glimlach rond zijn mondhoeken. Bersans manoeuvre getuigde van vakmanschap. Je tegenstander een opening bieden terwijl juist daar de valdeuren dichtklappen. Het zonnestraaltje trots dat zijn kille hart van een klein beetje warmte moest voorzien, bande hij direct uit zijn systeem. Hoogmoed was volslagen misplaatst en kwam in dit geval zowel voor als na de val. Deze duik was op een volledige deceptie uitgedraaid. Hij was hiervoor de enige verantwoordelijke, wat inhield dat hij tijdens en na de evaluatie zijn consequenties diende te trekken. Als die er tenminste kwam, de weg omhoog was nog lang.

Het mes maakte op de rotsachtige ondergrond vreemde capriolen. Het stuiterde tegen de punt van een opstaande rots, spleet een school witvis, scheerde vlak langs een verschrikte zeebaars en voorzag drie anemonen van een litteken. Uiteindelijk rolde het steekwapen onder een kleine, rotsachtige overkapping waarvan er in deze kustwateren talloze stonden. Victor Bersan had de canvaszak inmiddels tussen de fauna neergelegd. Op zijn gemak zwom hij richting Manuel Albelda die versuft tegen de rotshelling lag. Het lid van Nueve had het plastic bandje waarmee ze arrestanten eenvoudig konden boeien reeds in zijn linkerhand. Silva concludeerde hieruit dat Bersan de linkerhand van Albelda aan zijn rechter zou koppelen, waarna ze gezamenlijk konden opstijgen. Voordat Bersan hiermee begon, keek hij eerst naar zijn chef die nog een meter of vijf van hem verwijderd was. Hij maakte het 'alles oké'-teken, dat Silva direct beantwoordde. Aansluitend wees de chef van Nueve naar het plastic bandje en stak zijn duim omhoog. Hiermee wilde hij aangeven dat het boeien van Albelda voorrang genoot. Het Raadslid moest naar de oppervlakte worden gebracht. Hijzelf zou desnoods doorkruipen naar de inham om daar het water te verlaten. Hoogstwaarschijnlijk kwam het niet zover, wist hij. Als Bersan zijn vrachtje eenmaal aan wal had gebracht, stapte Loremar ongetwijfeld het water in om zijn chef de helpende hand te bieden.

Victor Bersan boog zich over Albelda die versuft op zijn linkerzij lag. De stoot van zijn rechterhand die Bersan vol in het kruis raakte, kwam als een complete verrassing voor het duo van Nueve. Terwijl Bersan krimpend van de pijn naar de rotswand zeeg, handelde Albelda razendsnel. Hij kwam overeind en zette af.

Silva was de verbazing van de onverhoedse aanval snel te boven. Hij wist dat er slechts luttele seconden restten voordat hij een beslissing moest nemen. Albelda had reeds ingeschat dat een rechtstreekse race naar de canvaszak door Silva gewonnen zou worden. Hoewel hij over de wand strompelde zou de chef van Nueve hoe dan ook eerder bij de kostbaarheden zijn. Daarom koos Albelda voor een omweg. Hij zwom het mes achterna, om eenmaal in het bezit hiervan een laatste wanhopige aanval te plegen. Silva was nog drie meter van de zak verwijderd en besloot om door te kruipen en het op een gevecht aan te laten komen. Desnoods zou hij zelf zijn duikmes trekken.

Albelda zwom in volle vaart naar het pittoreske gewelf. Het mes was niet in zijn geheel zichtbaar. Enkel een klein stuk van het heft werd door uitlopers van het mediterrane licht beschenen. Het Raadslid strekte zijn hand uit en sloot de vingers van zijn rechterhand om het heft.

Silva had inmiddels naast de canvaszak plaatsgenomen. Hij wenkte Victor Bersan die met een van pijn vertrokken gezicht naar hem toe zwom. Samen zouden ze Albelda te grazen nemen. Ditmaal was een bepaalde voorzichtigheid geen optie meer. Als de francofiel deze kant op kwam, was het voorlopig gebeurd met hem. En onderweg naar de oppervlakte zou Bersan ongetwijfeld zijn gram halen voor die platvloerse klap in zijn kruis.

Tot Silva's verwondering maakte Albelda geen aanstalten om hun kant op te komen. Zijn rechterhand bevond zich nog steeds in het gewelf. Ineens begon zijn lichaam te schokken, zodat het leek alsof er een stroomstoot door hem heenging. Zijn vinnen schoten omhoog en zijn arm werd tot aan zijn elleboog het gewelf ingetrokken. Zijn linkerarm klauwde in het water en leek de zee om hulp te vragen.

Bersan schoot als een sprinter weg. Met vier forse vinslagen was hij bij de man die het uitgilde van pijn en angst. De gigantische bellenstroom die uit zijn automaat opsteeg, was daar het bewijs van. Bersan greep Albelda's beide benen en trok er uit volle macht aan. Het Raadslid schreeuwde het uit. Ondanks Bersans krachtexplosie bleef zijn arm op exact dezelfde plek.

Vol ontzetting bekeek Silva het tafereel. Hoewel zijn verstand precies wist wat er aan de hand was, weigerde zijn geest deze denkbeelden toegang te verschaffen. Hij had er verhalen over gehoord, maar deze stuk voor stuk naar het rijk der fabelen verwezen. Wat hij hier echter voor zijn eigen ogen zag gebeuren, had helaas niets met fantasie te maken. Dit kon moeiteloos doorgaan voor het meest lugubere gedeelte uit een hardcore horrorfilm.

Bersan gooide het over een andere boeg. Hij begon Albelda's benen heen en weer te bewegen. Toen het beoogde effect uitbleef, maakte hij korte, schokkende bewegingen en trok uit alle macht.

Terwijl de bellen vol angstgeluiden naar de oppervlakte bleven stromen, schoot Albelda los. Bersan verloor zijn evenwicht en smakte op zijn achterste op de rotshelling. Het Raadslid zocht met zijn linkerarm naar ondersteuning en probeerde zich op te richten. De blik in zijn ogen was gefixeerd op zijn rechterhand, of beter gezegd, datgene wat er nog van over was. Het vlees tussen zijn duim en wijsvinger was verdwenen. Uit een afschuwelijke halvemaan stroomde bloed dat op deze diepte tot een groene vloeistof transformeerde. De stroming liet de spieren uit de wond droefgeestig bengelen.

De dader liet voor de eerste maal zijn gezicht zien. Hij had een geelbruine, monsterachtige kop waarin een bek huisde die ritmisch op en neer ging. Als de muil openging, werd een stuk vlees zichtbaar dat op de puntige tanden gespietst was. De murene kwam langzaam het hol uit. Het beest had de omvang van een mannendij en mat meer dan een meter.

Twee gitzwarte ogen keken uitdrukkingloos zijn habitat in.

Silva slikte. De Middellandse-Zeemurene stond evenals zijn familie in de Rode Zee te boek als uiterst vriendelijk. Ondanks het imposante uiterlijk kon je deze dieren naar je toe lokken, ze strelen en zelfs uit je hand laten eten. Dat waren dus de verhalen die hij had gehoord. Tevens hadden de vertellers ervan gemeld dat het bijzonder onverstandig was om het dier aan het schrikken te maken. Dan konden de vlijmscherpe naalden die als tanden dienstdeden gemeen uithalen. Een tetanusinjectie was dan een must, aangezien het dier een reputatie als aaseter genoot. De staart van de murene gleed gracieus langs de opening waar hij op een argeloos langszwemmend visje had liggen wachten. In plaats daarvan had Albelda zijn hand in de opening gestoken. De gevolgen waren desastreus. In tegenstelling tot Victor Bersan, die helemaal strak stond en met een argwanende blik de bewegingen van de murene gadesloeg, keek Manuel Albelda vol afschuw naar zijn verminkte hand. Dit was nu het middelpunt van zijn bestaan, terwijl zijn lichaamstaal uitstraalde dat hij geen flauw idee had op welke planeet hij zich bevond.

De murene zwom traag van de twee duikers vandaan. Het beest was door moeder natuur met een dreigende, agressieve uitstraling opgezadeld, maar in werkelijkheid had het dier geen enkel kwaad in de zin. Zijn aanval was een samenloop van omstandigheden. In open water was een beet van een murene in het lichaamsdeel van een duiker vrijwel ondenkbaar.

Terwijl Bersan de wegzwemmende murene nauwlettend in de gaten hield, zag Silva dat er een verandering in de houding van Albelda plaatsvond. Hij had zijn blik losgerukt van de bloedende hand en keek nu naar de canvaszak die naast de chef van Nueve lag. Daarna legde hij zijn hoofd in zijn nek en keek naar de oppervlakte. Vervolgens plaatste hij zijn kin schuin op zijn borst en staarde in de diepte. Vijf seconden later keek hij Silva aan en haalde zijn schouders op.

'Neeeeee!' reageerde Silva impulsief. Hij wist wat er nu ging komen en begreep eveneens dat hij dit met geen mogelijkheid kon verhinderen. 'Nee, niet doen!'

Albelda kwam los van de rotswand en zwom met krachtige slagen zijn dood tegemoet. Toen hij bijna uit het zicht was verdwenen, dacht Silva dat hij in de schemering van de diepte de francofiel even zijn rechterhand zag opsteken. De groet van een verliezer die er welbewust een einde aan maakte.

Hij sloot zijn ogen en vloekte.

244

Ze gingen het halen. Naast elkaar werden de meters overbrugd. Bersan zwom vlak boven de rotswand en pakte Silva regelmatig onder zijn rechterschouder, waardoor de oppervlakte weer een stukje dichterbij kwam. Op tien meter diepte besloot Silva zijn loodgordel af te werpen. Hij had hier bewust mee gewacht, aangezien hij geen idee had hoe sterk zijn drijfvermogen dan zou toenemen. Mocht het zo rigoureus zijn dat hij direct naar de oppervlakte steeg, dan viel de schade mee. Omdat de afstand te overzien viel, kon hij gedurende zo'n onvrijwillige opstijging regelmatig uitademen. Dit lag anders als je van vijfentwintig meter diepte kwam.

Hij opende de gesp en deed de loodgordel af. Hoewel acht kilo minder een stuk prettiger aanvoelde, kon hij niet van een bevrijding spreken. Daarvoor zorgden het volgelopen pak en dito trimjack voor te veel neerwaartse druk.

Een voor een glipte Silva in zijn vinnen. Door zijn kuiten volledig te belasten, kwam hij los van de bodem. Op vijf meter diepte werd de veiligheidsstop gehouden. Beiden beschikten ze nog over voldoende lucht om het risico van een directe opstijging te vermijden. Op zich kon het geen kwaad, aangezien ze, ironisch genoeg, het meest ideale duikprofiel konden overleggen. Als je vanaf 25 meter steen voor steen naar de oppervlakte kroop, dan had de stikstof in het bloed alle kans om regelmatig op te lossen.

Pedro Loremar stond hen op te wachten en stak een helpende hand toe. Glibberend en glijdend bereikten ze de auto's.

De sterke wind schuurde langs de krijtrotsen. Het geluid hiervan leek op een striemend fluitconcert van een onzichtbare menigte. Aangezien ze een wanprestatie hadden geleverd, ondergingen ze het gelaten en sprak niemand een woord.

29

De novemberregen was doordrenkt van twijfel. In een luchtruim dat niet kon kiezen tussen schemer of duisternis, zakten de druppels schlemielig naar beneden. Op ooghoogte hing blijkbaar een doorzichtige barrière waar ze op stuitten, waarna ze het op een voorbijgaand zweven zetten. De spetters zaten tussen het heftige van een zomerse bui en het doordringende van een nat januarigordijn in.

Carmen Marrero liep met haar handen in de zakken van haar zwartleren jack. Enkel om niet als een verzopen kat op haar afspraak te komen, droeg ze een wollen muts. Een rode die haar belachelijk stond, wist ze. Het was echter de enige die ze zo snel had kunnen vinden. Ze had zich voorgenomen het onding straks diep in de binnenzak van haar jack weg te stoppen en te vergeten dat ze hem ooit had gedragen. Niet dat ze overdreven modieus was, maar er waren grenzen. Met dit trieste geval op haar kop wilde ze nog niet dood gevonden worden.

Zonder verder acht te slaan op de omgeving of het voetvolk dat krampachtig de lichte plasjes op het trottoir probeerde te mijden, sloeg ze rechts af. De buurt kende ze nauwelijks, haar route kon ze daarentegen dromen. Dat goldt ook voor het kriebelige gevoel in haar maagstreek dat elke stap prettiger aanvoelde.

Nog vijf straten scheidden Carmen van haar bestemming. Een kleine tien minuten lopen. Zeven als ze ongehinderd door kon stappen, negen wanneer er menselijke filevorming optrad, wist ze exact. Er speelde een glimlach rond haar mondhoeken. Tot dit soort absurde berekeningen kon verliefdheid dus leiden. Zelfs bij een nuchtere meid, zoals zij zichzelf zag.

'Doe eens normaal, joh,' was een slappe poging waarmee ze haar zelfbeeld wilde oppoetsen. Tevens moest het doorgaan voor een luchtige opmerking die tegengas gaf aan de onzekerheid die de vlinders in haar buik steeds minder enthousiast liet vliegen.

De operatie op Gran Canaria was succesvol verlopen. De verkregen verantwoordelijkheid was door haar vertaald in een totale oplossing waarbij geen druppel bloed vloeide. Dat felicitaties van Alfonso Silva's kant tot nu toe waren uitgebleven, stond hier los van. De ontrafeling van de Canarische knoop was slechts een onderdeel van een touw met verscheidene uiteinden. Aan één daarvan had Silva de afgelopen dagen zijn handen vol gehad, wist zij. Daarom was het in haar ogen slechts een kwestie van tijd voordat er een verbale schouderklop haar richting uit zou komen.

Carmen maakte zichzelf niet wijs dat ze nauwelijks maalde om een compliment van haar chef. Toen Silva haar terloops had gemeld dat hij tevreden was geweest over haar prestatie in Barcelona, had elke vezel in haar lichaam het op een juichen gezet. Ze was trots geweest. Vanwege haar optreden en het feit dat zij een vrouw was. Dit laatste was voornamelijk een gevoelskwestie die ze tegenover haar teamleden altijd bleef onderbelichten. Haar vrouw-zijn was een gegeven. Hier extra de aandacht op vestigen kon averechts werken. Ze had er weinig trek in om als een geval van positieve discriminatie door het leven te gaan. Haar collega's hadden zich overigens nimmer iets van deze strekking laten ontvallen. In elk geval niet in haar bijzijn. Dit wilde ze graag zo houden.

Het voetgangerslicht sprong op groen. Evenals mijn hart, schoot het door haar heen. Ze realiseerde zich terdege dat haar geest chargeerde en hield onbewust haar pas enigszins in. Gran Canaria, de opdracht en haar vrouw-zijn zouden vanavond ongetwijfeld ter sprake komen. Hoogstwaarschijnlijk stonden deze zaken op het schaduwmenu van het geplande etentje.

Om twee minuten voor zeven drukte ze op de bel en keek in de camera die in het portiek hing. Tien seconden later volgde er een doordringende zoem, waarna de deur openzwaaide. Ze liep door naar de lift. Van het ene op het andere moment gierden de zenuwen door haar keel.

Voordat ze de kans kreeg haar jack uit te trekken, omhelsde Enrique Navarro haar. Hij droeg een vale spijkerbroek en een witte sweater. De laatste weken had hij zijn zwarte haar laten groeien. De punten ervan waren gaan krullen en hingen speels in zijn nek. Met zijn afgetrainde lichaam en de gezonde bruine tint van een buitenmens, kon hij moeiteloos de vergelijking met een mediterrane toptennisser doorstaan. Voor Carmen was hij de knapste man die ze ooit had gezien. De vraag hoe het mogelijk was dat zo'n spetter beweerde verliefd op haar te zijn, verbande ze naar een duister kamertje ergens in haar hoofd.

'Als ik naar jou kijk, weet ik dat God bestaat,' zei Navarro met een uiterst serieuze gezichtsuitdrukking. 'Alleen Hij is in staat om zoiets moois te scheppen.'

Om de doodeenvoudige reden dat ze zich geen houding wist te geven, deed Carmen een stap opzij en begon haar jas uit te trekken.

'Foute openingszin?'

Ze haalde licht haar schouders op. 'Ik heb slechtere gehoord.'

Navarro trok een beteuterd gezicht. 'Beur me op.'

Carmen hing haar jas aan de kapstok en glimlachte hem toe. '"Wat is jouw melkquotum?" behoort tot mijn klassiekers.'

Navarro schudde vol ongeloof met zijn hoofd. Daarna sloeg hij zijn linkerhand voor zijn mond om zijn verbazing te benadrukken. 'Je neemt me in de maling. Na zo'n debiele openingszin is dat volledig terecht, hoor.'

Nu was het Carmens beurt om een ontkennende hoofdbeweging te maken. 'Het overkwam me acht jaar geleden in een disco. Een boerenzoon uit een gehucht in Asturias kwam naast me zitten en sprak deze historische woorden.'

'Om daarna tegen de vlakte te gaan, neem ik aan?'

'Nee, ik was namelijk totaal overdonderd. Voordat het eigenlijk tot me was doorgedrongen wat hij nou precies had gezegd, begon hij hele verhalen over thuis te vertellen. En dat hij voor de eerste maal een weekendje in Madrid was, waardoor zijn zus nu zijn taken op de boerderij moest overnemen. Uiteindelijk bleek het een hartstikke aardige jongen te zijn.'

Navarro keek haar met een schalkse blik aan. 'Heeft hij nog antwoord op zijn vraag gekregen?'

De daaropvolgende plaagstoot pareerde hij met gemak. Zijn linkerhand schoot door naar haar middel, waarna hij Carmen tegen zich aan trok.

'Waar heb jij zo leren koken?' zuchtte Carmen voldaan. Vooraf hadden ze gegrilde inktvis gegeten. Deze was zo mals als boter en precies goed gekruid. Het hoofdgerecht bestond uit grote gepelde garnalen op Amerikaanse wijze bereid. Dit hield in dat de schelpdieren overgoten waren met een saus waarvan mayonaise, knoflook, peterselie, tomaten en uien de hoofdbestanddelen vormden. Een traktatie.

'Nergens,' antwoordde Navarro terwijl hij opzichtig de verbaasde blik van zijn tafelgenote ontweek. 'Tegen deze traiteur schijnt niemand op te kunnen. Waarom zou ik me gaan uitsloven als iemand anders het veel beter kan?'

Carmen kneep haar oogleden een halve centimeter toe. Een gewoonte die ze tijdens haar werk zoveel mogelijk probeerde te vermijden. Privé lag het logischerwijs anders. Daar kon ze zich dit soort eigenaardigheden gelukkig wel veroorloven. 'Je gaat mij toch niet vertellen dat dit van Mendez komt?'

Navarro glimlachte verontschuldigend. In Madrid stond Mendez bekend als veruit de beste en duurste traiteur. Inwoners van deze metropool die iets in de melk te brokkelen hadden of dit in de toekomst graag wilden, lieten zich regelmatig culinair verwennen door de chefs van dit toprestaurant.

'Ik heb genoten, Enrique. De volgende keer heb ik echter net zo lief een pizza. Het gaat nog altijd om het gezelschap, weet je wel? Dat is belangrijker dan het eten.'

'Bij het prettigst denkbare gezelschap hoort nu eenmaal geen afhaalitaliaan. Tenminste, niet vanavond.'

Hoewel hij op neutrale toon sprak, begonnen tientallen alarmbellen in Carmens hoofd te rinkelen. Ze had slechts een fractie van een seconde nodig gehad om het verband te leggen en haar conclusie te trekken.

Dit was hun galgenmaal.

Het was voorbij.

De anders zo stoere Enrique Navarro boog zijn hoofd licht voorover, waardoor het oogcontact werd verbroken. Hij ademde luidruchtig door zijn mond uit. Het was ineens zonneklaar dat hij iets op zijn hart had en al zijn moed bijeenraapte om het ter sprake te brengen.

'Carmen, eh... ik moet je... eh... iets zeggen.' Hij slikte en keek haar aansluitend rechtstreeks aan. 'Wij...'

Voordat hij de kans kreeg om zijn verhaal te doen, maakte Carmen met haar rechterhand een stopteken. Haar lichaamstaal had in enkele seconden een complete metamorfose ondergaan. In plaats van de ontspannen houding die werd vervolmaakt door een lieflijke glimlach, straalde het enige vrouwelijke lid van Nueve nu een aura van teleurstelling en spijt uit.

'Ik weet wat je wilt zeggen, Enrique,' sprak ze met lippen die nauwelijks bewogen. 'Hoe meer ik erover nadenk, des te dieper schaam ik me.'

Ze sloeg haar ogen neer, zodat de verbaasde blik van Navarro haar ontging. 'Ik ontving van Silva een lijst met daarop de teamleden die voor de opdracht op Gran Canaria geselecteerd waren. Enkel voor het invullen van mijn back-up kreeg ik de vrije hand. Terwijl ik zijn kantoor verliet, had ik mijn keus al op jou laten vallen. Dit leek toen een logische voorkeur. Pas veel later zag ik mijn fout in.'

Ze haalde diep adem en maakte aanstalten om op te staan. 'Net als de anderen deed jij jouw werk voortreffelijk. Het liep van een leien dakje en als bonus kregen we de manipulator Sanchez betrekkelijk vlot aan de praat. Eenmaal in het vliegtuig naar huis begon het bij mij te dagen.'

Ze keek Navarro nu recht in zijn gezicht aan. Met de grootst mogelijke moeite kon ze haar tranen bedwingen. Het aanstaande afscheid viel haar zwaarder dan ze ooit had kunnen vermoeden. 'Jou als tweede man vragen was stom. Belachelijk stom, zelfs. Het groentje van Nueve koos haar vriendje als back-up zonder daarbij aan de gevolgen te denken. Onprofessioneel en neerbuigend. Je mocht zomaar onder de rijzende ster van Nueve werken.'

Uit haar linkerooghoek ontsnapte een traan. 'Terwijl we er alles aan deden om onze relatie niet naar buiten te brengen, flik ik je dat. God, wat een eer. Dienstdoen onder de enige vrouw van Nueve, die tevens jouw vriendin is. Iets vernederenders voor een man is verdomd lastig te bedenken.'

Ze stond op. Haar blik hield de zijne in een omarming van leedwezen. 'Je hoeft niets uit te leggen, Enrique. Hoe zwaar mij dit ook valt, ik begrijp volkomen dat het over is tussen ons. Helaas.'

Carmen liep naar de deur. Toen ze daar twee meter van verwijderd was, schraapte Enrique Navarro zijn keel. 'Krijg ik misschien ook een kans om iets te zeggen, of is dit een humorloze *onewomanshow*?'

Carmen bleef staan en draaide zich om. Ze overwon een moment van twijfel en liep terug naar de eettafel. 'Sorry, Enrique. Ik probeer er te gemakkelijk van af te komen. Kom maar op met die gifbeker.'

Ondanks haar emotionele bui bemerkte ze dat haar bijna ex-vriend min of meer stoïcijns naar haar keek. Een groot verschil met de man die enkele minuten geleden nauwelijks uit zijn woorden kon komen. Hij stond op en liep naar een eiken dressoir waarvan hij de onderste la opende. Met een snelle beweging graaide zijn rechterhand in de la en omsloot iets. Met een ondoorgrondelijk gezicht liep hij weer terug en nam tegenover Carmen plaats.

'Ik heb op Gran Canaria niet onder jou gewerkt. Als team hebben wij daar een opdracht volbracht. Ditmaal was jij door Silva als operatieleider benoemd. De volgende keer is het iemand anders.'

Carmen knikte. 'Je hebt helemaal gelijk. Ik...'

'Je bent een fantastische vrouw die nu even spoken ziet die er helemaal niet zijn. En mocht het gebeuren dat ik inderdaad onder jou moet dienen... prima. Zowel letterlijk als figuurlijk.'

Carmen haalde haar neus op en probeerde te grijnzen. Met de wijs- en middelvinger van haar rechterhand veegde ze een traan van haar wang.

'Wat ik daarnet wilde zeggen, had niets met het werk te maken. Het ging om iets wat veel belangrijker is.' Hierna legde hij zijn rechterhand op tafel en opende deze. In zijn handpalm lag een donkerblauw doosje. Zijn ogen boorden zich in de verbouwereerde blik van Carmen. 'Maak open,' fluisterde hij.

Carmens linkerhand trilde licht toen ze het doosje uit zijn handpalm pakte. Ze trok het naar zich toe en begon met de vingers van haar rechterhand onhandig aan de goudkleurige sluiting te frunniken.

'We zijn ruim vijf maanden bij elkaar,' sprak Navarro hees. 'Van elk moment dat we samen waren, heb ik intens genoten. De minuten zonder jou waren verloren uren in lege dagen die enkel golden als een overbrugging naar het weerzien met een engel in mensengedaante. De periodes waarin jij niet in mijn directe omgeving bent, gaan mij steeds zwaarder vallen. Mijn hart heeft aangegeven dat ik niet meer zonder jou kan.'

Carmens pupillen verbreedden zich toen ze het doosje opende en de inhoud haar tegemoet schitterde. 'O, Enrique.' Getroffen door een spervuur aan emoties zakte haar kin enkele centimeters naar beneden en vocht ze tegen de opwellende gelukstranen. 'Mijn hemel, wat is dit prachtig.'

'Het is prutswerk vergeleken met jouw schoonheid,' fluisterde de man die onder zijn collega's bekendstond als een keiharde. 'Lieve Carmen, kom alsjeblieft bij mij wonen. Ik hou van je en wil de rest van mijn leven met je doorbrengen. Ook beloof ik je dat als je "ja" zegt, ik binnen een jaar op mijn knieën ga om je officieel ten huwelijk te vragen.'

Gebiologeerd keek Carmen naar de platina ketting tussen haar vingers. De met briljanten ingelegde hanger bungelde licht, leek haar uit te dagen. Zeg ja. Waag het niet om nee te zeggen. Dit is de kans van je leven.

Ze kon zich niet herinneren ooit zo'n mooi sieraad te hebben gezien. Flonkerend zonder opzichtig te zijn. Een juweel in de ware zin van het woord.

Jammer dat ze de ketting tijdens haar werk nooit zou kunnen dragen. Dat was verboden.

30

Aangezien kleurverschil ontbrak, leek het alsof de zee en het landschap in elkaar overvloeiden. Grijsgrauw overheerste zozeer, dat het verschil tussen rotsen, horizon en mens uit donkere, nauwelijks te onderscheiden contourlijnen bestond. De wereld was verworden tot eenheidsworst.

Hoewel hij omringd was door water, voelde zijn lichaam droog aan. Een merkwaardige gewaarwording. Zijn droogpak was namelijk zo lek als een mandje. Bij elke beweging die hij maakte, voelde hij hoe de Middellandse Zee naar binnen stroomde. Droog water, ook al zo vreemd.

Victor Bersan moest zich ergens vlakbij bevinden. Hij hoorde zijn buddy duidelijk ademhalen. Lange halen, wat aangaf dat hij een grote inspanning had gedaan. Die conclusie was gerechtvaardigd, want Bersan bezat een puike conditie. Bij duurlopen ging het lid van Nueve met de besten mee.

Hij draaide drie keer om zijn as. Geen Bersan te bekennen. Hij besloot er een ouderwetse schreeuw op los te laten. Hard, doordringend, efficiënt. Twee hartslagen later bleek dit een onmogelijke opgave. Zijn stem weigerde dienst.

Het dobberen in het grauwe niets begon te benauwen. Hij kneep zijn oogleden licht toe. Er waren referentiepunten, maar de afstanden leken eerder bedrieglijk dan betrouwbaar. Met zijn waarneming was niets mis, het was de omgeving waaraan van alles schortte.

Ik moet hier weg, werd ineens de bovenliggende gedachte. En wel heel snel. Hij wist ook precies waarom.

Er zaten hier haaien.

Joekels.

Het water rondom hem was vergeven van die krengen waar Discovery Channel wekelijks beelden van uitzond. Monsters wier kaken zich moeiteloos en onverbiddelijk rond het opengesneden kadaver van een schaap sloten dat door een stelletje sensatiezoekers in het water was gegooid. Om het middel van het onfortuinlijke beest hing een touw, zodat er vanaf de boot wat tegenspel kon worden geboden.

Gekleed in een wetsuit dreef naast het kadaver een opblaaspop. Om het geheel waarheidsgetrouw over te laten komen, had de visagist onder de bedenkers van dit experiment de pop van een menselijk gezicht voorzien. De haaien concentreerden zich enkel op het aangeboden maal, het drijvende rubber werd compleet genegeerd.

Deze documentaires moesten bewijzen dat haaien op de geur van bloed afkwamen en in principe geen mensen aanvielen. Tenminste, dat was wat de voice-over beweerde. Dat eerste geloofde hij wel, achter de tweede stelling zette hij toch een aantal vraagtekens.

Hij maakte zwembewegingen met zijn benen maar kwam geen centimeter vooruit. Ook het geploeter van zijn armen hielp geen ene moer. Ondanks de zware inspanning die hij verrichtte, bleef vermoeidheid uit. Op deze manier kon hij nog uren doorgaan. Zijn conditie was dus top. Jammer dat hij met deze vaststelling geen ene moer opschoot. Letterlijk, aangezien hij op dezelfde plek bleef liggen.

De vissen waren onder hem. Het water trilde. Of was hij het die rilde? De dieren moesten wel over gigantische afmetingen beschikken om deze trillingen te kunnen veroorzaken. Kwam dit wellicht omdat die beesten vlak bij hem waren? Klaar om toe te slaan. Zoals bij dat schaap.

Haaien vraten wel degelijk mensen, wist hij nu. In elk geval leden van Nueve. Bersan was bij wijze van voorgerecht verorberd en goedgekeurd. Wie er op het hoofdmenu stond, werd met de seconde duidelijker. Hij sloot zijn ogen en wachtte de pijn af die ongetwijfeld niet lang meer op zich liet wachten.

Anderhalve meter voor hem spleet het water open. Alleen op deze plek loste het grauwgrijs op en wonnen andere kleuren aan kracht. In plaats van de verwachte haaienkop verscheen eerst het hoofd en daarna het bovenlijf van Manuel Albelda. Het Raadslid had zijn ademautomaat in zijn mond en keek hem vanachter zijn duikbril met opgeblazen ogen aan. Opgelucht door de plotselinge verschijning van de schatgraver, ontspande hij zijn spieren. Mocht Albelda kwaad in de zin hebben, dan liet de ruimte tussen hen in genoeg tijd over om alsnog te handelen.

Opeens flitste er een ongelofelijk fel licht. Instinctief sloot hij zijn ogen om deze een handvol seconden later weer te openen.

De ademautomaat van Albelda bungelde nu langs diens rechterschouder. Op het gezicht van de man lag een brede grijns. Deze groeide in een absurd tempo uit tot één groot zwart gat. Het enige menselijke aan het hoofd waren de twee ogen die eveneens waren gegroeid en de ruimte achter het masker grotendeels opvulden.

De stroom kwam onaangekondigd. Gestuwd door een krachtbron bin-

nen in het hoofd. Een straal blóed spoot zijn kant op. Het waren tientallen liters. Kleverige smurrie die zijn hele wereld rood kleurde.

De mond braakte nog een aantal golven uit, waarna de opening zich
begon te vernauwen. Ogen en neus keerden terug in het gezicht dat een
korte periode van volkomen misvorming had gekend. Ook de grijns
positioneerde zich.

Albelda stak zijn rechterhand op en verdween langzaam onder water.

'Nee!!! Nee, niet doen!'

Alfonso Silva zat rechtovereind in zijn bed. Terwijl het zweet over zijn
voorhoofd gutste, ademde hij als een langeafstandszwemmer die zojuist
het Kanaal had bedwongen. Zijn beide handen trilden en in zijn ogen
stond de verwilderde blik van een man die net een enkeltje hel achter de
rug had.

'Alfonso?'

Silva reageerde niet. Hij bevond zich in het flinterdunne vacuüm tussen
bewust- en onderbewustzijn en beleefde de angstige momenten opnieuw.
Ditmaal met geopende ogen.

'Alfonso!'

De dwingende intonatie in Graces stem sleepte zijn geest uit de naweeën
van de duivelse droom. Hij knipperde een paar maal met zijn ogen en
keek zijn vrouw schuldig aan.

'Sorry, Grace,' fluisterde hij. 'Ik had even een naar moment.'

Grace knikte slechts. Als ichtyoloog had zij een paar dagen geleden de
tientallen zwarte punten in zijn handen direct geïdentificeerd als afgebroken stekels van zee-egels. De talloze blauwe plekken op zijn lichaam
vertelden de hoofdlijnen van een verhaal waarvan zij de details nooit te
horen zou krijgen. Haar man was een tijdbom, wist ze. En de enige die
de detonator kon verwijderen, was hijzelf.

'Het is een tijd geleden dat ik zo beroerd gedroomd heb.'

Om de heftigheid van zijn angstaanval enigszins af te zwakken, probeerde Silva zijn woorden van een luchtig elan te voorzien. Een poging die
volledig de mist inging, omdat hij op monotone toon sprak zonder zich
hiervan bewust te zijn. Toen er wederom een verbale reactie van Grace
uitbleef, haalde hij licht zijn schouders op. 'Het is nu eenmaal mijn
werk, Grace.'

Ze pakte zijn linkerhand en draaide deze met de palm naar boven.

'*Just another day at the office*,' sprak ze zonder een spoortje van cynisme
terwijl haar blik de tientallen, zwarte puntjes aftastte.

Silva wist zijn eerste reactie te bedwingen en liet zijn hand in die van zijn
vrouw rusten. Hij begreep haar bezorgdheid volkomen. Ze hielden van

elkaar en hadden samen de verantwoording voor de opvoeding van hun dochter. Er kwam een moment dat hij tijdens een operatie minder gelukkig zou zijn...

'Jouw mening is superbelangrijk voor me, Grace. Heus, er gaan binnenkort dingen veranderen.' Aansluitend keek hij haar aan met een blik die om begrip vroeg.

'Ik heb hier geen zin in. Je weet exact hoe ik erover denk. Als je een definitieve beslissing hebt genomen, dan hoor ik het wel. Geen maren en mitsen, alsjeblieft. Dat hebben wij niet verdiend, Alfonso.'

Hoewel Silva de drang voelde om zich te verdedigen, hield hij zijn mond. Het woord 'wij' was daar voor een groot gedeelte debet aan. Als iemand, zelfs wanneer het je eigen vrouw betrof, zei dat jouw handelen eveneens vergaande consequenties voor je dochter had, dan klonk dit zo veel anders en doordringender dan je eigen stem die naar binnen toe corrigerend optrad.

'Wacht niet te lang met die beslissing, want ik heb geen zin om jou samen met Carmen op de intensive care te bezoeken.'

Silva schraapte zijn keel om toch wat tegengas te geven. Grace was echter een fractie sneller. 'Als je denkt dat ik dit zeg om jou onder druk te zetten, dan heb je het geheel bij het rechte eind. Om drie uur 's nachts naast een hijgende echtgenoot wakker worden vind ik op zich helemaal niet erg. Mits het om iets heel anders gaat dan het verwerken van een bedrijfsongeval.'

De zucht van Silva was gemeend, maar klonk theatraal. De woorden van Grace sneden hout. Alleen lag het niet zo eenvoudig als zij het stelde. Terwijl deze zin door zijn hoofd schoot, wist hij al dat dit onzin was. Het lag namelijk wel simpel. Doodsimpel, om precies te zijn.

'Ik ben er bijna uit, lieverd. Geef me nog een paar dagen.'

Zoals hij reeds verwachtte, bleef een antwoord uit. Beloftes van deze strekking had hij te vaak uitgesproken. Altijd was er weer iets tussen gekomen. En 'iets' bleek immer een onorthodoxe definitie van het werk te zijn. Het daaropvolgende halfuur liet de chef van Nueve de operatie de revue passeren die hem in de Middellandse Zee ten zuiden van Marseille had gebracht. De afgelopen dagen had hij dit meerdere malen gedaan. Naar zijn mening een logische zaak, aangezien het een operatie betrof waar het laatste woord nog niet over gesproken was. Hierbij ging het niet zozeer om zijn superieuren bij Binnenlandse Zaken of zijn manschappen. Mocht dit ooit aan de orde komen, dan kon hij genoeg argumenten aandragen waarom hij op sommige momenten bepaalde beslissingen had genomen.

Maar daar ging het dus niet over, wist hij. Binnenlandse Zaken had hem reeds onofficieel gecomplimenteerd met de afhandeling die had geleid tot het terugvinden van een gedeelte van de schat. Ondanks zijn dringende verzoek om alles binnenskamers te houden, waren hem via sluipwegen al felicitaties ten gehore gekomen.

Bij de teamleden die tijdens deze operatie ingezet waren, overheerste een eensluidende mening. Zij baalden dat de actie geen schoonheidsprijs verdiende. Domme pech en verkeerde ad-hockeuzes hadden voor een nare bijsmaak gezorgd. Tevens realiseerden ze zich dat plotwisselingen inherent aan het vak waren. Elke operatie kende zo zijn merkwaardigheden. Uiteindelijk werden ze afgerekend op het eindresultaat. En dat was met een beetje goede wil bevredigend te noemen. Hun doel, het terugbrengen van de sieraden, was tenslotte bereikt.

Silva staarde naar het plafond. Na uitgebreid fileren bleef die ene vraag over. Een heel simpele waarop hij tot dusver het antwoord schuldig moest blijven.

Waarom was hij het water ingegaan?

Hij had dus geen flauw idee. Wilde hij op dat moment laten zien dat *el jefe* nog met de besten mee kon? Was het een geniale inval waarmee hij na de smak van Espino de poppetjes toch nog op de goede plaats kreeg? Of handelde hij puur op intuïtie waardoor vooraf gemaakte afspraken geheel teniet werden gedaan?

Op al deze vragen kon hij ontkennend antwoorden. In gedachten noemde hij dit randvragen. Hiermee dreef hij bewust of onbewust steeds verder van de kernvraag af. Door een klein beetje af te wijken in zijn vraagstelling, leek het alsof de operatie ondanks de tegenslagen door hem in goede banen was geleid. Deze benadering was echter niets meer of minder dan jezelf in de maling nemen. Je kon het vergelijken met: 'Wie heeft de imams vermoord?' Het antwoord zou dan zoiets zijn als: 'Wij hebben het moordwapen getraceerd en alle medeplichtigen gearresteerd.'

Hij draaide zich op zijn rechterzij. Zelfs nu hij zijn zinnen erop had gezet om ergens vanuit zijn binnenste een antwoord op te lepelen, maakte zijn gedachtegang een zijsprongetje. Wel eentje die gelieerd was aan de operatie in Marseille, dat was het slimme, stomme of gemene eraan. Jezelf voor de gek houden. Hij begon er steeds meer een handje van te krijgen.

Geïrriteerd gaf hij zichzelf een geluidloze uitbrander. Normaal gesproken wisten ze over drie dagen wie de imams had vermoord. Daar moest hij zich nu niet op richten. Volkomen zinloos.

Normaal gesproken bestaat niet, sufferd.

Silva beet op zijn lip om de opwellende vloek binnensmonds te houden, hetgeen lukte. Het ging er verdomme nog aan toe om of dit een incident was dat iedereen wel eens overkwam. Of was er hier soms sprake van de aanloop naar een fase in zijn carrière waarmee hij zich niet kon vereenzelvigen? De oude rot in het vak die net even te lang doorging en fouten begon te maken. De *over the hill*-chef die van geen opgeven wist en hierdoor onbewust de levens van zijn teamleden in de waagschaal stelde.

In een uiting van woede en onmacht kneep Silva beide ogen dicht. Het was beter om nog wat nachtrust te pakken. Zijn werkschema voor de komende dagen liet weinig slaap toe.

'Welterusten, schat,' fluisterde hij uit de macht der gewoonte.

Het timide: 'Slaap lekker, lieverd,' kon de groeiende ongerustheid van zijn vrouw niet beter weergeven.

31

De technici hadden vakwerk afgeleverd. Tot in het kleinste detail was er aan zijn wensen voldaan. Dertig vierkante beeldschermen van twintig centimeter doorsnee om te laten zien wat de minicamera's van de Nueve-leden registreerden. Aan weerszijden van deze indrukwekkende visuele muur hingen twee schermen. Hierop werd de exacte positie van de mensen in het veld weergegeven.

'Vijf minuten,' zei Silva. Hierbij hield hij zijn vinger op een groene knop in het paneel voor hem. Dit was het kanaal dat hem rechtstreeks in contact bracht met iedereen die aan deze operatie meewerkte.

Het zijn twee operaties onder één noemer, corrigeerde Silva zichzelf. Hij moest erop blijven hameren dat het hier twee los van elkaar staande acties betrof. Hoewel opzet, handelingen en einddoel nagenoeg hetzelfde waren, kwamen spelers en locatie niet overeen. Het bleef mensenwerk, waarbij elke situatie om een andere benadering vroeg.

De beelden waren verre van spectaculair. De eerste fase van de operatie, de positionering, was 55 minuten geleden van start gegaan. Sindsdien had hij voornamelijk rustgevende plaatjes van slenterende mensen en vergeelde gebouwen de revue zien passeren. Een sfeerbeeld, waarin over vier minuten gestaag verandering zou komen.

Valencia, stad van vrolijke zonnestralen die ervoor zorgden dat op de landerijen even buiten de stad de sinaasappels als kool groeiden. Gelegen aan de monding van de Tura en de Costa del Azahar, zoals toeristische folders steevast vermeldden. Evenals het feit dat de qua inwonersaantal derde stad van Spanje bekendstond om haar voortreffelijke paella en liefkozend '*La ciudad de la marcha*', de uitgaansstad, werd genoemd.

Castro keek over zijn schouder mee. Omdat Silva voor deze klus een ervaren rot als back-up wilde, had hij voor deze reus gekozen. Stoïcijns nam Castro de beelden tot zich waarin geen zonneschijn, sinaasappels en toeristen die eens lekker wilden gaan stappen voorkwamen. Half november onderscheidde Valencia zich vrijwel niet van andere steden. Het onvermogen van de zon om het wolkendek te splijten, was daar hoofdzakelijk debet aan.

'Twee minuten,' meldde Silva droog terwijl hij de groene knop indrukte. Over 120 seconden ging een van de grootste operaties van Nueve sinds haar oprichting van start. Twee lokvogels werden onopvallend bijgestaan door 28 teamleden die op hun beurt weer werden gestuurd door het centrale commando in de *minivan*.

Om dertig seconden voor drie focuste Silva zich op de monitor die de beelden van nummer 1 doorgaf. Hij zag een gordijn dat werd opengeschoven. Op een drafje kwam een man in een wit gewaad aangelopen. Hij was klein van stuk en enkele gelaatstrekken lieten zich pas vangen toen hij vlak langs de camera liep. Dit kwam doordat het grootste gedeelte van zijn hoofd in een pij was gehuld.

De cameralens van nummer 1 richtte zich nu op de voordeur van de moskee. Deze werd een paar tellen later door een onzichtbare hand geopend, waarna heel even de straat zichtbaar werd. Hierna keerde nummer 1 zich om en sloot de deur met de daarvoor bestemde sleutel af. Aansluitend volgde er een draai van negentig graden en kwam de straat weer in beeld. De moeilijkste opdracht in de carrière van Carmen Marrero was begonnen.

Vanuit zijn linkerooghoek zag Alfonso Silva dat de switch die bij de andere moskee plaatsvond, even soepel verliep. In tegenstelling tot de kleine imam met wie Marrero van plaats verwisselde, was deze voorganger een grote en dikke man. Zijn plek werd ingenomen door Juan Pacheco wiens grove lichaamsbouw de vergelijking met die van de imam eenvoudig kon doorstaan. Door onder het traditionele gewaad extra textiel en een kogelvrij vest aan te brengen, ontstond een aanzienlijke buik. Het fijnere werk 'zoals de huidskleur en gezichtsnuances' werd aan de grimeur overgelaten. Een pruik en hetzelfde typische loopje van de imam maakten de transformatie helemaal af.

Net als Carmen Marrero, sloot ook nummer 2 de deur van de moskee met een sleutel af en begon aan zijn avontuur dat moest leiden tot de ontmaskering van de Tempelridder.

Doordat hij zo geconcentreerd was, hoorde Silva het ademritme van Castro omhoog gaan. Dit zei hem genoeg. De streng ogende reus was een veteraan bij Nueve die in zijn leven de nodige operaties van deze elite-eenheid had meegemaakt. Zijn primaire reactie gaf de importantie van dit optreden aan.

Silva betrapte zichzelf erop dat hij met de nagels van zijn rechterhand patronen in zijn spijkerbroek kerfde. Een nieuwe tic waarmee hij direct korte metten maakte. Hij kneep de vingers tot een vuist om ze daarop volgend te ontspannen. Hierna legde hij zijn hand plat op zijn dijbeen, waardoor de nagels geen contact met de stof kregen. Een maffe reactie, wist hij. Op dit moment kon hij hier echter niet mee zitten. Hetgeen zich op de beeldschermen afspeelde, was het enige wat telde. De rest was bijzaak. Minder nog, zelfs.

Carmen Marrero speelde haar rol van oude imam perfect, zag hij op het scherm dat de beelden van nummer 3 liet zien. Ruiz was een gemeente-man die op zijn dooie gemak de straat veegde. Zoals hij waren er in elke grote stad in Spanje honderden te vinden. Mede door hun onvoorstel-baar kalme uitstraling hadden deze mensen de gave ontwikkeld om één met hun omgeving te worden.

Het postuur van de imam van Valencia's grootste moskee, de Al Toka – het geloof – gold in eerste instantie als een struikelblok voor de opera-tie. Hij mat één meter 62, wat inhield dat enkel de drie centimeter lan-gere Carmen Marrero zijn plaats kon innemen. Het verschil in lengte tussen Karim Akram en de kerels van Nueve was simpelweg te groot. Ze hadden dus geen keuze. De enige vrouw binnen Nueve moest de klus klaren.

Camera nummer 17 zat verborgen in het stoere leren jack van Ojeda, die vermomd als recalcitrante punker een beetje rondhing en met onte-vreden blik de wereld in keek. Pacheco stapte stevig door. Precies zoals Ahmed Mahdi, imam van de Al Nour-moskee – het licht – zou doen. Hij liep langs Ojeda die zich op ongeïnteresseerde wijze half omkeerde zodat Pacheco in beeld bleef. Op het moment dat camera nummer 18 de zogenaamde imam in zicht kreeg, zou hij op natuurlijke wijze weg-draaien.

De twee pseudo-imams waren de eerste straat op hun route huiswaarts ongeschonden doorgekomen. Voorzover je in dit vak over zekerheden kon spreken, dan was dit er eentje geweest, wist Silva. De straten die aan beide moskeeën grensden, waren breed en er was weinig natuurlijke beschutting. Een beroeps als de Tempelridder zou het risico niet nemen om hier een aanslag te plegen. De kans om heelhuids weg te komen, was te klein.

Hoewel hij de beide routes van Marrero en Pacheco uit zijn hoofd ken-de, wierp Silva twee korte blikken op de beeldschermen die aan de rand van de televisiewand hingen. Eerst rechts, daarna links. Carmen Marre-ro had nog vijf straten te gaan, Juan Pacheco zeven. De af te leggen weg was door twee teams zorgvuldig nagelopen en bestudeerd. Zij hadden de risicovolle gedeelten in kaart gebracht. Volgens hen waren dit er voor zowel Marrero als Pacheco veel. Te veel. Na uitvoerige bestudering van de routes en de argumentatie van zijn teams, kon hij het enkel met hen eens zijn. Omdat de operatie eenvoudigweg moest doorgaan, besloot hij om van het traditionele parensysteem af te wijken. De afstanden waren te groot. Met een uitgekiende positionering diende men ze te overbruggen.

Terwijl Carmen door camera nummer 4 werd opgepikt, was Pacheco te zien op het scherm dat de beelden kreeg van nummer 19. Silva voelde dat de spanning werd opgevoerd. Het toeval wilde dat zijn beide imams nu op risicovol terrein waren aanbeland. De ware imams Mahdi en Akram liepen hier op een normale dag respectievelijk door een park en in een steeg.

Het grindpad waarop Carmen liep was breed en goed verzorgd. Vlak boven haar linkersleutelbeen tegen de binnenkant van de kap van de pij, zat de camera. Een van de twee meevallers die ze gedurende de voorbereiding van deze operatie hadden gehad. Omdat het weer de laatste tijd verre van goed was te noemen, sloeg Karim Akram tijdens zijn loopje huiswaarts de kap van zijn pij over zijn hoofd. Voor hen een zegen, aangezien de gezichten van de imam en het vrouwelijke lid van Nueve als dag en nacht van elkaar verschilden.

Het andere mazzeltje betrof de frequentie waarop de beide imams hun route liepen. Dat was standaard eenmaal per dag. Van maandag tot en met vrijdag namen zij de voor hen kortste weg van de moskee naar hun huis. 's Morgens werden zij door familieleden met de auto gebracht. Dit scheelde Nueve handenvol werk. Nu konden ze zich volledig concentreren op de middagwandeling tijdens welke de Tempelridder zou toeslaan. Via de camera van Carmen zag Silva de wereld volgens haar gezichtspunt. Nummer 4 en inmiddels ook nummer 5 lieten zien hoe de rest tegen de nep-imam aan keek. Van een afstand leek het welhaast onmogelijk dat de schuifelende oude man met de smoezelige pij in werkelijkheid een energieke jonge vrouw was die op de toppen van haar zenuwen haar beroep uitoefende.

Door zijn blik op te splitsen zag Silva dat er drie schoolkinderen Marrero passeerden en Pacheco zich als enige in de steeg bevond. Ze hadden besloten om niemand van Nueve in de steeg te posteren. Een vermomming als zwerver, dronkaard of vuilnisman was op dit specifieke punt te doorzichtig. Een echte prof liet zich hierdoor niet foppen. In plaats daarvan waren er camera's op de in- en uitgang gericht. De steeg kende geen verdere vluchtopties, dus moest dit voldoende zijn.

De jogger droeg een zwarte muts en een zonnebril met donkere glazen.

Hij werd gespot door de camera van nummer 6. Felipe Nauzet kon doorgaan voor een bejaarde man die op een van de vele bankjes in het park zijn krant las. De camera zat in de hoed die hij droeg. De merkwaardig uitgedoste jogger was hem direct opgevallen. Vanaf dat moment volgde zijn lens de bewegingen van de sporter.

Met 'Sector twee, code oranje,' onderkende Silva het mogelijke gevaar. Door de Nueve-leden die zich in dit bewuste gebied bevonden, werden de spieren aangespannen. Carmen zag de man haar kant uit komen en moest zichzelf dwingen om in de pas van haar tegennatuurlijke loop te blijven.

Als de jogger niet van zijn koers afweek, zou hij haar op ongeveer anderhalve meter passeren, schatte ze in. Zijn passen waren gelijkmatig en soepel. Hij had brede schouders en zag er afgetraind uit. De ingevallen wangen onder de donkere zonnebril waren een bevestiging van zijn perfecte conditie.

Tien meter.

Terwijl ze met een valse traagheid doorschuifelde, verkeerde haar lichaam in opperste staat van paraatheid. De adrenaline was er alleenheerser en zorgde voor een *speedy* roes die extase en angst liet duelleren. Ze klemde haar kaken op elkaar en bereidde zich voor op haar contraaanval.

Zonder een enkele blik op haar te werpen, liep de man langs Carmen heen. Terwijl hij uit haar zicht verdween, telde ze in gedachten tot drie. Toen de aanval van achteren uitbleef, blies ze een opgekropte ademstoot krachtig uit. Diep vanbinnen voelde ze zich opgelucht. Vreemd, aangezien ze zich op een bepaalde, wellicht morbide manier op de ontmoeting met de Tempelridder had verheugd.

'Sector twee, code blauw,' zei Silva, terwijl hij de jogger uit het zicht van camera 5 zag verdwijnen. Het voorkomen van de man stond in zijn geheugen gegrift. Er bestond altijd de mogelijkheid dat de joggingoutfit deel uitmaakte van zijn verkenning. Na de constatering dat de kust veilig was, zou hij op een ander gedeelte van de route toeslaan. Het was wat vergezocht, dacht hij. Toch bleven alle opties een waarschijnlijkheid. Zelfs de meest onwaarschijnlijke.

Juan Pacheco stak de Calle Ortega de Castillo over, een brede straat die dwars door de oude woonwijk heen liep. Camera nummer 20 had hem opgepikt en de beelden suggereerden dat de imam het leven op deze grauwe dag van de zonnigste kant zag. Dit had veelal te maken met zijn kwieke loop en de directe omgeving. In dit gedeelte van de wijk woonden veel allochtonen, wat inhield dat hij meerdere malen werd begroet. Aangezien Pacheco door imam Ahmed Mahdi was voorgelicht over datgene wat hem tijdens zijn route te wachten stond, knikte het lid van Nueve regelmatig of sprak hij een voorgeprogrammeerde groet in het Arabisch uit. Nergens hield hij zijn pas in. Hoewel de grimeurs hem sprekend op de oorspronkelijke imam hadden doen lijken, konden ze dat risico niet nemen.

Silva liet zijn blik vliegensvlug over de beeldschermen glijden. Achter hem deed Castro hetzelfde, wist hij uit ervaring. Mocht hij iets van enige importantie missen, dan zou het uit de kluiten gewassen Nueve-lid hem daar direct op wijzen. Tot nu toe was het enige onregelmatige aan Castro zijn ademhaling geweest, waaruit Silva voorzichtig concludeerde dat hij de situatie nog steeds onder controle had.

Over enkele minuten zouden Marrero en Pacheco cruciale sectoren bereiken. Wederom wachtte er een doorgang waar geen vertrouwelingen in de directe omgeving geposteerd stonden. Mocht de moordenaar daar toeslaan, dan moest Carmen Marrero het minimaal een handvol seconden in haar eentje opknappen. Voor Juan Pacheco lagen de zaken totaal anders. Hij stond op het punt een gedeelte van de wijk binnen te stappen die volledig door autochtonen werd bewoond. Racisme was hier een onderdeel van het dagelijkse leven en werd eerder als doodnormaal dan asociaal beschouwd.

De teams die eerder de routes tot in den treure hadden doorgenomen, markeerden de komende sectoren als 'dubieus'. Dat zij deze plekken überhaupt konden definiëren, was te danken aan Rubén Betancor. De voorzitter van de Raad was als eerste en enige doorgeslagen. Nadat Castro op verzoek van Silva secretaris Juanfran Doramas naar een stuk minder comfortabel vertrek had geëscorteerd, koos Betancor voor de eieren die zijn wisselgeld opbracht.

Tot verbazing van Silva was Javier Martel wel degelijk degene geweest die door hen was benaderd om de executies uit te voeren. 'Hen' was in dit geval Juanfran Doramas, had Betancor nadrukkelijk benadrukt. Hijzelf was de man van de ideeën. Doramas deed het veldwerk waar een crimineel luchtje aan hing. Dingen waar de bankdirecteur zich eigenlijk van distantieerde. In wezen had hij niet meer gedaan dan geld van de ene naar de andere rekening sluizen. Hij was een politieke gevangene, geen crimineel. Daar moest justitie goed van doordrongen zijn. Tijdens dit betoog pinkte hij menige traan weg.

Hoewel Silva zich doodergerde aan het laffe gedrag van Betancor, hield hij de grote lijnen in de gaten. Absolute hoofdzaak was de naam van de moordenaar die nog vrij rondliep. Al gauw kwam hij erachter dat Betancor hem die niet kon geven.

Doramas kende de criminele historie van Javier Martel. Dat was logisch, omdat hij het overgrote deel van zijn carrière bij de *guardia civil* in Madrid had gediend. Martel was in zijn ogen de ideale man. Te oud voor een comeback in de top van de onderwereld, maar helemaal in voor een laatste kunstje dat hem genoeg duiten opleverde om de wijk te nemen naar een ver oord en daar als een halfgod te leven.

Martel accepteerde het aanbod en deed waarvoor hij was ingehuurd. Tenminste, daar waren ze van uitgegaan. De moorden op de imams waren namelijk exact op die dagen gepleegd die Doramas had aangegeven.

Onbewust kneep Silva zijn ogen iets samen. Pacheco had het buitenlander-onvriendelijke gedeelte van de wijk bereikt. In zijn gedrag was niets te bespeuren wat maar enigszins op angst leek. Imam Ahmed Mahdi had hem verteld dat hijzelf tijdens dit gedeelte nimmer zijn pas inhield en probeerde geen spoortje van onzekerheid te tonen.

Terwijl Silva de schermen in de gaten hield, dacht hij terug aan het gesprek met de voorzitter van de Raad. Rubén Betancor had als een klein kind zitten janken en zijn volledige medewerking toegezegd. Hierdoor waren ze nu in Valencia beland. De derde en laatste moord, precies een maand nadat de imam in Granada was geëlimineerd. De gedachte erachter was simpel, maar o zo efficiënt. Ze waren ervan uitgegaan dat na de radiostilte van drie weken op het executiefront bij de politiek de stille hoop zou ontstaan dat de storm was gaan liggen. Een derde moordaanslag zou onder alle geledingen van de bevolking voor enorme commotie zorgen en Miquel Medina van nieuwe ammunitie en stemmers voorzien.

Naar aanleiding van Betancors spraakwaterval werd meteen actie ondernomen. In Valencia bleken er in totaal twaalf plekken te zijn waar moslims bijeenkwamen om te bidden en over hun geloof te praten. Drie ervan stonden daadwerkelijk als moskee te boek. De rest waren clubhuizen en zaaltjes die ook voor andere doeleinden werden gebruik. Na een schifting bleven twee imams over als potentieel doelwit. En één hiervan naderde op dat moment zes opgeschoten jongens.

'Hé, Marokkaan. Heb je weer als een debiel liggen gillen in de moskee?' De jongen grijnsde gemeen, terwijl zijn maten in een deuk lagen. Met zijn schreeuwend rode trainingspak, witte pet die hij achterstevoren droeg en zware gouden ketting, oogde hij als het prototype van het straatschoffie dat sowieso een hekel aan maatschappelijk aanvaard werk had. Aan zijn gebit was de laatste jaren weinig zorg besteed, hetgeen van zijn handen niet kon worden gezegd. Deze zaten vol met kleurrijke tatoeages en aan elke vinger droeg hij minstens één opzichtige ring. 'Dat gesluierde wijf van je gilde ook zo,' sarde hij verder, 'maar dat kwam door dat monster van me.'

Om zijn woorden kracht bij te zetten, greep hij met zijn rechterhand vol in zijn kruis en maakte een obscene beweging met zijn heupen.

Pacheco negeerde de groepshilariteit die overgoten was met een agressieve saus waarvan vreemdelingenhaat de grote smaakmaker was. Hij hield de pas erin en week uit voor de mondige jongen die provocerend zijn weg versperde.

'Zandnegers lopen altijd weg,' siste het bravouremannetje tegen de rug van de nep-imam. Pacheco keek echter niet op of om. Precies zoals Ahmed Mahdi hem had geïnstrueerd.

Opgehitst door het stoere gedrag van hun leider, maakte een lange slungel zich los van de groep. Hij was de puberteit nauwelijks ontgroeid, de talrijke rode pukkels in zijn gezicht gaven dit onomstotelijk aan. Ook hij droeg een trainingspak en was in het bezit van een indrukwekkend aantal tatoeages. De zwarte spin die vanuit zijn nek naar zijn kin leek te kruipen was het kopstuk van de grillige collectie. Door Pacheco de pas af te snijden, blokkeerde hij diens route. Met een vertroebelde blik in zijn ogen keek hij het Nueve-lid aan.

'Die bastaardzoon van je heeft mijn scooter gestolen, tyfus-Marokkaan,' sprak hij met een onverschrokken toon die contrasteerde met zijn leeftijd. 'Of jij geeft me honderd euro, of ik trap dat jong helemaal de tering in.'

Aangezien Pacheco geen instructies in zijn oor hoorde, hield hij zijn mond en stapte opzij om zijn weg te kunnen vervolgen. De jongen pakte hem echter bij zijn rechterschouder vast. 'Niks weglopen, klootzak.'

Pacheco had de discipline om zich te beheersen. In plaats van de jongen in een handomdraai uit te schakelen, bleef hij staan. Zolang hij geen andere instructies ontving, diende hij elke vorm van contact te vermijden. Dit scheen echter steeds meer tot een onmogelijkheid te behoren, aangezien uit alle poriën van de aso tegenover hem agressie stroomde.

Duidelijkheid kwam niet vanaf het commandocentrum, maar uit een onbekende hoek.

'Laat die man toch met rust, joh,' schreeuwde iemand vanaf de andere kant van de straat.

De man was een jaar of vijftig. Kwiek stak hij over en liep op hen af. 'Ik word kotsmisselijk van dat debiele gedrag van jullie,' sprak hij tegen niemand in het bijzonder. 'Mede daardoor gaat de maatschappij dus echt naar de klote.'

De leider in het rode trainingspak legde zijn hoofd in zijn nek en begon overdreven hard te lachen. 'Pleur toch een eind op, man,' zei hij nadat de heftigste uithalen van zijn gebrul waren verdwenen. Op zijn gezicht lag een ordinaire grijns.

Geheel tegen de verwachting van de omstanders in, was de man totaal niet onder de indruk van dit quasi-imposante gedrag en de dito woordkeus. Hij deed twee stappen vooruit, waardoor zijn gezicht maar enkele centimeters van de tronie van de bendeleider was verwijderd. 'Ik heb kleinkinderen die net zo oud zijn als jij, ettertje. Denk je nou werkelijk dat ik mij door jou en jouw vriendjes laat wegsturen? Dacht het niet.'

Na deze woorden keek de man provocerend om zich heen. Een hele tour, aangezien hij een verre van indrukwekkend voorkomen had. Zijn kracht kwam van binnenuit, fysiek had hij geen enkele kans tegen de jongeren.

Pacheco wist dit ook. Hij had enorme bewondering voor de man die voor hem in de bres was gesprongen. Hij vond het vreselijk dat hij de man aan zijn lot moest overlaten. Toch nam hij deze beslissing, aangezien hij in zijn oortje geen orders van een andere strekking ontving. Hij moest dus door. De opdracht ging helaas voor alles.

Terwijl de situatie op het punt van escaleren stond, maakte de nepimam zijn *move*. Hij stapte langs de slungel heen die zich nu concentreerde op de man die het waagde hen van repliek te dienen. Ondanks zijn stevige postuur bewoog Pacheco zich razendsnel. Voordat iemand eigenlijk in de gaten had wat er precies gebeurde, was hij al drie meter bij het bakkeleiende groepje vandaan.

'Hé, waar ga jij naartoe, Marokkaan,' sprak de leider zowel verbaasd als verontwaardigd. Hij zette zich schrap om achter de imam aan te gaan. De dappere burger week echter geen centimeter. 'Ik zei toch dat jullie die man met rust moesten laten?!'

Pacheco hoefde niet om te kijken om te concluderen dat zijn held de eerste klap ontving. En dat het schorem het hierbij zou laten, was onwaarschijnlijk. Het lid van Nueve klemde zijn kaken op elkaar om het maar niet van frustratie uit te hoeven schreeuwen.

Hij schaamde zich zo ontzettend diep.

Silva's blik was nu in tweeën verdeeld. Hij zag dat Carmen Marrero op het punt stond de steeg in te schieten, terwijl Juan Pacheco zich had losgemaakt uit de groep en recht op camera 21 af kwam lopen. Op de achtergrond sloegen en trapten zes jongeren een weerloze man in elkaar. De chef van Nueve knipperde een paar maal met zijn oogleden om de beelden die zich razendsnel op zijn netvlies vestigden te vertroebelen. Een onmogelijke opgave. De sterke impulsen overtroefden de standvastigheid die hij zijn brein oplegde.

Hij keerde terug naar die verschrikkelijke avond in Playa del Inglès. Vanuit een soortgelijke minibus als waarin hij zich nu bevond, leidde hij een operatie van Nueve. Ook toen was Castro zijn back-up. De arrestatie van een viertal vermeende terroristen in het winkelcentrum van de badplaats verliep zonder noemenswaardige problemen. Op het moment dat zijn eenheid het centrum wilde verlaten, ontstonden er relletjes bij de uitgang. Als verantwoordelijke voor zijn mannen en hun arrestanten had hij gekozen voor een andere uitgang. Op zich een verdedigbare beslissing.

In de seconden dat hij zijn overweging moest maken, zonden de camera's hem beelden van de rellen. Ondanks de chaos was duidelijk waar te nemen dat een woesteling een blonde vrouw zwaar mishandelde. Later op de avond vernam hij van de plaatselijke autoriteiten dat ze was overleden.

Soms dook ze in zijn nachtmerries op. Hoewel haar gezicht toen een wazige vlek voor hem was, kende hij inmiddels elke lijn ervan. Zijn schuldgevoel had haar uiterlijk beter beschreven dan welke portrettekenaar ooit zou kunnen doen. Op haar bleke wangen lagen rode blosjes, alsof ze net een stuk had gerend. Haar ogen waren groen. Er stond een vergiffenisvolle blik in te lezen. Rond haar mondhoeken speelde een weemoedige glimlach.

Hij had haar kunnen redden.

Ze had hem vergeven.

Hij had haar moeten redden.

Zij glimlachte enkel.

De flashback duurde enkele seconden. Een tijdsbestek waarin het verschil tussen leven en dood zich even gruwelijk als realistisch had aangekondigd. Het denkbeeldige waas was opgetrokken. Zijn wereld met al haar gecompliceerde facetten was ineens glashelder. Dit gold eveneens voor de motivatie achter zijn beslissing.

'Nummer 21, code oranje. Burger ontzetten.'

Met een nauwelijks hoorbare zucht gaf Castro aan dat hij volledig achter het besluit van zijn chef stond.

Nummer 21, Antonio Goncha, passeerde Juan Pacheco en liep in gestrekte pas op zijn doel af. De opdracht van zijn chef maakte geen emotie bij hem los. Hij was een oudgediende die voor hetere vuren had gestaan. Dit hield niet automatisch in dat onderschatting een kans kreeg. Op het moment dat de gevechtsmodule van kracht was, werd er van leden van Nueve verwacht dat zij zich in hun eigen wereld begaven. Hierin stond een bepaalde manier van kortzichtig denken centraal. De opdracht moest uitgevoerd worden. Om het optimale resultaat te bereiken, dienden zij zich gelijktijdig zowel in als boven de materie te plaatsen. Dit stadium van denken kon enkel door een loodzware opleiding en werkervaring bewerkstelligd worden.

Tijdens de korte wandeling schatte Goncha de situatie in en nam een beslissing. Toen hij de jongeren tot op twee meter was genaderd, stond het besluit vast. Enkel in het gevecht dat zou volgen konden zich onverwachte situaties voordoen. Zijn ervaring en reflexen waren dan ijzersterke wapens die het pleit snel in zijn voordeel zouden beslissen, wist hij. Daar bestond geen enkele twijfel over.

Met een geplaatste stoot op diens rechternier, velde hij zijn eerste opponent. De jongen stond met zijn rug naar hem toe en had geen flauw idee waar de mokerslag vandaan kwam. Met een diepe kreun zeeg hij ineen. Voordat zijn eerste slachtoffer de grond raakte, trof de zijkant van Goncha's linkerhand de rechterslaap van een bendelid dat schuin tegenover hem stond. Ook hij ging als een blok neer.

De lange slungel deed een stap zijwaarts en keek angstig naar de man die uit het niets leek te zijn opgedoken.

'Wat krijgen we...'

De rechtervoet van Goncha schoot omhoog en raakte het schoffie vol op zijn kin. Door de loepzuivere en krachtige trap sloeg diens hoofd naar achteren. Voordat zijn rug de stoeptegels raakte, was hij reeds buiten bewustzijn.

De drie bendeleden die nog met hun voeten op de grond stonden, deinsden achteruit. De man op wie zij daarnet vol overgave hun agressieve lusten botvierden, was ineens verworden tot een onbelangrijke figurant.

'Wegwezen,' gromde Antonio Goncha. De drie jongeren die reeds op het trottoir lagen, waren een noodzakelijk statement. Als de rest hieruit zijn conclusies trok en de kuierlatten nam, vond hij het prima. Zijn opdracht hield in dat hij de burger moest ontzetten. Pas in tweede instantie gold dat het aantal slachtoffers, indien mogelijk, beperkt diende te blijven.

'Niet weglopen, stelletje laffe klootzakken,' siste de leider met het rode trainingspak en een overdaad aan tatoeages tegen zijn twee volgelingen die op het punt stonden het strijdtoneel te verlaten. Hierna verdween zijn rechterhand in de rechterzak van zijn jack. Roestvrij staal glinsterde vervolgens vervaarlijk.

'Laatste kans,' meldde Goncha onverstoorbaar. Vanuit zijn linkerooghoek zag hij hoe de burger kreunend bij zijn positieven kwam. Dit was zowel goed als slecht nieuws. Het was prettig om te constateren dat de man hoogstwaarschijnlijk geen al te zwaar letsel had opgelopen. Daarentegen werd het nu dubbel opletten geblazen. De man zat natuurlijk barstensvol wraakgevoelens en kreeg wellicht door een blik op de gemolesteerde jongeren een extra scheut energie. Op de goedbedoelde hulp van een amateur zat hij nou niet bepaald te wachten. Snel handelen werd een must.

'Kom maar op, eikel,' sprak de bendeleider met vastberaden stem. Een tweede en derde blik op de man die drie van zijn kameraden had gevloerd, waren prima voor zijn moraal geweest. Hoewel hij in eerste instantie behoorlijk onder de indruk was geweest van de kerel die uit het niets kwam, nam dit ontzag met de seconde meer af. De aanvaller behoorde tot het leger der langdurig werklozen, dat straalde werkelijk van hem af. Alles aan hem was sjofel. Afgetrapte gympen, een vale spijkerbroek en een legerjack dat al jarenlang geen wasmachine vanbinnen had gezien. Zelfs het gezicht van de vreemdeling oogde afgetobd. Eén groot permanent litteken van deceptie. Hem bezorgd door ontelbare afwijzingen en tegenslagen in een leven dat het best als teleurstellend kon worden omschreven.

'Hij is van mij,' sprak een vadsige jongen die zojuist nog de benen wilde nemen. Ook hij had na een extra blik op hun belager vastgesteld dat het met diens vechtcapaciteiten wel meeviel. De man had hen plotseling in de rug aangevallen. Geen kunst, eigenlijk. De zaak lag anders nu ze hier recht tegenover elkaar stonden. Niemand kon twee keer achter elkaar zoveel mazzel hebben. Zeker die sloeber niet.

Zijn met een boksbeugel getooide rechterhand haalde uit naar Goncha's hoofd. De Nueve-man pareerde met zijn rechterarm, draaide aansluitend 180 graden en plaatste zijn linkerelleboog keihard op de linkerslaap van de randjongere. Als een blok ging hij neer.

De messteek kwam precies waar Goncha hem verwachtte. In plaats van te ontwijken, stapte hij met zijn rechterbeen in en pakte met zijn linkerhand de rechterarm van de bendeleider. Diens rechterbovenarm werd daarna omklemd door een krachtige spierbal wiens bestaan door het slobberjack geheel werd gecamoufleerd. De rechteronderarm hing er werkeloos bij. Goncha's linkerarm daalde en zijn linkerbovenbeen steeg gelijktijdig. Een misselijkmakend geluid van brekend bot weerklonk.

Het laatste bendelid ging er als een speer vandoor. Nonchalant liet Goncha het straatschoffie los dat het uitgilde van de pijn. Hij viel op de stoep en begon, voorzover mogelijk, nog harder te schreeuwen. 'Mijn arm, je hebt mijn arm gebroken, hufter!'

Op deze diagnose viel weinig af te dingen. Dwars door de huid stak namelijk een bebloed bot.

Goncha wendde zich tot het slachtoffer van de bende die een onzekere poging deed om op te staan. Hij stak zijn rechterhand uit die direct werd geaccepteerd.

'Waar heb jij in jezusnaam zo leren vechten?'

Goncha hielp hem overeind en haalde zijn schouders op. 'Op straat,' antwoordde hij en hij liep daarna weg.

Camera nummer 7 was bevestigd onder een epaulet. Deze maakte deel uit van het witleren jack dat Enrique Navarro droeg. Vanaf diens rechterschouder kreeg Silva een redelijk uitzicht op de steeg die Carmen Marrero nu binnenstapte. Navarro was twintig meter van haar vandaan, per seconde groeide deze afstand.

De metamorfose van Enrique Navarro was er een om door een ringetje te halen. Zijn doen en laten én uiterlijk riepen geen associaties op met het stoere Nueve-lid dat hij in werkelijkheid was. Hij droeg een blonde pruik met daarin een overdaad aan krullen. Zijn wenkbrauwen waren geëpileerd en zijn wimpers zagen er overdreven lang uit. Op zijn lippen was een glanslaag aangebracht. Omdat hij zich een zuinig mondje aanmat, werd hier nog eens extra de nadruk op gelegd. Aangezien Navarro min of meer op dezelfde plaats moest blijven staan, was er voor deze uitdossing gekozen. Extreem, maar toch aannemelijk. Vanaf een vooraf bepaalde stek kon hij stilstaand tippelen. Zijn werkplek lag recht tegenover de ingang van de steeg.

Met een wiebelende kont in een strakke, zwartleren broek stond Navarro voor een bepaalde laag van de bevolking mooi te zijn. Af en toe maakte hij op een vrouwelijke manier wat zijwaartse stapjes. Tijdens deze bewegingen zorgde hij er echter voor dat de steeg niet langer dan een fractie van een seconde buiten het zicht van zijn camera bleef.

Terwijl Navarro zogenaamd op een verveelde wijze die als sexy over diende te komen om zich heen keek, ging een automobilist vol in de remmen. Het portierraam aan de kant van de lege bijrijdersstoel ging automatisch naar beneden.

'Stap in, lekker stuk,' zei een midden-veertiger. Om beter zicht op zijn aanstaande seksspeeltje te krijgen, boog hij zich schuin naar rechts. Hij droeg een blauw kostuum met daaronder een zachtgeel overhemd. Met een verlekkerde blik keek hij Navarro aan. 'Over de prijs worden we het wel eens.'

Hierna klopte hij met zijn rechterhand gebiedend op de passagiersstoel. Enrique Navarro stapte naar voren en ging licht door zijn knieën, zodat hij op ooghoogte met de man kwam. Hoewel hij hem rechtstreeks aankeek, werd een uitloper van zijn blik getrokken door een houder die tussen de stoelen, net boven de cd-speler, was bevestigd. Hij zag een foto van twee breeduit lachende kleine kinderen en een jonge vrouw. DENK AAN ONS stond eronder in goudkleurige letters.

Navarro verweefde slechts enkele opborrelende woorden in de tekst die hij afgebeten uitsprak. 'Politie. Rustig wegrijden. Ga je maffe dingen doen, dan snij ik alsnog je ballen eraf, engerd.' Zonder op een antwoord te wachten, deed Navarro twee stappen terug. Naar de optrekkende auto maakte hij een koddig wegwerpgebaar dat de afgeketste deal moest symboliseren.

Silva vloekte in zichzelf. Uitgerekend op het moment dat Carmen Marrero de steeg inliep, stopte de een of andere geilaard in een uitgesproken burgerkoets. Gelukkig loste Navarro het snel op. In het tijdsbestek dat het Nueve-lid nodig had om de man weg te sturen, was er niets noemenswaardigs gebeurd, merkte hij tot zijn opluchting. Met haar schuifelloopje had Carmen inmiddels tien meter overbrugd. In totaal mat de steeg er veertig.

De doorgang kwam uit op een plein. Santiago Lopez San draaide daar op een skateboard zijn rondjes. Een oudere jongere die met zijn tijd meeging. In zijn vreemdsoortige hoedje zat camera nummer 8.

Het was rustig op het pleintje. Vier jochies van een jaar of tien voetbalden vol overgave, twee jonge moeders stonden met elkaar te keuvelen, een bejaarde man liet zijn hond uit. De beelden maakten pijnlijk duidelijk dat hij met de dood in zijn schoenen liep. In het verlengde van de steeg zat een geheel gesluierde vrouw op een bank. Waarschijnlijk wachtte zij op iemand. Verder stond in een hoekje van het plein een verliefd tienerstel te kussen. Zo te zien bevonden zij zich in hun eigen wereld.

Silva bekeek nu drie door afzonderlijke camera's gemaakte beelden. Die waar Carmen centraal stond, die van het plein en die welke het wel en wee van Pacheco weergaf, die gestaag doorstapte. Hij hoefde geen enkel teamlid te corrigeren. Iedereen deed precies wat er vooraf was afgesproken. Hij zag wat hij wilde en moest zien.

De camera van Santiago Lopez San draaide ineens naar rechts en bleef op het bankje rusten. Leeg. De vrouw met de burka was verdwenen. Aansluitend gleed de lens in de richting van de steeg. Binnen nu en enkele seconden zou de vrouw deze binnengaan.

'Sector 4, code oranje,' sprak Silva emotieloos. Een vreemd voorgevoel bekroop hem.

Carmen was in het midden van de steeg toen zij de nieuwe status vernam. Het waarom werd haar meteen duidelijk. Een van top tot teen gesluierde vrouw kwam haar tegemoet. Hoewel er geen enkel lichaamsdeel zichtbaar was, zag zij dat het hier ging om iemand met een stevig postuur. Of was sportief een betere omschrijving? In elk geval ging er geen fragiel vrouwtje onder de zwarte burka verscholen.

Ze naderde de Tempelridder. Hierover bestond bij haar geen enkele twijfel. Intuïtie was op sommige ogenblikken een ondoorgrondelijk iets. Dit was zo'n moment. Zonder concessie aan haar aangeleerde loopje te doen, spande ze haar spieren.

Toen de afstand tussen hen drie meter bedroeg, hield de Tempelridder in. De rechterhand van de moordenaar verdween in de burka, om er drie seconden later weer uit te komen. Het pistool met daarop een geluiddemper werd op Carmen gericht en direct afgevuurd.

Zij voelde hoe de inslag van de kogel alle lucht uit haar longen perste. De klap was als een mokerslag van een reus. Ze werd gelanceerd en sloeg twee meter naar achteren. Vlak voordat ze het bewustzijn verloor, zag ze door het gordijn van haar wimpers dat de Tempelridder zich over haar heen boog. Hoewel de moordenaar nog steeds de burka droeg, liet diens lichaamstaal een korte schrikreactie zien. Nadat Carmen dit had geconstateerd, verloor ze haar bewustzijn.

'Sector 4, code rood,' sprak Silva quasi-kalm. 'Nummer 6 en 9 directe assistentie, overigen stand-by.'

Terwijl hij zijn instructies gaf, volgde Silva uitsluitend de beelden die de camera's van Navarro en Lopez San hem schonken. Beide mannen waren de steeg al binnengerend. De Tempelridder zat klem. De enige twee uitgangen werden door Nueve-leden afgesloten. Doordat Navarro en Lopez San renden zonder daarbij de veiligheid uit het oog te verliezen, kwamen de beelden nogal schokkerig tot hem.

Hij zag hoe de Tempelridder zich over Carmen boog. Om de relikwie op haar borst te leggen, leek de meest voor de hand liggende conclusie. Hoewel het lastig voor hem was om tot in detail te zien wat er precies gebeurde, zou Silva zweren dat hij de moordenaar onder de zwarte burka zag schrikken. Als door een wesp gestoken keerde deze zich van Carmen af, draaide weg en liep naar de zijkant van de steeg. Twee seconden later was het aantal mensen in de kille doorgang gereduceerd tot drie.

Enrique Navarro knielde naast Carmen neer. De kogel zat nog vast in het kogelvrije vest waarvan het hoofdbestanddeel titanium was. Een van de vijf zakjes nepbloed die op het vest geplakt zaten, was opengesprongen. Hij voelde aan haar halsslagader en tikte zijn geliefde vervolgens een paar maal op haar wang. 'Carmen. Carmen, kom op. Wakker worden, Carmen.'
Door de inslag van de kogel was ze buiten bewustzijn, wist hij. Hoe goed de vesten ook waren, van de tik van een 9mm-kogel ging je gewoonweg gestrekt. Meer dan een gekneusd borstbeen en wat pijnlijke ribben zou ze er echter niet aan overhouden. Het kon nog zomaar enkele minuten duren voordat ze bijkwam. De tijd om hierop te wachten had hij niet.
Navarro knikte naar Lopez San die schuin tegenover de houten deur stond waardoor de Tempelridder was verdwenen. Na dit teken joeg het Nueve-lid twee kogels door het slot. Hij wachtte exact drie tellen, stapte opzij en leegde zijn magazijn in het hout. Vliegensvlug stapte hij terug, stak een nieuw magazijn in zijn dienstwapen en trapte met zijn linkerbeen de deur open. Met zijn pistool in de aanslag sloop Santiago Lopez San naar binnen.

Hij kende de exacte positie van de steeg ten opzichte van het busje, maar wilde deze door het navigatiesysteem bevestigd zien. Een gedetailleerde plattegrond verscheen. Silva knikte kort, hij wist genoeg. In elk geval voldoende om het sluimerende vermoeden in zijn hoofd een halt toe te roepen door het in stilte te bevestigen.
Uit hun gedegen voorbereiding was onder andere naar voren gekomen dat de steeg grensde aan de kleine tuintjes van drie huizen. Onderkomens waarin bejaarden de winter van hun leven doorbrachten. De onderzoeksteams hadden deze locaties bezocht en geconcludeerd dat er een risico aan verbonden was. Aangezien er ook voor Nueve grenzen bestonden met betrekking tot het aantal mensen dat kon worden ingezet, hadden ze een slimmigheidje bedacht. Op het moment dat de operatie van start ging, werden de oudjes opgebeld. Van tevoren waren ze reeds gesommeerd om op dit tijdstip thuis te blijven. Een goede fles wijn

en envelop met bescheiden inhoud deden wonderen. Van elk huis had een bewoner keurig het telefoontje om even voor drie beantwoord.

Silva's hersenen werkten nu op volle toeren. Omstreeks vijf over drie was de Tempelridder bij een van de drie huizen binnengedrongen en had korte metten met de bewoners gemaakt. Hij moest van het ergste uitgaan, wat inhield dat het echtpaar dood was. Na de snelle moordpartij had de Tempelridder de burka aangeschoten en had de sleutel meegenomen van de schuurdeur die aan de steeg grensde. Aansluitend volgde de act op het bankje vanwaar hij een prima uitzicht op de steeg had.

De chef van Nueve zag hoe Lopez San vooropging. Navarro liep twee meter achter hem, exact in het verlengde van zijn teammaat. Hiermee verkleinde hij het schootsveld van de Tempelridder. Om gezamenlijk de tuin in te lopen was een riskante zaak vanwege de weinige beschutting. Ze hadden echter geen keus. Als ze in dekking bleven, dan wandelde hun tegenstander fluitend de deur uit. Er moest stoom op de ketel blijven. Of hier uitvechten, of achter een vluchtende moordenaar aanrennen. Een van de twee zou het worden.

De Tempelridder kende hun werkwijze, dacht Silva. De ontsnapping was een vlucht in de breedte. De enige logische, omdat tijdens een operatie als deze enkel in de lengteas verdedigd kon worden. Doordat Nueve bijna altijd met teams of een variant hierop werkte, was het logisch dat de steeg zou worden afgesloten.

Hun tegenstander was een beroeps. Iemand die altijd zijn voorzorgsmaatregelen nam. Een werkwijze die voortkwam uit een degelijke opleiding, dat kon bijna niet anders.

Hoewel hij er voor zichzelf uit was, weigerden enkele zenuwen die zijn denkwijze bepaalden, mee te werken. Een gedeelte ontkende botweg. Het kon niet. Hij zag spoken.

Terwijl Lopez San en Navarro bijna de openstaande keukendeur bereikten, dwong Silva zichzelf het moment terug te halen dat de Tempelridder zich over Carmen boog. Door de klap was haar kap afgezakt. Hierdoor zag de moordenaar haar gezicht. De Tempelridder schrok zichtbaar. Er was sprake geweest van herkenning. Silva drukte op de knop. Hij was er helemaal uit. 'Nummer 7 en 8, tegenstander mikt laag.'

De bevestiging van zijn veronderstelling kwam veel te snel. De camera van Santiago Lopez San maakte een zijwaartse beweging die het ergst deed vermoeden. Ook vanuit camera 7 werden merkwaardige beelden verzonden.

'Nummer 8 in onderbeen getroffen,' meldde Navarro kalm.

Vanuit diens positie zag Silva dat Lopez San net boven zijn rechterknie was getroffen. Hij rolde nu in de richting van zijn buddy die tegen de buitenmuur van het huis dekking zocht. De Tempelridder had hen opgewacht en aansluitend de mobiliteit van de achtervolgers met een schot in het been gehalveerd. Op de plek waar geen kogelvrij vest zat. Silva stond op en zei: 'Tweede man neemt het commando over.'

Hierna wierp hij nog een snelle blik op de plattegrond, haalde een ontvanger uit zijn zak en plaatste deze in zijn rechteroor. Hij knikte tegen Castro ten teken dat hij het nu voor het zeggen had. Het antwoord op de vragende blik van zijn vervanger volgde toen hij het handvat van de schuifdeur vasthad. 'De Tempelridder is er een van ons, verdomme.'

Nummer 6, Felipe Nauzet, hielp Carmen ruw overeind. Beleefdheden waren nu niet aan de orde. Carmen kreunde. Haar wereld was een smederij waarin de enige smid haar lichaam als bruikbaar materiaal beschouwde. Zijn hamer kwam om de haverklap op haar borst neer. 'Gaat het?' vroeg Pedro Loremar terloops. Als nummer 9 had hij direct aan de oproep gehoor gegeven en zich naar de onheilsplek gespoed. Vrijwel gelijktijdig was hij hier met Felipe Nauzet gearriveerd. Zowel zijn blik als de loop van zijn 9mm-Sig Sauer was op de ingetrapte deur gericht. Hij knikte naar Nauzet die onmiddellijk tot actie overging.

Castro's stem die 'Nummer 6 en 9 komen schuur binnen' in haar ontvanger bromde, bracht Carmen weer enigszins terug in de werkelijke wereld. Ze haalde een paar maal diep adem. Gevoelsmatig was haar gehele ribbenkast een paar centimeter ingedeukt. Door haar longen te vullen ontstond er wat tegendruk. Deze redenatie was volslagen onzinnig, wist ze. Toch was er sprake van enige verlichting. Ze trok haar dienstwapen en hoopte dat ze haar lichaam de komende minuten voor de gek kon blijven houden.

Door het seintje van Castro wist Navarro zich gedekt door twee teamleden. Lopez San lag inmiddels naast hem. Uit de wond in diens scheenbeen stroomde wat bloed. Het was geen levensbedreigende situatie, maar verder lopen was uitgesloten. Nog eenmaal zou Navarro een beroep op zijn gewonde buddy doen, daarna zat deze opdracht erop voor Lopez San.

Navarro hield zijn gesloten linkerhand omhoog. Daarna wees hij naar de keukendeur, op drie meter links van hem. Aansluitend markeerde zijn linkerwijsvinger het raam vlak boven zijn hoofd. Hij sloot zijn hand, wachtte drie tellen om zijn maten de gelegenheid te geven positie te kiezen en liet zijn hand resoluut naar beneden zakken. Toen het geweld losbarstte, trok hij zijn hoofd tussen zijn schouders.

Terwijl de keuken een kogelregen uit het wapen van Nauzet te verwerken kreeg, versplinterde het huiskamerraam door de schoten van Loremar. Santiago Lopez San rolde verder naar links, richtte zich met een van pijn vertrokken gezicht op en leegde zijn wapen in het gedeelte van de woonkamer dat buiten schot was gebleven.

Navarro telde in gedachten tot zes. Het tijdsbestek waarin een lid van Nueve zijn magazijn verwisselde. Hierna richtte hij zich op en liep halfgebogen de keuken binnen.

Silva rende. Hij negeerde de pijn aan zijn been. De tol die hij hiervoor na afloop van deze operatie moest betalen, nam hij voor lief. De plattegrond van de wijk stond op zijn netvlies geëtst. De voorsprong die de Tempelridder had, kon met snelheid en logisch denken goedgemaakt worden. Logisch denken stond nu synoniem aan de werkwijze van Nueve. Dit hield in dat hij voor de verandering niet in het hoofd van een ander diende te kruipen, maar volgens eigen idee te werk moest gaan.

'Oppositie heeft zich van burka ontdaan,' hoorde hij Enrique Navarro in zijn ontvanger melden. Dit betekende dat het stadium van vermommingen verleden tijd was. Mocht hij zijn tegenstander tegen het lijf lopen, dan was de kans van wederzijdse herkenning dus behoorlijk groot. Het bleef natuurlijk speculeren, maar hij moest toch ergens van uitgaan.

Hij liep in vogelvlucht de route na die de Tempelridder nam. Die hijzelf zou kiezen. Vanuit de bejaardenwoning naar links. Dit was de enige optie, want aan de rechterkant lag het pleintje. Hierna de kruising oversteken. Ook dit leek onvermijdelijk, aangezien linksaf betekende dat de lengteas van Nueve overgestoken zou worden. Rechtsaf viel af, want de weg liep dertig meter verderop dood. Twintig meter na de kruising de volgende straat rechtsaf. Deze vijftig meter doorlopen en bij de verkeerslichten naar links. Het begin van de Avenida Hector Valdèz, een drukke straat waar veel mensen uit de buurt hun boodschappen deden.

Silva's lichaam wees hem erop dat de jaren gingen tellen. Naast zijn benen, begonnen nu eveneens zijn longen te protesteren tegen het tempo dat geschikter was voor atleten die er hun beroep van hadden gemaakt.

Zo zou ik het doen, dacht de chef van Nueve. Mezelf tussen het winkelende publiek mengen. In de mensenmassa opgaan. Na een minuut of vijf een taxi aanhouden en me naar het station laten brengen. Daar de trein nemen naar Madrid of Barcelona en onderduiken.

'Gelul,' hijgde hij.

De schrikreactie van de oudere dame die hij rakelings passeerde, ontging hem volkomen. Geestelijk liep hij de inderhaast uitgestippelde route op de automatische piloot. Door deze gemoedstoestand werd het mogelijk om eveneens zijn lijf van deze status te voorzien.

De mogelijkheden waren legio, wist hij. Er kon een vluchtauto klaarstaan. Of een motor. Ook kon zijn tegenstander voor een andere route kiezen. Een schuilplaats dicht in de buurt was eveneens een alternatief.

'Alle eenheden in sector twee, puntsgewijs optrekken naar Avenida Hector Valdèz,' hoorde hij Castro monotoon bevelen. 'Verdachte is mogelijk een bekende van ons.'

In volle vaart stak Silva een straat over en sloeg op het trottoir rechts af. Heel even speelde er een dunne glimlach rond zijn lippen. Castro had de lijn gevolgd die zijn chef plotseling uitstippelde. Hij liet zijn manschappen in sector twee naar de Avenida Hector Valdèz optrekken. De rest liet hij hun huidige positie aanhouden. Een goede zet, waarmee hij de lengteas in stand hield. Ook met de toevoeging dat de verdachte een mogelijke bekende van de teamleden was, nam hij pal achter zijn chef stelling. Vijftig meter scheidde hem van een grote kruising. Met de grootst mogelijke moeite ontweek hij het winkelpubliek. Eenmaal op de kruising hield hij terstond halt en keek naar links.

De drukte op de Avenida Hector Valdèz kwam als een menselijke golf op hem af. Hij haalde een paar maal diep adem en keek op zijn horloge. De cijfers kwamen overeen met zijn voorafgaand aan de holpartij gemaakte inschatting. Als hij de denkwijze van de Tempelridder had doorgrond, dan zou deze nu vanaf tegenovergestelde richting op hem afkomen. Met de ondoorgrondelijke, maar waakzame blik van een ervaren jager begon hij te wandelen.

Toen zijn ademhaling weer voor normaal kon doorgaan en de adrenalinekoorts was verminderd, begon hij zich te realiseren welke consequenties zijn handelwijze op zowel korte als lange termijn kon hebben. Een wisseling van het commando, leden die geconfronteerd werden met een compleet nieuwe situatie, de chef van Nueve die zonder kogelvrij vest en gespeend van rugdekking op zoek ging naar de Tempelridder.

Hij had er een rotzooitje van gemaakt. Zelfs als deze opdracht tot een goed einde werd gebracht, dan had hij het nodige uit te leggen.

'Ophouden met dat doemdenken,' beval Silva zichzelf op fluistertoon. Als hij de moordenaar te grazen nam, was er helemaal niets om uit te leggen. Pas wanneer bleek dat hij hier voor Jan Joker rondliep, zouden er vragen van hogerhand komen. Het stadium van alles of niets was nu aangebroken. Kleurschakeringen werden verdonkeremaand of verblind. Zwart of wit. Heel simpel eigenlijk.

De straat waarin hij liep was ouderwets gezellig te noemen. Bakker, kruidenier, kleine supermarkt, bloemenwinkel, slagerij. Terwijl zijn ogen heen en weer schoten, zag hij verder een bar, een drogist en een schoenenwinkel. De bestuurders op de tweebaansweg in het midden van de straat pasten hun snelheid keurig aan. Het leek voor de hand liggend dat hier wel eens een kind in zijn of haar enthousiasme plotseling de weg overstak. Met de snelheid die het verkeer hier aanhield, was remmen of uitwijken voor de bestuurder mogelijk.

Op het trottoir bepaalde iedereen zijn eigen richting. Hij stapte opzij als een oudere dame hem tegemoetkwam en hield in wanneer twee tiener-meiden langzamer gingen lopen omdat ze fervent in hun tasjes graaiden naar de piepende mobiele telefoon.

Twintig meter voor hem stapte een breedgeschouderde kerel opzichtig opzij. Een overdreven beleefde hoofdknik en dito glimlach volgden. De vrouw die hij op deze knullige manier het hof probeerde te maken, keek echter niet op of om. Ze droeg een modieuze regenjas die half was open-geslagen waardoor de okergele stof van een mantelpakje zichtbaar werd. Hoewel ze een zonnebril droeg, konden de donkere glazen niet verhul-len dat haar oogopslag er een was van een zelfbewuste en keiharde vrouw.

Voormalig lid van Nueve Dolores Baena liep recht op Alfonso Silva af. De tienermeiden voor hem hadden de grootst mogelijke lol vanwege een berichtje dat op het scherm van hun mobieltje verscheen. Degene die Silva nog enigszins uit het zicht van Dolores Baena hield, legde hevig giechelend haar hoofd op de linkerschouder van haar vriendin.

El jefe de Nueve en zijn voormalige medewerkster keken elkaar vanaf tien meter aan. Ondanks de zonnebril voelde Silva de intense haat in de blik van Dolores. Ze hield haar pas in. Silva deed hetzelfde. De overige voet-gangers liepen in hun eigen tempo langs hen heen. Als twee roofdieren die het pleit hier en nu wilden beslechten, zocht de ene predator naar de zwakke plekken van de andere.

Silva verroerde zich niet. Hij droeg geen camera, maar kon wel commu-niceren met Castro. Zijn lippen hield hij echter stevig op elkaar. Als hij nu iets zou zeggen, zou Dolores hier ongetwijfeld uit afleiden dat er hulptroepen werden opgeroepen. In dat geval dwong hij haar tot een onverhoedse actie. Hier op het volle trottoir moest dit wel tot onnodig bloedvergieten leiden.

Voorzover je over ideaal kon spreken, kwam deze patstelling er het dichtst bij in de buurt, wist Silva. Vanachter zijn rug konden elk moment mensen van Nueve opduiken. Op dit moment zocht Dolores naar een uitweg. Aangezien hij altijd het commando tijdens een actie droeg, kon ze uit de situatie afleiden dat hij alleen tegenover haar stond. Hiervan uitgaande, dacht ze een kans te hebben om te ontsnappen. Als er meer teamleden ten tonele verschenen, dan zou het normaal gesproken tot haar doordringen dat het spel definitief over was.

Normaal gespr…

Dolores' linkerhand greep de haardos van een passerende vrouw. Ze trok de hevig geschrokken dame tegen zich aan, zodat deze een menselijk schild vormde.

'Bek houden of ik maak je af,' siste ze in het rechteroor van de volledig overdonderde gijzelaar. Haar rechterhand was in haar rechterjaszak verdwenen en iets wat verdacht veel op de loop van een pistool leek, drukte tegen de rechternier van de vrouw.

Gegrepen door angst liet deze haar boodschappentas vallen. Een fles cola spatte uiteen in duizenden stukjes, sinaasappels rolden als grote knikkers langs vluchtende voeten. Drie kleine stokbroden en een pakje boter staken voor de helft uit de smoezelige tas die op het trottoir lag.

'Dolores Baena,' sprak Silva zo zacht dat enkel Castro hem kon horen. Hij ging ervan uit dat Dolores zijn lippen had zien bewegen. Dit maakte haar nog alerter dan ze al was. Een detail waar hij echter niet zo zwaar aan woog. Het ging nu om de gijzelaar en burgers die het voormalige Nueve-lid er eventueel nog in ging betrekken. Hij had dringend hulp nodig. Alleen zou hij deze klus hoogstwaarschijnlijk niet tot een goed eind kunnen brengen.

Voetje voor voetje liep Dolores achteruit. De gijzelaar week niet van haar zijde. Vanachter de zonnebril was haar blik op Alfonso Silva gefocust. Zij kende de reputatie van haar voormalige chef en wist daarom dat elk moment van verslapping fataal voor haar kon zijn.

'Nummer 1, zoek contact met de chef,' hoorde Silva zijn plaatsvervanger zeggen. Waarschijnlijk vanwege de penibele situatie waarin hij zich bevond, drong de genialiteit van deze zet pas een drietal hartslagen later tot hem door. Briljant, maar risicovol. Ook Castro speelde alles of niets. Dolores Baena onderbrak haar achterwaartse sluipgang. De plotselinge verschijning van Carmen Marrero was hiervoor verantwoordelijk. Ze had zich door de ring van het ontzette publiek gewurmd en was naast Silva komen staan. De kap van haar gewaad hing in haar nek, zodat Dolores zicht had op haar donkerbruin geschminkte gezicht.

'Ah, de hoer van Nueve kan niet zonder haar pooier.'

Aansluitend maakte ze een driftige beweging met haar hoofd naar rechts. De zonnebril vloog van haar hoofd en kwam twee meter verder terecht. Haar lippen waren dunne strepen waar al het bloed uit was getrokken. In haar ogen lag een blik die woede, minachting en krankzinnigheid prijsgaf. 'Je hebt het alleen maar gehaald omdat je met je benen wijd bent gegaan, trut,' beet ze Carmen toe. 'Ik was en ben de beste. Iedereen, inclusief die klootzak naast je, weet dat.'

Het was moeilijk in te schatten hoe lang de overigen nodig zouden hebben om de juiste positie in te nemen, dacht Silva. Het was nu aan Carmen en hemzelf om Dolores aan de praat te houden. Een levensgevaarlijke bezigheid, aangezien het ex-lid van Nueve op een bepaalde manier ontoerekeningsvatbaar was.

'Bij vrij schootsveld onmiddellijk vuren,' luidde de opdracht van Castro. Dit was geenszins conform de regels, dacht Silva. De leidinggevende diende specifiek aan te duiden voor welk nummer of nummers deze code-roodopdracht gold. Door deze onzorgvuldige formulering had ieder lid dat aan deze operatie meedeed de opdracht gekregen om direct te vuren.

Je bent rijp voor het gesticht, Silva.

Hij knipperde een paar maal met zijn ogen en bereidde in allerijl een volzin voor waarmee hij tijd kon rekken. Dolores Baena gunde hem die tijd niet. Ze haalde het pistool uit haar zak en richtte de zwarte geluiddemper op Carmen.

'Ik heb nooit iets met de chef gehad, Dolores. Dat zweer ik je.'

De vrouw die ooit voor het grote talent van Nueve doorging, legde haar hoofd in haar nek zonder daarbij de twee mensen voor haar uit het oog te verliezen. De lach van een waanzinnige klonk in de stilte die er heerste onevenredig hard. Op een veilige afstand keken de omstanders vol ontzetting zwijgend toe.

'Je liegt, slet. Met jouw dood doe ik de mensheid een plezier.'

Silva zag dat Dolores haar linkeroog dichtkneep, terwijl haar rechterwijsvinger zich langzaam om de trekker kromde. Hij aarzelde geen seconde, gaf Carmen een duw en liet zichzelf vallen. Een schot weerklonk. De pijn bleef uit. Zijn blik flitste van de eveneens ongedeerde Carmen naar de plek waar Dolores zojuist stond.

Tien meter daarachter maakte Enrique Navarro zich los uit de rij van toeschouwers. Met een loop waaruit vooral zelfverzekerdheid sprak, overbrugde hij de afstand naar de gegijzelde vrouw die op haar knieën zat te huilen. Hij knielde naast haar neer en sloeg een arm om haar heen.

'Het is voorbij,' fluisterde hij. 'We brengen je straks naar huis. Heus, het is voorbij.'

Hij drukte een voorzichtige kus op haar voorhoofd en richtte zich weer op. Hierna keek hij naar zijn geliefde en zijn chef die naar hem toe kwamen lopen. Het ontzielde lichaam van Dolores Baena keurde hij geen blik waardig.

Het gat dat hij in haar achterhoofd had geschoten, was wat hem betrof zijn beste daad ooit.

32

Roberto Grimon zat half onderuitgezakt in de stoel waarop Silva zijn sporadische gasten ontving. Hij oogde uiterst ontspannen. Een vreemde gewaarwording voor de rasneuroot die in hem huisde. Ook Silva vond de gedaantewisseling opmerkelijk. Tegen het griezelige aan. Het gedrag van de intermediair impliceerde aan welke enorme spanning hij de afgelopen weken had blootgestaan. Nu de druk van de ketel was, leek het wel alsof de stress letterlijk uit diens poriën wegvloeide.

Een belachelijk hoog percentage hartaanvallen en hersenbloedingen vond plaats op momenten van ontspanning, dacht Silva. Tijdens een vakantie of in bed. Als de geestelijke druk van het moeten presteren voor even tweede viool speelde. Aansluitend vroeg hij zich af waarom dit soort ridicule hersenspinsels toch altijd op de meest idiote en ongelegen momenten door zijn hoofd speelde.

Na je veertigste ga je de doden tellen.

Een typische uitdrukking van zijn moeder die ineens in zijn gedachten opdook. Dit slaat nergens op, dacht hij. Ik werk te hard, of dit zijn de eerste tekenen van geestelijke aftakeling. Laten we het maar op het eerste houden. Dat is toch het meest waarschijnlijke.

Grimon glimlachte als een quizmaster die eindelijk de hoofdprijs aan een kandidaat kon uitreiken.

'Je hebt het helemaal voor elkaar, Alfonso. Je aanbevelingen zijn door hogerhand overgenomen.'

Hij keek Silva aan met een blik waaruit voldoening sprak. Ter verduidelijking wees hij met zijn rechterwijsvinger naar boven om aan te geven dat de beslissingen op ministerieel niveau waren genomen. Een onzinnige en overbodige beweging die Silva door middel van een simpele hoofdknik met de mantel der liefde bedekte. Grimon had een lastige tijd achter de rug en was in de basis een prima vent.

'Na een gesprek met enkele hooggeplaatste ambtenaren van Binnenlandse Zaken, was een psychiatrische inrichting even buiten Valencia bereid een dossier van Dolores Baena in de archiefkasten op te nemen. Hierin wordt beschreven dat zij na het plotselinge onderbreken van een door haar gekozen opleiding bij Binnenlandse Zaken in een geestelijk isolement was geraakt. Medische mooipraterij waar wij beiden geen zak van begrijpen, staaft dit. In mensentaal komt het erop neer dat mevrouw Baena sedert enkele maanden als stapelmesjokke te boek stond. Op haar uitdrukkelijke verzoek werd zij drie weken vrijwillig in de inrichting opgenomen.'

Als een ervaren sprookjesverteller die zijn gehoor wil blijven boeien, nam Grimon een paar tellen rust. 'Naast suïcidaal, was zij bijzonder agressief tegenover haar medepatiënten en verplegend personeel. Hierdoor kwam het regelmatig voor dat zij in isolatie werd geplaatst. In een onbewaakt ogenblik is zij uit de inrichting ontsnapt, hetgeen haar aanwezigheid in het nabijgelegen Valencia verklaart.'

Iets wat op een voorzichtige glimlach leek, speelde rond Silva's mondhoeken. Met deze constructie kon hij prima leven. In grote lijnen liep de oplossing parallel met zijn voorstel. Hij wilde daarentegen niet al te uitbundig reageren, aangezien hij tegenover een ervaren diplomatieke rot zat. Die kwam pas op het allerlaatste moment met het slechte nieuws op de proppen. Na alle positieve zaken, leek de nare mededeling hierdoor stukken minder vervelend dan deze in werkelijkheid was.

'Geheel volgens jouw plan wordt inspecteur Isidro Alarcón de nieuwe volksheld die de Tempelridder het vuur aan de schenen heeft gelegd. Door zijn formidabele speurwerk voelde de krankzinnige moordenaar Javier Martel zich steeds meer in de hoek gedreven. Dit leidde uiteindelijk tot zelfmoord van de Tempelridder. Had hij deze verachtelijke daad enkele uren uitgesteld, dan was Alarcón ter plaatse geweest om hem te arresteren.'

Grimon trok ineens een overserieus gezicht. 'Zó dicht zat de Madrileense superspeurder hem dus op de hielen. Justitie heeft overigens bewust gewacht met het naar buiten brengen van dit nieuws. Gezien de importantie die deze zaak met zich meedroeg, wilde men absolute zekerheid hebben.'

Silva's beginnende glimlach kreeg een ontspannen karakter. Ook in dit geval waren zijn aanbevelingen overgenomen. Een honderdprocentscore. Niet onaardig.

'Promotie?' vroeg hij voorzichtig.

Grimon knikte. 'Plus een opwaardering van zijn salaris. Die Alarcón lacht zijn billen stuk. Tot aan zijn pensioen zit hij gebeiteld.'

Met een sluw oog keek hij naar de chef van Nueve. 'Onze nieuwbakken held is jou de komende tweehonderd jaar wel een paar tips schuldig, nietwaar?'

'Het is eerder andersom,' antwoordde Silva met een stalen gezicht.

De intermediair zuchtte op indrukwekkende wijze. Zijn opgeruimde houding bleef echter ongewijzigd, waarmee hij aangaf niet zo zwaar te tillen aan het weinig gedetailleerde antwoord. 'Oké, geheimzinnige inlichtingenman. Onderwerp gesloten.'

'Goed plan.'

Silva sloeg met de palm van zijn rechterhand op het bureaublad. Hiermee gaf hij aan dat het gesprek wat hem betrof ten einde liep. De kans bestond dat Grimon inderdaad zou opstaan. In dat geval zou het een paar dagen langer duren eer hij zijn nieuwsgierigheid kon bevredigen. 'Heel goedkoop, Alfonso. Hiermee beledig je mijn intelligentie.'

Silva grijnsde. 'Sorry, kerel. Ik probeerde het diplomatiek te spelen. Die manier van communiceren is blijkbaar niet voor mij weggelegd. Te doorzichtig.'

Nu was het Grimons beurt om een scheve glimlach te tonen. 'Blijf jij nou maar jezelf en laat de poppenkast aan mij over, oké?'

Silva keek hem aan met een blik waarin beschaamdheid overvleugeld werd door een fikse dosis humor. Hun onderlinge gedrag dat tegen meligheid aanhing, had alles te maken met de positie waarin ze verkeerden. *Oficina numero Nueve* had de opdracht volbracht. Weliswaar met kunst- en vliegwerk, maar dat telde niet. In hun wereld draaide het puur om resultaat. De spaanders die onderweg vielen, veegde je later wel op. Risico van het vak. Voornamelijk waar het de spaanders betrof.

'Justitie heeft een deal met Rubén Betancor en Juanfran Doramas gesloten. Met het oog op hun familie, zijn ze officieel als vermist opgegeven. Ze handelden op eigen houtje, wat inhield dat er geen enkele noodzaak bestond hun naasten door middel van vette krantenkoppen geheel door het slijk te halen.'

'Prima zet.'

'Lijkt mij ook. Via niet verder te noemen kanalen vernam ik dat vooral Betancor hier erg op gebrand was. Hij wilde aan alle kanten meewerken, mits de goede naam van zijn familie in stand bleef.'

Silva maakte een wegwerpgebaar. 'Allemaal geneuzel. Meneer de voorzitter maakt zich enkel druk om zijn eigen hachje. Zijn familie buiten schot laten is daar een onderdeel van. Het gaat hem enkel om zijn eigen naam, die onlosmakelijk met die van zijn bloedverwanten verbonden is. Je kunt er donder op zeggen dat hij de komende maanden niets anders doet dan zijn eigen rol afzwakken. Hij werd gestuurd en onder druk gezet door anderen, dat werk. Ik walg van dit soort types.'

Grimon keek hem verwonderd aan. 'Wat krijgen we nou? De ondoorgrondelijke Alfonso Silva die emotioneel wordt?'

Silva deed de opmerking met een kort schouderophalen af. 'Hoe zit het met die eikel van een Doramas? Heeft hij zichzelf al verhangen?'

'Zijn ondervragers zijn er inderdaad min of meer van overtuigd dat hij binnen afzienbare tijd de stekker eruit trekt. Alles wat zijn cel binnenkomt, wordt dubbel gecheckt.'

'Laat toch gaan. Die ouwe sterft op zijn manier toch wel in het harnas. Niemand wordt nog wijzer van hem. Hij geloofde in die Medina, klaar. Nu het op een fiasco is uitgedraaid, aanvaardt hij gewoon de consequenties.'

'Ik wil niet de moraalridder uithangen, maar dat is niet aan ons. Justitie probeert alles uit die twee te persen. Hun prioriteit ligt bij het in kaart brengen van obscure clubjes die er dezelfde denkbeelden op na houden als het genootschap waar Betancor en Doramas de scepter zwaaiden.'

'Je hebt volkomen gelijk, ander onderwerp.'

Grimon wreef met de vingers van zijn rechterhand over zijn oogleden. Zelfs bij overactieve mensen als hij raakte de benzinetank een keer leeg. Hij snoof aansluitend luidruchtig en sprak zijn reserve aan. 'Nadat jullie Miquel Medina aan justitie hadden overgedragen, is hij dagenlang verhoord. Hoewel hij in directe zin niets met criminele activiteiten te maken had, bleef zijn optreden dubieus. Je begrijpt wel wat ik bedoel.'

'Helemaal. Als er op de rekening van een vrij onbekende partij miljoenen euro's binnenstromen, moet er ergens wel een lichtje gaan branden, lijkt mij. De vermoorde onschuld spelen is in zo'n geval ook een misdaad.'

'Dat is exact wat hem tot vervelens toe is voorgehouden.'

Grimon tikte met de nagels van zijn linkerhand geërgerd op het bureaublad. Het was overduidelijk dat ook hij de politicus niet bepaald hoog had zitten. 'Afijn, uiteindelijk is er in samenspraak met de officier van justitie toch een compromis uit gerold. Medina wordt ontslagen van rechtsvervolging.'

Alfonso Silva keek de intermediair aan met een blik die weinig goeds voorspelde. Deze hief zijn hand op om eventueel protest in de kiem te smoren. 'Hieraan zijn wel enkele voorwaarden verbonden,' ging hij snel verder. 'Medina dient zich uit de politiek terug te trekken. Door zijn opstappen verliest TU zijn enige gezicht en de partij zal binnen de kortste keren uit de politieke arena verdwijnen. Hun voormalige voorman en diens familie emigreren met stille trom naar Venezuela waar een neef van hem een advocatenpraktijk runt. De komende twintig jaar is Miquel Medina persona non grata in Spanje.'

'Verbanning?'

'Zo zou je het kunnen samenvatten, ja.'

Nu was het Grimons beurt om quasi-gejaagd op de tafel te slaan waarmee hij zogenaamd zijn vertrek aankondigde. Om zijn mondhoeken glorieerde de trots van een ambtenaar die zichzelf bijzonder grappig vindt, terwijl hij dit, een uitzondering daargelaten, nooit is.

Silva gunde hem deze Pyrrusoverwinning. Hij grijnsde en hief beide handen als gespeelde overgave. 'Mijn verdiende loon, Roberto. Nu staan we weer gelijk en kun je in alle rust verder vertellen. Over die politicus van de *Partido Popular* bijvoorbeeld. Ik neem aan dat jij op zijn kantoor een paar kratten wijn op kosten van de zaak hebt laten bezorgen?'

Terwijl de lichtjes in zijn ogen nog na-twinkelden, knikte Grimon. 'Ik heb inderdaad namens Binnenlandse Zaken een paar goede flessen wijn naar de werkkamer van Pablo Elche laten sturen. Zijn tip bleek er tenslotte eentje uit de buitencategorie, als ik het zo mag formuleren.'

'Absoluut. Toen wij eenmaal in die transacties gingen spitten, kwam er genoeg vuiligheid aan het licht. Zijn tip heeft alles in een stroomversnelling gebracht.'

'Dat brengt ons bij Ehedey Del Pino en Romén Sanchez,' zei Grimon zonder enige inleiding. 'In beide gevallen heeft het Openbaar Ministerie zwaar moeten wikken en wegen. Bij Del Pino was het voornamelijk het sociale plaatje dat de doorslag gaf.'

'Bespaar me dit geleuter, Roberto. Het zal me echt een zorg zijn dat hij vroeger door zijn vriendjes werd gepest vanwege zijn overspelige moeder met een drankprobleem of gestoorde vader die de godganse dag in vrouwenkleding rondliep.'

'Het ging om de sociale onrust in Las Palmas.' Grimon negeerde het cynisme van *el jefe de Nueve* volledig. 'Met veel duwen en trekken heeft de politie de zaak in Las Palmas weer redelijk op de rails gekregen. In de achterstandswijken hangt daarentegen nog steeds een grimmig sfeertje. Elk onbenullig, sociaal getint incident kan direct voor nieuwe onlusten zorgen. Mede in dat kader is besloten van de zaak-Del Pino geen heet hangijzer te maken.'

Grimon haalde licht zijn schouders op. Blijkbaar vond hij dit gedeelte niet echt een *issue*. 'Del Pino heeft fout gehandeld, dat is helder. Daarentegen werd hij overduidelijk voor het karretje gespannen. Na veel getouwtrek besloot men niet tot vervolging over te gaan. Ik zal je de precieze argumentatie besparen. In het kort komt het erop neer dat de gerechtelijke macht heeft gekozen voor de veiligheid van velen in plaats van de terechte vervolging van het individu met alle gevolgen van dien.'

Silva wilde hem interrumperen, maar realiseerde zich op tijd dat het zeggen van de juiste dingen op de daarvoor geschikte momenten niet bepaald tot zijn specialiteiten behoorde. Tevens was het onzin om hierover met Grimon in discussie te gaan. De intermediair vertelde slechts hetgeen hem ter ore was gekomen.

'Via een sluiproute die hier in Madrid begon, is er door Culturele Zaken in Las Palmas een bedrag beschikbaar gesteld. Als meest getalenteerde entertainer van de Canarische eilanden gaat Ehedey Del Pino de komende maanden op tournee. Hij begint in Tenerife, waarna het vasteland volgt. Als het je wat lijkt, ik kan nog aan kaartjes komen voor zijn optreden hier in Madrid.'

Verbaasd schudde Silva met zijn hoofd. 'Dat noem ik nog eens marchanderen.'

'Valt wel mee, Alfonso. Laten we nou eerlijk zijn, dat jong heeft zich laten opjutten door die slimme vos van een Sanchez. Toen hij via jouw mensen vernam hoe de vork exact in de steel zat, werkte hij direct mee. Mede door hem ging Medina publiekelijk voor schut.'

Omdat Silva niet reageerde, rondde Grimon het onderwerp af. 'Er zijn met Del Pino duidelijke afspraken gemaakt over de voorwaarden achter de subsidie. Hij krijgt alle artistieke vrijheid, enkel op het gebied van radicale politieke denkbeelden moet hij dimmen. Een lichte censuur waar Del Pino prima mee kan leven. Sterker nog, hij is dankbaar voor deze nieuwe kans. Iedereen happy, dus.'

'Behalve de doden en zwaargewonden die in Las Palmas vielen vanwege zijn opruiende taal,' bromde Silva.

Hij uitte zijn ongenoegen door de knokkels van zijn linkerhand hard op het bureaublad te laten terechtkomen. Hierna haalde hij diep adem. De lucht die hij uitblies was gevuld met ergernis en onbegrip. Toen hij opnieuw ademhaalde, was de angel eruit. In de loop der jaren had hij leren accepteren dat de politiek er regelmatig een andere zienswijze dan hij op na hield. Ehedey Del Pino had gemazzeld. Sommige belangen wegen nu eenmaal zwaarder dan zoiets eenvoudigs als rechtsgevoel. Zet hem op, Del Pino. Maak ergens onderweg je fout maar goed. Heb je wat om voor te leven.

Terwijl Silva langzamerhand vrede kreeg met het idee dat Ehedey Del Pino de gerechtelijke dans was ontsprongen, keek hij Roberto Grimon doordringend aan. Een naargeestig gevoel bekroop hem.

Het vervelende nieuws moest nog komen, wist hij ineens zeker. Del Pino diende als opmaat hiervoor.

'Je gaat me toch niet vertellen dat ze Sanchez ook laten gaan?' vroeg hij ijzig kalm.

Grimon knikte enkel. Uit zijn houding sprak een merkwaardige mix van verontwaardiging en begrip. Een principiële pacifist die op het punt stond de moordenaar van zijn eigen kind te executeren. 'Sanchez schijnt over uniek materiaal te beschikken,' zuchtte hij. 'Die rat zit al decennialang in deze business. Als hij gaat zingen, flikkert het halve Canarische parlement omver. Corruptie, drugsgebruik, overspel, de hele duvelse bende.'

Silva's woede ebde weg. Zijn interesse was gewekt. 'Hebben we het hier alleen over de Canarische eilanden?'

Grimon glimlachte sluw. 'Wie is hier nu de hypocriet?'

Silva deed of hij de opmerking niet hoorde en keek hem nadrukkelijk aan.

'De berichten bereiken mij met horten en stoten, Alfonso. De onderhandelingen lopen nog. Van verhoor is geen sprake meer. Daarvoor ligt de informatie te gevoelig. Wat ik eruit kan opmaken is dat het zich over heel Spanje uitstrekt. Ze hebben de jackpot te pakken.'

Silva gromde binnensmonds. Op momenten zoals deze vervloekte hij de taakomschrijving van Nueve. Zij waren het operationele onderdeel van de veiligheidsdienst. Opsporen, uitschakelen en overdragen. Als het veldwerk erop zat, namen verhoorexperts van justitie of CESID het over. Alleen in geval van directe noodzaak in een lopende zaak, handelden leden van Nueve het zelf af. In Las Palmas manipuleerden Carmen en haar team Del Pino. Hiermee bereikten ze dat het doel, Miquel Medina, publiekelijk werd geëlimineerd. Romén Sanchez was tijdens deze operatie hooguit een edelfigurant die na afloop aan justitie werd overgedragen. Hoe cru.

'Een vogeltje fluisterde in mijn oor dat Sanchez hoogstwaarschijnlijk doorgaat met datgene waar hij al zijn halve leven mee bezig is. Het grote verschil met vroeger is echter dat hij het nu in dienst van justitie doet.'

'Komen zijn ontboezemingen nog in boekvorm uit? Mijn kast is akelig leeg, zie ik ineens.'

Grimon lachte zonder voorbehoud. 'Ik regel wel wat. Wie betaalt, bepaalt, nietwaar?'

Hij stond op en liep in de richting van de deur. Hij zei niets. Een vast ritueel dat met een groet eindigde op het moment dat hij de deurkruk daadwerkelijk in zijn hand hield. Zover kwam het nu nog niet. Eenmaal in het midden van de kamer tikte hij met de palm van zijn rechterhand tegen zijn voorhoofd.

Het toetje, dacht Silva. Bitter als gal, waarschijnlijk.

'Dat zou ik bijna vergeten.' De intermediair draaide zich om en keek Sil-

va weer aan. 'Morgenavond maakt de minister-president tijdens zijn we-
kelijkse persconferentie bekend dat de regering twintig miljoen euro uit-
trekt voor het integratieproces van zowel allochtonen als autochtonen.
Onder de noemer 'Leer met en van elkaar' worden er in het hele land
extra projectgroepen opgezet met het doel mensen van allerhande bevolkingsgroepen te laten participiëren en discussiëren. Dit alles op basis van
gelijkwaardigheid. Er moet een groeiproces op gang komen waarin verdraagzaamheid en begrip als basis fungeren.'
'Zo te horen ben je al aardig gehersenspoeld. Nooit aan een baantje als
persvoorlichter bij het ministerie van Sociale Zaken gedacht?'
Grimon kon hier de humor wel van inzien. Hij glimlachte een handvol
seconden en begon aan zijn slotakkoord. 'Tevens zal de minister-president melden dat de naaste familieleden van de vermoorde imams behalve steunbetuigingen ook een financiële vergoeding zullen ontvangen
namens de regering. Dit om hun onnoemelijke leed enigszins te ver-
zachten.'
'De tranen staan me in de ogen, Roberto. Ik vraag me echter af of ze ook
zo barmhartig zijn tegenover de familie van die jongen in de Dordogne
die door Dolores Baena naar de andere wereld is geholpen.'
'Daarvoor komt, in stilte weliswaar, een soortgelijke regeling. De Fransen zijn dolgelukkig met de kostbaarheden die we hun hebben terugbe-
zorgd. De vergoeding voor de getroffen familie is een fractie van de
waarde die de schat vertegenwoordigt.'
Hierna draaide hij zich om, liep naar de deur en nam de deurkruk in zijn
hand. 'Ik spreek je weer, Alfonso. Voor vandaag hou ik het voor gezien.
Met een beetje geluk laat mijn vrouw me het huis in. Het kan natuurlijk
ook zomaar zijn dat er een andere kerel in mijn nest ligt. Ben de laatste
weken nauwelijks thuis geweest.'
'Zet 'm op, kerel,' sprak Silva op lacherige toon. Toen de vadsige man
definitief uit zijn kantoor was verdwenen, begon hij aan zijn eigen
vrouw te denken. Eerst voorzichtig, daarna intens.

'Hallo, Carmen. Neem plaats.'
Carmen Marrero oogde ontspannen, maar was dit verre van. Op kantoor komen bij *el jefe* bleef een apart uitstapje. Het beste wat er uit kon
voortkomen, was een berisping, het slechtste niets minder dan ontslag
op staande voet, was het algehele oordeel onder de leden van Nueve. Alfonso Silva nodigde nooit iemand uit voor een gezellig praatje. Dat zij
na haar eerste bezoek zijn werkkamer met een opdracht verliet, was de
beroemde uitzondering.

Hoeveel geluk kon een mens hebben?

'Carmen, ik ben bijzonder ingenomen met de door jou geleide operatie in Las Palmas. Een uitstekend stuk denkwerk. Elke vorm van geweld die we kunnen vermijden is winst. Je hebt dit tijdens deze operatie letterlijk gereduceerd tot nul.'

Carmen voelde tachtig procent van de zorgen die ze zich vooraf had gemaakt van haar schouders afglijden. De overige twintig drukten nog licht op haar nekwervels. Wanneer ze het gesprek zonder kleerscheuren doorkwam, zouden deze kwelduivels alsnog verdwijnen.

'Dankuwel. Het was overigens teamwork.'

'Dat is mooi gezegd. Vooral na afloop van een opdracht die succesvol is verlopen. Iedereen in de winst laten meedelen.'

Hij zag dat de jonge vrouw tegenover hem haar uiterste best deed de opkomende verbazing te camoufleren.

'In het geval van een verprutste of gedeeltelijk mislukte operatie krijgt de verantwoordelijke altijd de zwartepiet toegeschoven, Carmen. Dan is het geen kwestie van het leed samen delen. Helemaal in onze branche vangen hoge bomen verdomde veel wind.'

Carmen had geen flauw idee waar haar chef naartoe wilde. Ze knikte daarom maar begrijpend. Ze nam aan dat het later duidelijk zou worden wat hij hiermee precies bedoelde.

'Die professor zat in het complot. Was dit ook het geval met de regisseur en het publiek?'

Het kostte Carmen drie seconden om na deze snelle doorschakeling te antwoorden. 'Een sterk bezet podium met professor Eduardo Valdez en Ehedey Del Pino was onze eerste zorg. De regisseur wist ervan. Hij zegde toe om elke order van bovenaf met betrekking tot het stopzetten van de uitzending te negeren. In feite was spraakmakende televisie voor hem het enige wat telde.'

'Die is dus aan zijn trekken gekomen.'

'Ik heb na afloop geen negatieve geluiden van zijn kant gehoord.' Ze permitteerde zich een flauwe glimlach. De regisseur had hoogstwaarschijnlijk de avond van zijn leven gehad.

'Op de publieke tribune zaten vijftig mensen. Vijftien daarvan waren medewerkers van CESID. Precies genoeg om op de juiste momenten als motor voor de gevraagde stemming te fungeren.'

Dat was een uiterst slimme zet, dacht Silva. De veiligheidsdienst CESID had over het hele land duizenden sympathisanten. Al deze mensen stonden geregistreerd. Vrachtwagenchauffeurs, advocaten, interieurverzorgsters, marktlui, je kon het zo gek niet bedenken. In praktisch elke beroepsgroep en leeftijdscategorie beschikten zij over informanten. De grootste verrader van het volk was nog altijd het volk zelf.

'Zorg dat een kogel niet kan worden afgevuurd, dan hoef je hem ook niet te vrezen.'

Silva keek haar met een schuin oog aan. Ze citeerde zijn tekst, vlak voor haar vertrek naar Gran Canaria door hem uitgesproken. Tijd voor wat tegengas. Uit haar houding sprak namelijk iets wat naar een overwinnaarsgevoel neigde. Niet goed. Te vroeg, te jong, te onbezonnen.

'Alleen een meeloper trekt zich op aan woorden. Een leider bedenkt ze zelf.'

'Niet als er achter de woorden een filosofie zit. Bedenkt de zogenaamde leider iets anders, dan is dit uit zelfverheerlijking. Gestoeld op pure zelfoverschatting.'

Silva keek haar met zijn bekende stoïcijnse blik aan. Het deed hem deugd dat zij zich goed had voorbereid. Een intelligente jonge vrouw met pit. Hij moest de gok gewoon met haar nemen. Mocht het misgaan... Zeur toch niet zo, man. Ze is het meest geschikt voor deze baan. Het gaat niet mis.

'Een aantal jaren geleden introduceerde de toenmalige *jefe*, Carmelo Rodriquez, het begrip "intermediair" bij Nueve. Een verantwoordelijke baan waarbij de intermediair constant tussen de opdrachtgevende en uitvoerende partij heen en weer pendelde. Een verlengstuk van de chef, een helpende hand voor de manschappen in het veld. Een intermediair dient van alle markten thuis te zijn. De ene dag is het de logistiek van een operatie, terwijl 24 uur later wordt geluncht met, pak 'm beet, een attaché van de Bulgaarse ambassade. Door omstandigheden waarop ik ooit nog eens zal terugkomen, verdween deze baan in de administratieve prullenbak. Ik heb besloten deze heel ruime taakomschrijvingen weer nieuw leven in te blazen.'

Hij zag dat Carmens pupillen zich verwijdden. Ze was slim genoeg om in te zien dat haar een positieverbetering werd aangeboden. Logischerwijs kwam het als een complete verrassing, hetgeen de opgetogen schrikreactie in haar ogen verklaarde.

'Laat me raden,' zei Silva. 'Waarom ik, in plaats van Castro?'

Carmen knikte. 'Castro is een veteraan, ik kom pas kijken.'

'Het antwoord is simpel. In mijn ogen ben jij de meest geschikte kandidaat. Ervaring is inderdaad een belangrijke component voor deze functie, maar dat zijn inschattingsvermogen, algeheel voorkomen, natuurlijke intelligentie, loyaliteit en handelingssnelheid ook. Eigenschappen die overigens eveneens op Castro van toepassing zijn.'

Hier liet hij het bij. Om verder in detail te treden was zinloos. Hij had een keuze gemaakt. Mocht Carmen voor de eer bedanken, dan kwam er geen intermediair. Hoewel anderen zichzelf er hoogstwaarschijnlijk uitermate geschikt voor achtten, was het voor hem een uitgemaakte zaak. Carmen of niemand. Althans, voorlopig niet.

'Ik begrijp dat ik je hiermee overval. Neem gerust een paar dagen de tijd. Dit is te belangrijk om in een *split moment* over te beslissen.' Hij vervloekte zichzelf om de autoritaire toon waarop hij deze zinnen uitsprak. Als Carmen de baan accepteerde, zou ze als zijn rechterhand fungeren. Dit hield in dat ze veel met elkaar moesten samenwerken. In het kader van haar besluitvorming was zijn gezaghebbende manier van spreken dus ronduit stom te noemen. Tja, Silva, daar ben je weer lekker bijdehand uit de hoek gekomen, dacht hij cynisch.

'Ik zal er een nachtje over slapen. Dit overvalt me inderdaad. In positieve zin, welteverstaan.'

Diep in haar hart wilde ze er helemaal geen nachtje over slapen. De omschrijving van intermediair bij Nueve kwam erop neer dat ze vlak achter Silva in de hiërarchie kwam. Een ongekende stap voor iemand die in principe net kwam kijken. Ze wilde het liefst een gat in de lucht springen, maar wist een serieuze blik uit haar trukendoos te toveren.

'Ik wil nogmaals benadrukken dat ik me enorm gevleid voel door uw aanbod, *jefe*,' vervolgde ze. 'Zo op het eerste gezicht lijkt deze baan mij fantastisch. Ik ben er ook zeker van dat vanaf het moment dat ik straks de deur uitloop, het continu door mijn hoofd speelt.'

Zowel Silva's mensenkennis als intuïtie meldde hem dat Carmen iets dwarszat. Hoewel hij dacht te weten waar de schoen wrong, gaf hij de voorzet. 'Ik kan me vergissen, maar mijn gevoel zegt me dat je ergens mee zit.'

Carmen trok haar linkermondhoek omhoog en beet met haar hoektanden op haar wang. Ze staarde naar een punt op het schilderij dat achter hem hing. Een landschap van een onbekende schilder. 'Dolores Baena. Ik sta ermee op en ga ermee naar bed. Dat is niet gezond, lijkt me.'

'De andere kant van onze business.'

'Ze zat in mijn lichting, *jefe*. Wij waren de eerste vrouwen bij Nueve. Ik mocht verdomme haar schoenveters nog niet vastmaken, zó goed was ze.'

Silva schudde langzaam met zijn hoofd. 'Ze léék zo goed, Carmen. Een essentieel verschil. In werkelijkheid mocht zij jóúw schoenen nog niet poetsen. Enkel door haar manier van optreden wist zij haar zwakheden grotendeels te camoufleren.'

De toekomstige intermediair van Nueve maakte een hopeloos gebaar met haar beide handen. 'Hoe kon dit in godsnaam gebeuren? Waar is ze de fout ingegaan? In 's hemelsnaam nog aan toe, hoe kan iemand zo diep zinken? Nog wel een ex-lid van Nueve.'

Als hij volgens de etiquette zou handelen, moest hij het gesprek nu een andere wending geven. Ging hij verder op deze ingeslagen weg, dan betrad hij een pad waarop de ondergrond op zijn zachtst gezegd drassig was. Elke vorm van speculatie was per definitie de vijand van de inlichtingendienst. Een vreemde consensus, aangezien de geschiedenis leerde dat de grootste overwinningen vaak op basis van bespiegelingen en ingevingen waren behaald.

'Dit blijft tussen ons,' zei hij met een beslistheid die zelfs geen lettergreep van een weerwoord toestond. 'Wat ik nu ga zeggen, is voor een gedeelte speculatief. Er zijn bepaalde periodes in haar levensloop waar we nog geen goed beeld van hebben. En dan heb ik het niet over haar verleden op de kleuterschool.'

Er kwam zelfs geen flauwe glimlach op Carmens lippen. Ze luisterde aandachtig.

'Javier Martel was behalve een beroepscrimineel eveneens een notoire vrouwenversierder. Zo'n drie jaar geleden ontmoette hij Dolores. Hoewel ze bij de *policia nacional* werkte, kregen ze een affaire. Blijkbaar het beroemde verhaal van de elkaar aantrekkende tegenpolen. Dit duurde slechts enkele maanden. Nadat Dolores erachter kwam dat hij haar met een andere vrouw besodemieterde, was het over.'

'Vermoedens of feiten?'

'Dit traject klopt. Voldoende verklaringen die het onderbouwen.'

Hij schraapte zijn keel. 'In het tijdsgedeelte dat ik nu ga beschrijven, bevinden zich enkele blinde vlekken. En dan druk ik mij gemakshalve voorzichtig uit.'

Carmens aandachtige houding was een aanmoediging om vooral verder te gaan.

'Nadat Dolores haar koffers bij Nueve had gepakt, liep ze Martel weer tegen het lijf. Omdat het rationele in de mens vaak het onderspit tegen het passionele moet delven, kregen ze wederom wat met elkaar. Enkele weken, misschien een paar maanden later, werd Martel door kolonel Juanfran Doramas benaderd. Vier moorden, laten we vooral niet vergeten dat in de Dordogne een labiele jongen werd omgebracht, in ruil voor een flinke zak geld. Een lucratief aanbod dat de beroepscrimineel eenvoudigweg niet kon afslaan.'

Silva keek nu langs Carmen heen. Ondanks het gebrek aan hard bewijs, wist hij zeker dat het zo moest zijn gegaan. In gedachten zag hij flitsen van de ontmoetingen tussen Martel en Doramas. De misdadiger met zijn perfide liefje. 'Martel besloot Dolores in vertrouwen te nemen. Hij mocht dan een rasploert zijn, een moordenaar was hij beslist niet. Een kwalificatie die niet voor haar gold, wist of gokte hij. Na enkele wilde nachten en dito toekomstplannen besloten zij op fifty-fiftybasis de klus te klaren. Martel was degene die het geld incasseerde en zich in de ogen van hun opdrachtgevers van het bloederige gedeelte kweet. In werkelijkheid werd de rol van Tempelridder vanaf de eerste dag door een vrouw gespeeld.'

Carmen keek hem met een wazige blik aan. Ze schudde vertwijfeld haar hoofd. 'Het vertrek bij Nueve moet diepe wonden bij haar hebben geslagen,' lispelde ze. 'De ultieme vernedering.'

'Dat, plus een aantal andere factoren,' zei Silva. 'Het kan niet zo zijn dat iemand na een conflict met een toekomstig werkgever opeens stapelgek wordt en aan het moorden slaat. Op een bepaald moment creëerden de omstandigheden echter een situatie die voor haar blijkbaar te interessant was om te laten lopen. De beslissing om voor geld de jongen en de imams te vermoorden, nam ze mijns inziens weloverwogen. De moord op Martel is een typisch ijkpunt voor die stelling.'

'Van haar kant was de romance *fake*.'

'Misschien. Toen Martel met het verhaal op de proppen kwam, is er bij haar in elk geval een knop omgegaan. Dit verklaart waarom zijn vingerafdrukken op de relikwie in Barcelona werden gevonden. Met haar achtergrond was het een koud kunstje om deze, bijvoorbeeld vanaf een glas, te verkrijgen. Hierna met de computer aan de slag en hup, de onbetwistbare sporen van de moordenaar waren bij de politie bekend.'

Carmen hief haar rechterwijsvinger op. Een gebaar dat ze maakte in het vuur van de strijd die in haar hoofd woedde. 'Tot zover kan ik het goed volgen. Ik denk ook dat er in uw redenatie voldoende raakvlakken met de waarheid zijn. Waar ik echter op stukloop, is de derde aanslag. Er waren te veel redenen om deze niet te plegen.'

Ze telde de argumenten op de vingers van haar rechterhand af. 'De buit was binnen. Na afloop van de vierde moord was het onmogelijk om verder te incasseren aangezien Martel niet meer leefde. Vanwege diezelfde Martel bleef zijzelf uit beeld bij het justitiële apparaat, een verre van onbelangrijk punt. Ook moet ze zich hebben gerealiseerd dat er een gerede kans bestond dat Nueve inmiddels op de hoogte was. Vanwege het verrassingseffect en het korte tijdsbestek tussen de aanslagen in Granada en Barcelona waren wij kansloos. Dit gold niet voor Valencia. Als voormalig lid van Nueve wist ze dit. Haar beslissing om daar toch te verschijnen, is voor mij dus onbegrijpelijk.'

Silva wachtte met antwoorden tot de vingers van haar rechterhand minder nadrukkelijk in beeld waren. 'Natuurlijk was het geld een grote drijfveer. Ik ben er echter van overtuigd dat er gedurende haar privé-operatie ook andere zaken aan de oppervlakte kwamen. Alles liep namelijk zoals zij het wilde. Ze voelde zich superieur. Wellicht heeft het zelfs door haar hoofd gespeeld dat ze ons in een rechtstreekse confrontatie kon verslaan.'

'Ik kan beamen dat het woord "minderwaardigheidscomplex" niet in haar woordenboek voorkwam.'

Silva keek bedachtzaam. 'Wellicht hebben we ons daar allemaal in vergist en handelde ze juist vanuit een diepgeworteld minderwaardigheidscomplex. Dit zou een verklaring voor haar obsessieve dadendrang kunnen zijn.'

Hij zuchtte en zei aansluitend: 'Hoogstwaarschijnlijk is het verstandiger om dit aan de psychologen over te laten en ons te richten op de vraag waarom ze toch de derde aanslag pleegde.'

Hij knikte een paar maal langzaam met zijn hoofd alsof hij daadwerkelijk getuige was geweest van hetgeen hij nu ging zeggen. 'Het lijkt me duidelijk dat Dolores geen enkele intentie had om met Martel verder te gaan. Hij was de ideale zondebok en daarmee hield het op. Ze was sluw genoeg om te weten waar hij zijn poen verborg. Toen zij de pecunia eenmaal in handen had, ging het enkel om het verder afhandelen van de zaak. Dit moest netjes gebeuren, en hier wrong dus de schoen.'

Carmen boog zich iets naar voren. Van deze theorie wilde ze geen woord missen.

'Het ging om de opdrachtgever. Als die zo'n bedrag cash op tafel kon leggen, dan stonden er mensen achter hem met wie Dolores nimmer in een conflictsituatie wilde komen. Uit handen van justitie blijven is met een goed opgezet plan en sobere levenswijze te realiseren. Na jaren word je een *cold case*, een nummer. Voor het opsporingsapparaat dienen zich nieuwe prioriteitsgevallen aan. Met een beetje mazzel ontspring je de dans.'

Carmen knikte begrijpend. Er waren zat voorbeelden die *el jefes* stelling staafden, wist ze. Verplichte kost op het theorie-examen van Nueve.

'Dolores zat dus met de opdrachtgever in haar maag,' ging Silva verder. 'Of zij van Miquel Medina's bestaan wist, durf ik niet te zeggen. Met een beetje fantasie kon ze echter wel inzien dat het hier om een politiek spel ging. De moorden op de imams veroorzaakten namelijk de nodige maatschappelijke onrust. De mensen die hier achter de schermen voor verantwoordelijk waren, wilde zij niet tegen zich in het harnas jagen. Met de moord op Martel was ze al buiten haar boekje gegaan. Hierover zouden de opdrachtgevers ongetwijfeld hun wenkbrauwen fronsen. Tenminste, als het de publiciteit zou halen.'

'Waar zij niet van uitging,' vulde Carmen aan. 'Logischerwijze was Nueve opgetrommeld en die zouden er alles aan doen om publiciteit te voorkomen, wist zij. Wij zouden de zelfmoord nooit voor zoete koek slikken. Enkel als wij de volgende aanslag niet konden verhinderen, was Martel een alternatief om als Tempelridder op te voeren. Na verloop van tijd natuurlijk. Als de vrees voor een volgende moord was weggeëbd.'

Silva pakte de draad weer op. 'Dolores ging daar geheel terecht van uit. Een gecalculeerde gok die goed uitpakte. De opdrachtgever wist niet beter of Tempelridder Martel ging nog eenmaal toeslaan.'

Na vijf heel stille seconden fluisterde Carmen: 'Ze wist het. Ze wist dat wij haar op stonden te wachten.'

'Nee,' antwoordde Silva beslist. 'Ze wist het niet. Ze ging ervan uit, dat is een wezenlijk verschil. Ze rekende erop dat wij alles op alles zouden zetten om nog een aanslag te voorkomen. De kans dat wij, op wat voor manier dan ook, de benodigde informatie vergaarden, was in haar gedachtegang een reële optie. Dit verklaart waarom ze de oudjes met, godzijdank, chloroform uitschakelde. Hierdoor kon ze via de praktisch onverdedigbare breedteas vluchten. Ze dacht als iemand van Nueve die de eigen organisatie te slim af wilde zijn.'

'Ze realiseerde zich dat als wij er waren, het een mega-operatie betrof. Tot op de seconde voorbereid. Jezus nog aan toe, dan moet je wel lef hebben.'

'Zo kijken wíj ertegenaan, Carmen,' reageerde Silva direct. 'Als nuchter denkend mens zeg je: de kans dat ik daar ongeschonden wegkom, is gering. Dolores leefde op dat moment echter in een roes. De drie eerdere moorden waren gladjes verlopen. De kans bestond dat dat deze keer wederom het geval zou zijn. Ze dekte zich in met de vluchtroute en ging ervoor. Haar zelfvertrouwen was optimaal. Heel misschien hoopte ze diep in haar hart wel dat wij er waren. Ultieme wraak. Ons tot op het bot vernederen en ermee wegkomen.'

Carmen liet een zucht ontsnappen en stond op. 'Een interessante theorie, *jefe*. Ik ben bang dat die de komende dagen nog vele malen door mijn hoofd zal spelen.'

Een dunne glimlach verscheen op Silva's vermoeide gezicht. 'Zet het van je af, Carmen. We zullen nooit weten wat haar exacte beweegredenen waren. Wat nu telt, is de toekomst. Probeer je daarop te concentreren.'

Carmen begreep de hint. 'Ik kan zo snel geen redenen bedenken waarom ik die baan niet zou accepteren, *jefe*. Om de waarheid te zeggen sta ik te popelen om te beginnen.'

'Ik hoop dat Enrique daar net zo over denkt.'

Ze stond perplex, iets wat haar zelden overkwam. In hun ogen hadden ze er alles aan gedaan om de romance verborgen te houden. Elke schijn die op meer dan een werkrelatie duidde, werd vermeden. Het was allemaal verspilde moeite geweest.

'Doe het een paar dagen rustig aan, Carmen. Ik hoor het wel als je eruit bent.'

De toekomstige intermediair van Nueve zei haar chef gedag en sloot de deur achter zich. De verwonderde uitdrukking op haar gezicht maakte plaats voor een brede glimlach. Uit de rechterbinnenzak van haar jack haalde ze een ring met daaraan twee sleutels. De grootste van de twee verschafte haar toegang tot de benedenhal. De kleinste paste feilloos in de voordeur van Enriques appartement.

Overmorgen was de verhuizing.

El jefe wist veel. Zo veel dat het haar best een beetje benauwde.

Haar glimlach verbreedde zich.

Gelukkig bleven sommige zaken zelfs aan zijn oog onttrokken.

Silva zakte onderuit en staarde naar het plafond. Een korte blik in zijn agenda had hem zojuist gemeld dat er voor vandaag geen afspraken meer op de agenda stonden. Het was rustig in naarlingenland. Niemand die hem wilde spreken over het reilen en zeilen van staatsgevaarlijk gepeupel of geteisem dat op het punt stond dit te worden.

Heerlijk.

Hij was ervan overtuigd dat Carmen de baan als intermediair zou accepteren. Zij was een intelligente vrouw die deze unieke kans met beide handen zou aangrijpen. De mogelijkheid om haar capaciteiten in een breed scala verder te ontplooien was eenvoudigweg te mooi om te laten lopen. Kort door de bocht geredeneerd moest ze haar hersens gaan gebruiken. Daarom had hij enkel de operatie in Las Palmas aangeroerd. Ware het niet dat de imam zo'n klein ventje was, had in principe iedereen van de dienst die rol kunnen spelen.

Andere woorden die hij zo-even bewust niet over zijn lippen had laten komen, denderden nu door zijn hoofd. Het waren de zinnen die de onweerlegbare waarheid verkondigden. Hard, kil en fair.

Alle voorbereidingen ten spijt, waren dertig man in de maling genomen. Niets meer of minder dan een ingeving zorgde voor de ommekeer.

Een geprepareerde eenling kon meer schade veroorzaken dan een tot aan de tanden toe bewapend leger.

Dolores Baena was hen te slim af geweest. Een verontrustende gedachte, aangezien de nieuwe Dolores Baena reeds in de wachtkamer zat. Morgen, volgende maand, over twee jaar. In welke gedaante of hoedanigheid was nu nog een raadsel. Dat hij of zij zich zou aandienen, was een zekerheid.

De eenling. De grootste nachtmerrie voor elke opsporingsdienst. Zoeken naar een schim, vechten tegen een schaduw. Een situatie waarin Goliath altijd David blijkt te heten.

Met een simpel 'genoeg' verbande hij voor even het doemdenken uit zijn systeem. Door een paar maal met zijn ogen te knipperen, onderbrak hij het staren. Vanaf een foto op zijn bureau keken zijn vrouw en dochter hem lachend aan. Hij lachte terug. Heel kort, zoals iemand die ergens op de achtergrond iets grappigs hoort vertellen.

Hij was gek op Nueve, maar hield oprecht veel van zijn gezin. Dat laatste telde oneindig veel meer. Voorzover hij het zich kon herinneren, had hij voor de eerste maal zijn werk min of meer gebruikt om zijn privéleven te ontlasten. Langzaam maar zeker zou Carmen hem werk uit handen gaan nemen. De tijd die hij daarmee won, ging hij aan zijn gezin besteden. Een nobel streven waarmee Silva uitermate in zijn nopjes was. Tweemaal per jaar op vakantie.

De weekenden zo veel mogelijk vrij houden.

Af en toe Carmen van school halen.

Elke week een romantisch etentje met Grace.

Een geweldig gevoel stroomde door zijn aderen. Er stonden veranderingen op stapel die zijn gezinsleven een prima impuls zouden geven. Met het tot intermediair bevorderen van Carmen had hij zowel Nueve als zijn familie een dienst bewezen. Als hij echter heel grondig in de spiegel keek, wist Silva dat het eerste een prettige bijkomstigheid was. Voor zijn gezin deed hij namelijk alles.

Nou ja, dacht hij. Bijna alles dan.

Hij verdomde het om een psychiater te bezoeken.

Dat was voor watjes.

Ja, toch?

Epiloog

Zondag 15 oktober 1307

Het gordijn van invallende schemering en gestaag vallende regen zorgden voor een spookachtig decor. Het geluid van vele paardenhoeven op de kletsnatte kade van Calais werd door een overdaad aan plassen en een fluitende westenwind gedempt. Het gekraak en gepiep van gefolterde assen en mishandelde wielen overstemde daarentegen de roep der elementen.

De uit drie karren, zes menners en acht Tempeliers bestaande karavaan, gleed stapvoets langs goederen die spoedig zouden worden ingescheept. Vijfenveertig paarden sjokten achter de laatste wagen aan. Onderweg, waren vijf van deze noeste werkers onder het moordende tempo bezweken. Zonder enige vorm van mededogen werden ze achtergelaten. Een feestmaal voor zwervers en wolven.

Ter hoogte van een ruim negentig voet lange tweemaster hief de Tempelier die uiterst links in het eerste gelid reed zijn rechterarm. De menners reageerden op dit stopteken door verwoed de teugels aan te trekken. Het gekraak en gepiep stopten subiet. Drie paarden briesten, twee hinnikten kort. Aansluitend volgde dierlijke gelatenheid, waarna de betrekkelijke rust op de kade wederkeerde.

Vanaf de reling van het schip keken twee matrozen toe hoe de Tempeliers afstegen. Een derde bemanningslid dat dekdienst had, was inmiddels benedendeks gegaan om de kapitein te waarschuwen.

Zes Tempeliers splitsten zich op in groepjes van twee. Ze liepen naar de achterkant van de karren en schoven het grove zeildoek opzij. Twee vergrendelingen werden gelijktijdig weggeschoven, zodat de plank naar buiten scharnierde. Van elk tweetal stapte er één de kar binnen.

De houten kisten gingen van hand tot hand. Binnen vijf minuten stonden er in totaal achttien op de kade. Vanaf het moment dat de karavaan Calais was binnengereden, had niemand van het gevolg een woord gesproken. Enkel de paarden lieten regelmatig hun doordringende stemgeluid horen.

De kapitein was inmiddels aan dek gearriveerd. Het rode symbool op de voorkant van zijn witte gewaad kwam overeen met de vlag die in de top van de mast wapperde. Als groet stak hij zijn rechterarm omhoog naar zijn wapenbroeders aan wal, die zich op zo'n vijftig voet afstand van hem bevonden. Daarna gaf hij de matrozen het bevel de loopplank te hanteren.

Met tussen hen in een houten kist, liepen twee Tempeliers naar de plek waar de tijdelijke brug tussen wal en schip werd geplaatst. Voordat zij deze bereikten, zwol een onheilspellend geluid aan. Het was alsof in de verte met dunne stokjes op trommels werd geslagen. Ondanks het onverminderde fluiten van de wind en de intensiteit van de toenemende regen, nam de kracht van het geluid toe.

Laarzen stampten onvervaard door de plassen, vervaarlijke punten van tientallen zwaarden schampten langs de onverzoenlijke keikoppen waarmee de kade geplaveid was. Aan het hoofd van de militaire colonne reed een officier van de koninklijke garde van Filips de Schone. Hij werd geflankeerd door een ruiter in een zwarte mantel wiens gezicht door een capuchon werd bedekt. Recht tegenover de loopplank hield de officier zijn paard in. Zijn manschappen stonden bijna gelijktijdig stil.

'Tempeliers, in naam van de koning staat u onder arrest,' sprak de officier met welluidende stem. 'Tevens vervallen al uw eigendommen aan de staat.'

Op de gezichten van de Tempeliers was geen spoor van angst te ontdekken. Het waren doorgewinterde kerels wier zwaarden het bloed van menig moslim hadden geproefd. Van grootspraak door een van koning Filips de Schones officieren raakten zij geenszins onder de indruk. Ook het aantal soldaten boezemde hen geen enkele vrees in. Ze hadden meerdere malen voor een grotere overmacht gestaan en gezegevierd.

'Het is onmogelijk dat een officier van de koning op eigen gezag Tempeliers arresteert,' antwoordde Laurent Valverde op een afgebeten toon waarin minachting de overhand had. Hij was door Grootmeester Jacques de Molay aangewezen als leider tijdens deze tocht. Dit gaf hem automatisch het recht om als woordvoerder op te treden.

'Toon ons een schriftelijk bevel met daarop het koninklijke zegel,' ging hij schamper verder. 'Zo niet, scheert u zich dan ogenblikkelijk weg.'

Hierna knikte hij kort in de richting van de koninklijke manschappen. 'Uw marionetten beginnen al te rillen van de kou.'

Met een spottende blik keek hij de officier aan. 'Hoewel het evenzeer van de angst kan zijn.'

De overige Tempeliers begonnen smadelijk te lachen. De Orde leefde op gespannen voet met de garde. Deze openlijke vernedering deed hun Tempeliershart sneller kloppen.

'U en uw manschappen zullen zeer spoedig weten wat angst inhoudt, Tempelier,' sprak de man naast de officier opeens. Zijn linkerhand verdween onder zijn zwarte gewaad, terwijl zijn rechter de kap naar achteren trok. Op het pokdalige gezicht van Guillaume de Nogaret, aartsbisschop van Narbonne, lag een wolfachtige grijns. In zijn linkerhand hield de man die gold als de rechterhand van koning Filips de Schone, een rol van perkament.

'Aanschouw het bevel waar u om vroeg, Tempelier,' sprak hij triomfantelijk. Het perkament dat hij uitrolde was voorzien van het koninklijke zegel. 'De leden van de Tempeliersorde worden wegens de vele misdaden die hier beschreven worden in staat van beschuldiging gesteld.'

Streng wees hij met zijn rechterwijsvinger naar Laurent Valverde en zijn mede-Tempeliers. 'Arresteer deze verraders.'

In een eerste reactie grepen de Tempeliers naar het gevest van hun zwaard. Valverde hief echter zijn linkerhand, waarop het staal weer terug in de schedes gleed.

'Wij onderwerpen ons aan het gezag van koning Filips de Schone,' fluisterde hij precies zo hard dat alleen De Nogaret en de officier het konden horen. Daarna trok hij zijn zwaard en legde het voor zijn voeten neer. De rest volgde zijn voorbeeld.

Guillaume de Nogaret stapte af. Hij genoot zichtbaar van het moment. Toen hij vlak langs Valverde liep, fluisterde hij snel iets in diens oor. 'Zelfs een lamme postduif is sneller dan de vurigste hengst. Het toeval wilde dat ik op werkbezoek in Amiens was.'

Hierna liep hij door naar de houten kisten, trok zijn zwaard en hieuw hiermee het dichtstbijzijnde slot open. Met zijn laars trapte hij het deksel weg. Drie zakken waren zichtbaar. 'Ah, ik ben hoogstbenieuwd wat deze landverraders naar hun Schotse vriendjes wilden sturen.'

Er glansde een blik van onverholen hebzucht in zijn ogen. De koning was een zeer royaal man waar het de onderdanen in zijn naaste omgeving betrof.

De punt van zijn zwaard sneed voorzichtig maar zeker door het canvas. In plaats van de heftige schittering van edelstenen die in kunstvoorwerpen verwerkt waren, zag hij echter ontelbare doffe zandkorrels die op de bodem van de kist gleden. Aartsbisschop Guillaume de Nogaret keek vol ontzetting naar de waardeloze inhoud. De punt van zijn zwaard sneed aansluitend door een tweede zak. Ook hieruit gutste een waterval van zand.

Een woord dat vloekte met zijn positie als aartsbisschop, rolde over de kade. Hij nam twee grote passen en hakte het slot van een tweede kist open. Daarna stak hij in blinde woede in op de middelste zak. Toen hieruit eveneens zand stroomde, draaide hij zich om en keek recht in het gezicht van Laurent Valverde.

De Tempelier grijnsde.

Zaterdag 21 oktober 1307

Armand de Peragors legde zijn hengst bewust een lichte draf op. Zijn viervoeter had een etmaal kunnen bijkomen van de lange reis en gedroeg zich derhalve nerveus. Dit had te maken met zijn natuur, wist De Peragors. Het dier moest zijn energie kwijt en wilde er het liefst in een gestrekte galop vandoor. Gaf hij daaraan toe, dan zou de hengst zijn opgebouwde reserves zonder meer verspelen en de rest van de dag onhandelbaar zijn.

'Rustig,' gromde de Tempelier nadat het dier zich bokkig gedroeg door uit de aangegeven pas te lopen. Hij corrigeerde met de teugels, waarna de hengst zich aan hem onderwierp. Tijdelijk, dacht De Peragors. Elk moment kon de krachtbron onder hem weer een poging wagen om vaart te maken.

In dit tempo zou hij morgenmiddag Toulouse bereiken. De ontmoetingsplaats was de hoeve van David Munier, die ten noorden van de stad lag. Munier was een rijke herenboer die de Tempeliers een warm hart toedroeg. Zijn hoeve werd door leden van de Orde veelvuldig als wisselplaats van paarden gebruikt. Zoals deze pleisterplaats waren er tientallen in Frankrijk. Hiervandaan zouden ze hun weg zuidwaarts vervolgen.

De Peragors glimlachte toen hij terugdacht aan de verbaasde gezichten van Jean en Alain toen hij hun in de Dordogne meldde dat hun wegen zich hier dienden te scheiden. Ze waren er namelijk van overtuigd geweest dat ze gezamenlijk de reis naar Toulouse zouden volbrengen. Toen hij hun vertelde dat zij vooruit moesten gaan en hijzelf later in de hoeve zou arriveren, heerste er na de verbazing voornamelijk onbegrip. Ze wezen hem erop dat zij in hun rol van lijfwacht onmisbaar voor hem waren in dit gedeelte van het koninkrijk waar het wemelde van struikrovers en ander gespuis. Een vergeefse poging, aangezien hij zijn orders rechtstreeks van Grootmeester Jacques de Molay had ontvangen en deze onverbiddelijk uitvoerde. Uiteindelijk legden de mannen zich er schoorvoetend bij neer. Op zijn verzoek leverden ze de verzegelde zadeltassen die ze in Parijs hadden ontvangen bij hem in, en vervolgden met tegenzin hun weg naar de hoeve van David Munier.

'Kalm, nu,' siste hij tegen de viervoeter die het weer op zijn heupen kreeg. Aansluitend trok hij stevig aan de teugels. Het dier had een harde hand nodig. Als hij niet liet merken wie de baas was, nam de hengst letterlijk een loopje met hem.

Nadat Jean en Alain uit het zicht waren verdwenen, was hij direct met zijn zoektocht begonnen. Het had hem slechts twee uur gekost. De ingang van de grot lag half verscholen achter stenen en onkruid. Een afgelegen plek waarvan enkel ongedierte gecharmeerd was. Uitermate geschikt als bergplaats dus.

Omdat hij er veiligheidshalve van uit moest gaan dat hij niet de enige was die het bestaan van de grot kende, nam hij uitgebreid zijn tijd voor het verbergen van de kostbaarheden. Het was een monnikenwerk om met de aanwezige natuurlijke materialen een wand te bouwen die niet van echt te onderscheiden was. Het kostte hem dan ook bijna twee dagen om dit kunststukje te volbrengen. Toen hij voor de laatste maal een blik op de wand wierp, voelde hij zich trots op de prestatie die hij had geleverd.

Terwijl hij nadacht over het wel en wee van zijn mede-Tempeliers Thomas Berard en Arnold de Toroges die een soortgelijke opdracht als de zijne dienden te volbrengen, schrok hij van de doordringende gil van een vrouw.

'*Aaaahhhh*! Help me!'

Armand de Peragors trok de teugels strak aan, waardoor de hengst meteen zo goed als stilstond. Hij luisterde aandachtig waar het hulpgeroep vandaan kwam en gaf daarna zijn paard de sporen. Voor het dier was deze handeling een zegen. In een straffe galop ging hij ervandoor.

Ze vlogen langs de bosrand. Opeens was daar een smal, kronkelend pad. Hij bedacht zich geen moment en leidde de hengst het bos in.

'Help!'

Hij had de juiste afslag genomen. Het stemgeluid van de in nood verkerende vrouw werd sterker. Het pad maakte een flauwe bocht naar rechts, waarna het kronkelweggetje uitmondde in een open plek.

Een jonge vrouw stond met haar rug tegen een boom. Haar jurk was aan de voorkant gescheurd, waardoor het bovenste gedeelte van haar rechterborst zichtbaar was. Haar gezicht was vertrokken van angst. In haar rechterhand hield zij een dolk. Op een klungelige manier die het verlengstuk was van haar ontzetting, probeerde ze twee belagers van zich af te houden. De kerels lachten vals. Een spel van kat en muis.

De Peragors hield de hengst in en trok zijn zwaard. Uit zijn ooghoeken zag hij twee levenloze lichamen. Hij nam aan dat dit de onfortuinlijke begeleiders van de vrouw waren. De oplaaiende woede deed hem zijn kiezen op elkaar klemmen.

Gewaarschuwd door de trappelende hoeven, draaiden de twee struikrovers zich om. Zij lieten de vrouw links liggen en namen een dreigende houding aan. Zelfverzekerd liet de Tempelier de hengst recht op hen inrijden.

Op het moment dat De Peragors zijn wapen ophief, draaiden de schurken zich gelijktijdig om en vluchtten het struikgewas in. Aansluitend spoorde de Tempelier zijn hengst aan om de mannen te volgen.

'Nee!'

De wanhoopskreet van de jonge vrouw zaaide twijfel. Het liefst wilde hij achter het gespuis aan, maar een bepaalde klankkleur in haar stem dwong hem zijn paard te beteugelen.

'Blijf alstublieft hier. Ik ben zo bang.'

Een afzwakkend geritsel vertelde hem dat de kans dat hij de lafaards alsnog te pakken zou krijgen met de seconde kleiner werd. Hij liet zijn hengst een halve draai maken en stapte af. Hij liep naar de vrouw toe die op haar benen stond te tollen.

Toen hij zijn rechterhand ter ondersteuning onder haar linkerschouder legde, trof een pijnscheut hem in zijn maag. De vrouw schoot pijlsnel langs hem heen. Haar dolk bevond zich ter hoogte van zijn navel. Enkel het gevest was nog zichtbaar. Het staal had zich moeiteloos een weg in zijn lichaam gebaand.

Hij zeeg op zijn knieën en hoorde het struikgewas ritselen. De mannen kwamen terug, wist De Peragors. Ook de dode lichamen van de begeleiders kwamen spoorslags weer tot leven. De mannen pakten hun zwaarden van de grond en liepen zijn kant uit. De Tempelier kreunde van pijn en schaamte. Als een onbezonnen dwaas was hij in de simpele valstrik getuind.

'Maak hem af en pak zijn beurs,' beval een stem in de verte. Deze behoorde aan de vrouw toe. Elke vorm van angst was eruit verdwenen.

Met bovenmenselijke inspanning trok hij de dolk uit zijn maag. Hierna stond hij op, pakte zijn zwaard en pareerde de eerste aanval. De daaropvolgende slag kwam uit een voor hem wazige hoek. De punt van het zwaard schampte zijn borst en maakte een forse snee in zijn bruine mantel. Hierdoor werd een gedeelte zichtbaar van het gewaad dat hij eronder droeg.

'Het is een Tempelier,' hoorde hij de struikrover links van hem zeggen. Ondanks zijn uiterst zwakke lichamelijke toestand bemerkte hij het ontzag dat in de stem van de man klonk. Dit gaf hem kracht. Zijn zwaard liet zich optillen en hij haalde verwoestend uit in de wazige vlakte rechts van hem. De kreet die weerklonk, bevestigde zijn vermoeden dat de voor hem onzichtbare aanvaller zich daar bevond.

'Maak hem af, verdomme!' gilde de vrouw hysterisch.

Het overwinnaarsgevoel dat heel even in hem was gevaren, verdween op slag toen hij wederom een steek moest incasseren uit het mistgebied dat almaar groter werd. Hij wankelde achteruit.

Zijn einde was dichtbij.

Hij ging door moordenaarshanden sterven op een afgelegen plek in de Dordogne.

Het geheim dat hij had door moeten geven aan bevriende Tempeliers in het uiterste zuiden, bleef voor eeuwig het zijne.

Toen hij het laatste restje leven uit zijn lichaam voelde wegvloeien, plantte Armand de Peragors de punt van zijn zwaard in de grond. Hij knielde, terwijl beide handen het gevest omklemden. Zijn kin rustte op zijn borst. Beide oogleden sloten zich gelijktijdig. Berusting en berouw.

'Vergeef me, Heer,' fluisterde hij nauwelijks hoorbaar. 'Ik heb gefaald.'

Dankwoord

Anderhalf jaar geleden ontstond uit een opmerking van mijn favoriete oom Frank Smid na verloop van tijd een verhaal dat uiteindelijk tot dit boek leidde. Ik hoop dat het zijn goedkeuring kan wegdragen.

Vanaf de dag dat de eerste regels van De Orde daadwerkelijk op papier kwamen, keek Arjan Kers over mijn schouder mee. Dan bleef ik scherp, zo verzekerde hij mij keer op keer met aanstekelijk enthousiasme. Achteraf bleek zijn zienswijze een kern van waarheid te bevatten.

Terwijl de verhaallijnen zich ontsponnen en de personages een eigen leven gingen leiden, staken de hulptroepen een hand toe. Bhiku Vadera leverde een hutkoffer vol wetenswaardigheden over Francisco Franco Bahamonde en grotduikinstructeur Welmoed Broekema leidde mij een wereld binnen waar ik gedurende mijn actieve periode als duikinstructeur zover mogelijk vandaan bleef.

Collega Esther Verhoef vertelde mij op de haar zo kenmerkende, ongedwongen wijze over het leven in de Dordogne en de uiterst sympathieke Vlaming Walter De Muynck stond altijd klaar om mijn spervuur aan vragen omtrent De Tempeliersorde te beantwoorden.

Ik kan u verzekeren dat Saïd en Brahim Bouhaiji elke dag Allah en de Profeet Mohammed bedanken dat De Orde is voltooid. Vanwege mijn obsessieve drang om in een kort tijdsbestek zo veel mogelijk over de islam te weten te komen, viel ik hen er bijna dagelijks mee lastig.

Alberto Rivero-Sanchez begon direct met bellen als ik om informatie vroeg waarop internetzoekmachines en naslagwerken het antwoord schuldig bleven. Het bleek een verademing om te constateren dat details die vaak het verschil bepalen, zelfs in dit hightechtijdperk het beste door mensen van vlees en bloed overgebracht kunnen worden.

Dat rust roest, ondervond ik toen mijn geheugen weigerde bepaalde 'duikweetjes' prijs te geven. Gelukkig waren Jack Vijgen en zijn teamleden van duikcentrum Esko altijd bereidt te helpen. Tevens maakten zij op weinig subtiele wijze duidelijk dat mijn beslissing om uit de actieve onderwatersport te stappen een heel verstandige was. Rotjongens.

Tom Smulders was mijn houvast in een arena vol papieren tijgers die enkel uit machtswellust en winstbejag grommen. Hij deed zijn uiterste best om mij iets van het politieke systeem op het vasteland van Spanje en de Canarische eilanden bij te brengen. Een hele klus, die Tom met verve heeft volbracht. Zo goed zelfs, dat ik ernstig overweeg om op Ehedy Del Pino te stemmen als hij ooit de moed op kan brengen een eigen partij te beginnen.

Alle bovengenoemde personen hebben een essentiële bijdrage aan *De Orde* geleverd. Zij kwamen met informatie en ideeën, de fouten in het boek komen geheel op mijn conto.

Vanaf het ontstaan tot aan het redigeren, waren echter twee personen rechtstreeks met dit boek verbonden: mijn vrouw Annemiek en uitgever Steven Maat.

Uitweiding hierover zou hun indrukwekkende prestaties op vele fronten slechts onderbelichten.

Vandaar dat ik het hierbij laat.